社会変容と民衆暴力

人びとはなぜそれを選び、いかに語られたのか

須田 努［編］
Tsutomu Suda

大月書店

社会変容と民衆暴力

人びとはなぜそれを選び、
いかに語られたのか

【目次】

第II部　地域社会内部で発動される民衆暴力

第Ⅲ部　民衆暴力をめぐる表象・言説

序論　今、歴史の領域から民衆暴力を問うことの意味

須田　努

はじめに

二〇〇〇年代以降、新自由主義のひずみとして、社会のさまざまな領域に格差が広がった。さらに、二〇一九年から始まった新型コロナウイルスのパンデミックがこれに拍車をかけた。閉塞感が深刻化する中で、家庭内での暴力が増加した。また、経済格差は広がり、そこから生まれる分断は他者（あちら側）への敵意と不寛容につながり、暴力へとエスカレートしてゆくことも予期できる。そして、二〇二二年二月、ロシアによるウクライナ侵略が起こった。わたしたちは、この二〇世紀型の領土侵略と戦争暴力の様相を目の当たりにした。

このような現代社会の情勢を意識しつつ「社会変容と民衆暴力」という共同研究が動いていた。ここでは、専門集団・国家による組織化された戦争やテロではなく、普通の人びとが行使する暴力（言論による攻撃も含む）の問題を歴史の文脈から分析することを目的とした。研究フィールドは日本に限らず、アジ

ア（朝鮮・ベトナム）、ヨーロッパ（フランス・イギリス・アイルランド）に広げた。この序論では民衆暴力をめぐる史学史を解説してゆく。

まず、民衆暴力という言葉に関して触れておきたい。歴史学の領域で、民衆が行使する暴力の問題そのものに取り組んできた研究者は少なく、アラン・コルバン（フランス近代史）、藤木久志（日本中世史）、須田努（日本近世史）、藤野裕子・藤田貴士（日本近代史）、趙景達・愼蒼宇（朝鮮近代史）といったところであった。この数少ない研究者は、「民衆による暴力」「民衆の暴力」という言葉により、その事象を叙述してきたが、民衆暴力という直截な名詞を使用したことはなかった。管見のかぎり、この名詞を最初に使用したのは藤田貴士であった（二〇一六年）[*1]。そして、二〇一七年、須田が「民衆と暴力」（歴史学研究会『第四次 現代歴史学の成果と課題』第二巻）で使用した。しかし、藤田は書評、須田は史学史の解説であり民衆暴力という名詞を実証研究レベルで用いたわけではなかった。そして、二〇二〇年、藤野裕子が『民衆暴力』というタイトルで中公新書を刊行した。このインパクトは大きかった。

二〇一六年以前において、歴史学の研究領域では民衆暴力という名詞は存在しなかったのであるが、ここでは、その時期における研究を解説する際にも、民衆暴力という言葉を使用する。

1　一九七〇～八〇年代　「変革主体」としての民衆像

一九七〇年代まで、「戦後歴史学」というディシプリンの中で、民衆暴力の問題は忌避されていた。その背景と理由については、すでに論じた。[*2] それを簡単に整理すると、「戦後歴史学」の基幹をなしたマルクス主義歴史学が、民衆を「変革主体」と位置づけたことに始まった、といえる。そして、六〇年安保闘争の内省の中から形成された人民闘争史研究によって、「変革主体」たる民衆が闘うべき相手は為政者や国家権力であり、民衆とは互いに連帯すべき存在と位置づけられた。民衆間で行使される暴力が意識されるはずはなく無視され続けたわけである。

一九七〇年代、人民闘争史と距離を置き、民衆史を構築した安丸良夫は、民衆暴力の存在に気づいていた。しかし、民衆の通俗道徳に焦点を定めた安丸は、当然ながら民衆の暴力には関心を示さなかった。[*3]「戦後歴史学」の大きな枠組みの中、民衆史研究の中核をなした人民闘争史と安丸民衆史（通俗道徳論）の影響のもと、民衆暴力の問題は少数の逸脱者による例外的な事象とされ、〝視野の圏外〟に放置され続けたのである。

一九八〇年代後半から九〇年代初頭、天安門事件と東欧革命・ソ連邦の解体という国際社会の変動（冷戦構造の崩壊）を背景に、日本における既存のマルクス主義（思想・価値観）は失墜し、「戦後歴史学」というディシプリンは崩壊した。[*4]

2　一九九〇年代　言語論的転回を意識して

一九九〇年代、ポスト・モダニズムの思潮に加え、ジャック・デリダによる脱構築という考え方が翻訳・移入され、言語論的転回と呼ばれる現象が始まり、歴史学は大きな影響を受けた。同じ史料を用いても、そこから描き出される歴史像は歴史家の解釈にまかされる、ということが意識されてゆく。

一九九〇年代、フランス社会史（アナール学派）のアラン・コルバンによる『浜辺の誕生』[*5]・『時間・欲望・恐怖』[*6]などの翻訳刊行が続いた。そして、ピーター・バーク編『ニュー・ヒストリーの現在』[*7]が出版された。バークは、言語論的転回以降の歴史学の動向をニュー・ヒストリーと位置づけ、それは、子ども・死・狂気・気候・匂い・しぐさ、身体など、人間活動のほとんどすべてに関心を持つものである、と論じた。

ナタリー・Z・デーヴィスは『帰ってきたマルタン・ゲール』[*8]によって、一六世紀フランスの民衆文化と、民衆の集合心性の叙述に成功した。デーヴィスは、一六紀という歴史的背景などの状況（コンテクスト）について、実証的先行研究の引用に依った。民衆史研究者の仕事の中心は、民衆の行動の様態や、集合心性の様相などの解釈となったのである。そして、アラン・コルバンは、一八七〇年に南西フランスのドルドーニュ県オートフェイ村で、一人の青年貴族が二時間にもわたって集団的な拷問を受け、火あぶりにされた、という虐殺事件を丁寧に解き明かした。また、この虐殺事件が一九世紀に起こったことを重視し、集団暴力の背景にある噂の持つ重要性にも触れていた。この『人喰いの村』[*9]は、民衆暴力の問題を扱った衝撃的研究であった。

日本近代史の領域では、自由民権運動一元論で語られてきた明治期の民衆史（運動史）研究に対して、困民党研究から稲田雅洋・鶴巻孝雄・牧原憲夫らが登場し、民衆の「能動性」や民衆運動の「自立性・独自性」を重視すべき、との立場が掲げられた。そして、一九九八年、牧原憲夫『客分と国民のあいだ』[*10]という名著が生まれた。牧原は「民権＝近代＝進歩　明治政府＝半封建＝反動＝抑圧」という単純な二項対立で描いてきた自由民権運動研究を痛烈に批判し、どこまで「リアリティ」のある「民衆の歴史」が描けるだろうか、ということに精力を傾けていた。また、鶴巻は明治期の民衆運動に現出した暴力的側面を伝統的（江戸時代的）要素として処理していた。[*11]

負債農民騒擾は多様多彩であり、その中に暴力という現象が包摂されていたことは歴史的事実なのである（たとえば、真土《しんど》村事件や秩父事件）。しかし、彼らはその内実に取り組もうとしなかった。そこに共通するものは、研究者が想定している、もしくは想定しやすい近代像に合致しない事象（暴力・放火・略奪など）を江戸時代社会に求め、説明（処理）するという手法であった。牧原が語る「リアリティ」のなかに、民衆暴力の問題は入っていなかった。[*12]

3　二〇〇〇年代　「現代歴史学」の黎明

二〇〇一年、小泉純一郎内閣が生まれ、規制緩和を推し進めた。この動きは、二〇一〇年代の安倍晋三内閣による「アベノミクス」を経過し、自己責任論へとつながっていった。そしてそれは、さまざまな場面・領域での格差の拡大、さらに社会全体の右傾化へと至った。

ポスト・モダニズムや言語論的転回の影響を受けた二〇〇〇年代以降の歴史学は「現代歴史学」と呼称

される。一定の政治的価値判断から自由になり、事実を隠蔽したり、ねじ曲げたりしないかぎり、多様な歴史解釈が可能となった――限りない相対化の問題については、ここでは触れない[*13]――。つまり、歴史学は認識論の段階に入ったといえる。

二宮宏之の整理に従えば、「現代歴史学」の研究対象は多様になり、死・狂気・しぐさ・身体など人間活動のほとんどすべてに研究関心が及ぶようになったわけである。

言語論的転回にいち早く反応し、それに関連した論説を発表し続けた歴史家が成田龍一であった。二〇〇〇年、成田は「歴史と歴史学[*14]」において、ゲオルグ・G・イッガース、二宮宏之を引用しつつ、一九世紀に成立した近代歴史学の核をなした実証主義への懐疑を表明した。この実証主義への懐疑は、歴史資料の対象を広げた。成田は、中里介山の長編小説『大菩薩峠』を史料として位置づけ、そこから日本近代社会の様相を読み込んでいる[*15]。

多くの人びとは自らを語らない、ゆえに民衆史の領域において、史料の限界はつねについて回ったが、言語論的転回以降、民衆史研究者はそれを意識して、扱う歴史資料の幅を広げていった。この点は後述したい。

二〇〇二年、冷戦構造の消滅、「戦後歴史学」の終焉と言語論的転回に強く影響を受けてきた須田努は、『「悪党」の一九世紀[*16]』を著した。須田は、一九世紀、幕藩領主の仁政が揺らぎ始めたために、それまで全国的に遵守されていた百姓一揆の作法（武器の不使用、放火・盗みの禁止）が崩壊した、と論じた。そして、騒動に結集した人びとを行動主体（agent）として位置づけ、史料から彼らの行動を読み込み〝水平方向の暴力〟の様相を描いた。この研究は、日本近世史を対象として、村人・百姓たちの暴力を論じた最初の著作となった。ただし、民衆暴力という名詞は使用していなかった。

その二年後、趙景達・中嶋久人・須田努編による『暴力の地平を超えて』[*17]という企画・論集が生まれた。その序章「いま、なぜ暴力か」（趙景達）の冒頭には「家庭内暴力や学校内暴力・ストーカー殺人・通り魔殺人など、暴力にまつわる事件が連日のように報道されている」と日本社会での暴力拡散の様相や、さらに、冷戦体制の解体とイスラム急進主義の登場にも触れ、「世界史は、無数の暴力に彩られている」とまとめている。

「暴力はどう語られてきたか」（須田努）では、暴力をテーマとした研究動向としてヴァルター・ベンヤミン、ノルベルト・エリアス、アラン・コルバンなど、一二名の研究者をあげているが、歴史家は三名だけであり、哲学・社会学・文化人類学が中心となっている。つまり、二〇〇〇年代前半において、世界的に見ても民衆暴力を意識した歴史研究はほとんどなかったということである。

『暴力の地平を超えて』に結集した研究者（編者以外）は、藤木久志・藤野裕子・愼蒼宇・尹慧瑛・岸本美緒・阿部安成であった。ただし、各論でも、民衆暴力という語句は使われていない。「民衆における暴力」「民衆の暴力」という表記はある。須田に限定するならば、〝水平方向の暴力〟という言葉を使っても、同義ではあるが民衆暴力という直裁な表現を避けていた。この四文字が持つ強烈なイメージと向き合うには、まだ実証論文と発信の度合いが足りなかったのである。

編者の須田・趙景達だけでなく、藤野・愼蒼宇はのち民衆暴力を強く意識した研究書を刊行する。藤野については後述するとして、ここでは、藤木・尹慧瑛・岸本・中嶋・愼蒼宇の研究に触れておきたい。

藤木久志は『豊臣平和令と戦国社会』、『戦国の作法』に見るように、[*18]中世に継続した戦乱と、そこに生きた民衆との関係を問い続けていた。これらの成果から、村の暴力の側面を抽出して整理したものが「日本中世の土一揆と村の暴力」であった。その中で藤木は、村の自検断という暴力が「中世から近世の間に「大きな制約が課された」と論じた。本論での重要な提起は、「ヨコの暴力」ともいうべき村落間相論（自力救済としての実行行使の暴力）までが、近世社会で完全に禁圧されたわけではなく、凶器を武器から農具に持ち換え、「なからじに」＝半殺しを限度とする暴力が村から廃絶されることは「近世を通じてついになかった」、と論じた点にある。日本近世史研はこの問題を受け止めきれなかった。

尹慧瑛は「北アイルランド紛争を生きる」で、紛争の様相を紹介しつつ「暴力と隣りあっているために問題に向きあわざるをえない人びとがいる」と語った。二〇一九年、須田は本書の共同研究仲間とベルファストを訪れた。カトリック系住民とプロテスタント系住民の居住区を分けた壁は、北アイルランド和平合意から三〇年が経過した現在でも、高く長くそびえている。そして、ブレグジットが予定されている情勢下、緊張は緩んでいなかった。歴史研究者は、暴力の問題を〝視野の圏外〟に置くことはできる、もしくはまったく意識しないこともありうる。しかし、民衆史研究者は、〝暴力から逃れることができなかった無数の民衆がいた〟という歴史と、それは現在でも続いているという事実と向き合う必要がある。

岸本美緒は「明末清初における暴力と正義の問題」において、民衆による暴力の場面を叙述する際の史料論を展開している。岸本は『水滸伝』に描かれた好漢たちが明末清初期の民衆に人気があり、偽善に対する仮借なき憎悪を動力に物語は展開してゆくとして、回憶録、小説・戯曲などから「「暴力」をめぐる諸現象が一つの思想問題であった」と論じた。人びとは語らない、語れない、ゆえに民衆史の史料的制約は大きい。まして民衆の暴力を扱う場合、その問題は難儀である。岸本の論文にはそれを打開するヒントがあった。たとえば、江戸時代、民衆に人気の浄瑠璃・歌舞伎を史料として応用し、そこに民衆の〝水平方向の暴力〟の様相を見ることも可能といえよう。この問題は後述したい。

社会秩序や社会システムの問題をテーマとしてきた中嶋久人が、秩父事件を対象として民衆暴力を論じた(「自由党と自衛隊」)。中嶋は秩父事件に結集した「自由党」のふるう暴力と、秩父事件から居村を防衛しようとした「自衛隊」の暴力を比較する。また、「自由党」が交戦した警部・巡査の多くを殺害し首を切断していたことに着目し、国家に対抗する意識を高めていったとした。一方、「自衛隊」の暴力行使の基底には「恐怖」があったとしつつ、国家権力の指揮下にあったわけではない彼らは、居村を守るためには「自由党」に転化する潜在的可能性を有していた、と論じた。この論文は、暴力という視点から秩父事件に切り込んだ最初の研究成果となった。

植民地朝鮮における暴力の問題を扱った論文が、愼蒼宇「無頼と倡義のあいだ」である。愼蒼宇は、趙景達が「暴力と公論」(『暴力の地平を超えて』)で述べた、日本の武断統治が朝鮮の伝統的政治文化を破壊したために、民衆の鬱屈した水平暴力が拡がった、という論点に触れつつ、旧韓国軍人など失業者からなる憲兵補助員に注目し、彼らは日本に買収された「傭兵」として民衆に凄惨な暴力を加えた、と論じた。そして、憲兵補助員は、人びとから日本の支配の「手先」として憎まれ、義兵からは食うための傭兵として同情される、とした。愼蒼宇は、日本の植民地支配によって生まれた社会と民衆暴力の様相を、憲兵補助員から義兵へと転化した姜基東という人物を通じて描いたのである。そして、四年後、彼は『植民地期朝鮮の警察と民衆世界[*19]　1819–1919』において、この問題を拡げ、日本の植民地支配は朝鮮の伝統的な「寛容の政治文化」を破壊し、憲兵警察制度のもと憲兵補助員を動員したことにより、朝鮮社会（地域社会）の秩序を破壊し相互不信の空気を醸成させ、社会全体は暴力化していったとし、朝鮮民衆の苦難に満ちた暴力経験を描き出した。

次に日本中世史に関して、稲葉継陽の研究に触れておきたい。二〇〇九年、稲葉は『日本近世社会形成史論[*20]』において、村落が有した暴力を「村落フェーデ」として理解し、近世に入り、それは統一政権＝「公儀」のもとに凍結されるが、近世前期（一七世紀末）に至るも「村レベルの当知行主義の伝統のもと山道具や脇差の奪い合いが繰り返され」ていたことを実証した。藤木久志・稲葉の研究からすると、日本の近世とは、武器を使用して紛争相手を殺害するという村の暴力は否定されつつも、紛争を自ら解決する村落（民衆）の力が存続する社会であった、ということになる。さらに、藤木は二〇〇五年『刀狩り[*21]』において、民間社会で発生する紛争の際に武器が使用されなかったのは、民衆の自律の力のなせるわざであったと述べた。二〇〇〇年代、藤木の成果を共有する中で、戦争（合戦）――藤木のいう「なわばり」争い――が続いていた日本中世史において、その社会の内実を理解するために、民衆暴力の問題に触れることは当然となっていた。

日本近代史の状況を確認する。民衆暴力を語るうえで、明治期の新政反対一揆・負債農民騒擾・秩父事件・都市騒擾、大正期の米騒動（都市騒擾）・関東大震災時の朝鮮人虐殺、昭和戦前期のファシズム状況下の問題は欠かせない。

新政反対一揆に関して、今西一が明治四年（一八七一）の「身分解放令」の発令直後に起こった播但《ばんたん》一揆を分析し、農民が鉄砲・竹鑓等で武装し、被差別民（もと穢多）を殺害していったことに触れ、襲撃の背景にある露骨な差別意識の存在を指摘し、従来の研究はそのことに言及せず、この一揆の本質を年貢減免闘争としてきたことを論難した。[*22] しかし、農民が暴力を行使する、その意味について掘り下げたわけではなかった。

山田昭次は、関東大震災時の朝鮮人虐殺を分析した。[*23] 山田の問題意識（歴史認識）の核は、国家権力関与の解明にあり、「朝鮮人を虐殺した自警団員は、官憲のデマないしは官憲によって権威づけられたデマに操られたという意味では被害者であり、犠牲者である。しかし朝鮮人を虐殺した加害者でもある」と述べているように、国家権力に煽動される民衆という理解が根強くあり、民衆が行使した暴力そのものと向き合おうという視座はない。暴力を意識することは民衆の主体性を問い直すことにつながる。その意味で、今西・山田はそのことに無自覚であったといえる。

4　二〇一〇年代以降　主体と民衆暴力

二〇一一年三月一一日、東日本大震災が発生した。その直後から、メディアは「絆」という言葉を強調し始めた。少なくとも地方紙は、個人（夫婦）や地域共同体の「助け合う」姿を表象する語句として使用していたが、徐々にそれは希釈・拡散され、東日本大震災後のさまざまな矛盾を隠蔽する押しつけがましいものとなっていった。

そして、災害救助に動いた米軍のオペレーション名が「ともだち作戦」であったことから、「絆」は日米軍事同盟を表象する言葉にまでなり、二〇一二年一月、安倍晋三首相は所信表明演説で「日米同盟を一層強化して、日米の絆を取り戻さなければなりません」と語った。[*24]

二〇一二年一二月の総選挙で圧勝した自民党は、生活保護費の引き下げを実現するために自助を強調し、安倍内閣は「生活扶助」基準額の大幅減額を決定した。新自由主義による政策の典型といえる。自己責任の強制は、経済格差と、ぎすぎすした不寛容の社会を創り出してゆく。それは、貧困者・性的マイノリティへの差別、ヘイトスピーチの激化といった社会的風潮につながっている。二〇一〇年代以降、日本の現実社会において、暴力が表面化してきた。

二〇一七年、ドナルド・トランプがアメリカ大統領に就任した。欧州では、極右政治団体の活動が顕著となっている。そして、トランプ政権の四年間による、社会の分断、反知性主義の波は米国に限らず、欧州・日本にも影響を及ぼし、それらを背景とするネット内でのフェイク、ヘイト、排他主義、つまり言葉の暴力は際限ない様相となっている。なお、二〇二〇年以降の動向については「はじめに」で触れた。

この時期における民衆暴力の研究成果を確認してゆきたい。二〇一〇年、須田努は『幕末の世直し　万人の戦争状態』[*25]において、江戸時代、幕藩体制を支えていた政治理念を仁政と武威として規定し、それが揺らぐ中で社会は暴力化するとし、豪農たちは地域社会を防衛するため、剣術習得や農兵銃隊結成という動きに出て、武州世直し騒動の際には、騒動勢を「悪党」として殺害していった、と論じた。これは、幕末を対象とした須田の暴力論の基本となってゆく。

二〇一一年、喜安朗は『民衆騒乱の歴史人類学』[*26]を出した。喜安は、「民衆の自発性の回路」を重視するためには、彼らの日常生活を規定している「その生活圏の時空間を探らなければならない」と述べ、一八三〇年から四八年のパリを舞台に、さまざまな民衆騒擾の様相を描いた。特に注目したいのは、民衆の蜂起が暴力化する場面で「カーニヴァルの山車を引くという形式をとって」いることを指摘し、酒場に通い、「おごり」あうという習慣があったことを指摘した点である。[*27]

二〇一三年、戦争暴力の問題を扱った重厚な研究成果が出た。井上勝生『明治日本の植民地支配』[*28]である。井上は当時の勤務校であった北海道大学で発見された「東学農民軍首魁」と書かれた六つの頭蓋骨＝「遺骨」を返還する活動を始めた。この書は、井上が歴史家の責務として実行した一〇年以上にも及ぶ「遺骨」調査の記録である。井上は、東学農民たちを「悉く殺戮」するために派遣された後備歩兵独立第一九大隊所属の一般兵士が記した『陣中日誌』に行き着き、そこから、徴兵により召集された兵士が、東学農民軍を殺戮していった戦場経験を「困苦」として互いに語り合っていたことを描き出した。

二〇一三年、趙景達は植民地朝鮮を対象として『植民地朝鮮と日本』[*29]を公刊した。民衆暴力という視点では、『暴力の地平を超えて』で示した論点が強化され、植民地近代化論・植民地近代性論を批判するかたちで、日本の植民地支配によって「「近代化」の美名のもとに多様に成される収奪・差別・抑圧と、それを担保する暴力の体系」こそが植民地主義の本質である、と明言した。趙景達がここで語る「暴力の体系」とは、日本の植民地支配による日本人の直接的な暴力だけではない。重要な論点は、日本の植民地支配により、朝鮮社会に伝統的に存在した儒教的民本主義という政治文化が破壊され、そこから朝鮮民衆の中に鬱屈が深まり、それに起因するかたちで民衆暴力が拡がっていった、ということにある。

二〇一五年、藤野豊・黒川みどりは『差別の日本近現代史』[*30]において、「被差別部落、女性、ハンセン病患者、回復者、障害者、アイヌ民族、在日韓国・朝鮮人をはじめとする在日外国人、沖縄など、現代の日本にはさまざまな差別が存在する」と述べ、身分解放令反対一揆に武器を持って参加し、被差別部落の人びとを襲撃した農民の心性に迫った。そして、「為政者が交代しても民衆の生活は好転せず」「解放令」によって「被差別部落の人たちのみがあたかも地位を上昇させ」たという認識や、さらに「従来からのケガレ観」から派生する「不安と恐怖」の拡散を強調した。

新政反対一揆の多くは暴力化したが、特に被差別部落襲撃は凄惨であった。従来の研究では、この問題を身分解放令の矛盾と江戸時代以来の身分意識の残存として説明してきた。しかしそれでは、なぜ暴力を伴うのかが不分明であった。黒川・藤野はそれに切り込み、「不安と恐怖」という問題によって理解したのである。この研究は暴力の集合心性をどう考えるか、という問題につながる重要な提起であった。

そして、二〇一五年、藤野裕子『都市と暴動の民衆史』[*31]が刊行された。この研究は民衆運動を扱ったものではなく、「民衆の暴力行使と社会秩序の再編という観点に立」ったものであった。そして、「明治・大正期の土木建築請負業は暴力と不可分に結び付い」ていたことの意味を問い、彼らの世界には「男らしさ」を誇る独自の文化（対抗文化）が存在していたと指摘し、社会的劣位の男たちの強烈な社会承認要求の心性を明らかにした。[*32]

藤野は、民衆の都市騒擾に自律性を見出さない。藤野が描いた男たちは暴力という実践行為の中で何ら変化しなかったのであろうか。藤野は自覚的に主体という概念を希薄化させているように思える。

これに対して、民衆の自律性を意識し、明治期の港湾労働者の暴力に着目したのが青木然である。二〇一五年、青木は、外国人の内地雑居が許可される直前（一八九九年）に生まれた「清国労働者非雑居期成同盟会」の動向を追いつつ、「港湾労働者の行動様式に着目」し、彼らは喧嘩によって結束を強めていったとした。そして、港湾労働者は清国人・日本人社会双方から蔑視される存在であったが、「腕力の行使は、彼らの社会的な劣位性を一時的に払拭」させるすべであったと論じた。[*33] 青木は、自己の社会的劣位の立場を理解しつつ暴力を選択してゆく港湾労働者の心性と主体性を描き出している。藤野と青木の暴力論のベクトルはまったく方向を異にしている。

二〇一五年、アジア民衆史研究会と韓国の歴史問題研究所は共同研究の成果として『日韓民衆史研究の最前線』[*34]を刊行した。この中で、裴亢燮は、韓国における民衆史研究（民衆史学）が「マルクス主義を受容した」研究者によって担われ、近代を指向する民衆を描いてきた、と整理し（「東学農民戦争に対する新しい理解と内在的接近」）、張龍経は社会的弱者に向かう民衆暴力などの「民衆に否定的な事実はいつも少数の悪者の問題だとか扇動によるものと考えられるのが常だった」と論じている（「民衆の暴力と衡平の条件」）。日韓の民衆史を取り巻く研究状況は近似している。その韓国でも、二〇一〇年代に入ると、民衆暴力が民衆史の対象となってきたのである。蘇賢淑が、植民地期に急増した「妻／嫁」に対する日常的かつ苛酷な暴力の現実を、新聞記事から分析した（「孤独な叫び」）こともその一例である。歴史学の領域において家庭内暴力の問題を扱った論文は少なく、ゆえに貴重なものであるが、史料として利用した新聞の特徴や、その政治性に無頓着であることが残念である。

二〇一七年、内田満による充溢した実証研究が出た。[*35] 内田は武州地域を事例として徹底的にこだわり、幕末から明治期にかけての騒動・騒擾を分析した。幕末を対象とした論文二点を紹介したい。「第二章百姓一揆の作法」では、嘉永二年に関東取締出役や幕府（大目付）から発令された「悪党」の殺害許可を丁寧に分析し、治安維持機能を担わされた改革組合村は、治安の悪化とともに竹槍・鉄炮などの武器を使っての暴力的対処を迫られたが、鳥羽・伏見の戦い以降は、自力救済の意味で地域の治安維持を図ろうとした、と論じた。内田は民衆暴力とともに、民衆の主体的動向を問題にしている。内田の研究の独自で秀でたものは、慶応四年（一八六八）、鳥羽・伏見の戦いでの幕府軍敗北の「政治的空白」の中で発生した旗本神谷勝十郎殺害事件の分析である（「第三章　慶応四年一月三日鳥羽・伏見の敗戦と三月二十七日旗本殺害一揆」）。内田は大谷村の百姓が、竹槍・鳶口・六尺棒などで最初から殺意をもって、旗本神谷を「打殺」「焼喰」したことや、「台所に黒血五六尺四方に流れ有之候」といった凄惨な状況を明らかにし、この事件が関東地域に伝播していった様相にも触れている。内田の研究の本旨は、近世から近代にかけての民衆運動の作法・行動様式の変化を実証することにあったが、近世的作法が崩壊する中で、民衆暴力が拡がっていったことをも論証している。

二〇二〇年、藤野裕子は、分析対象と時期を拡大して、『民衆暴力』[*36]を新書として出した。藤野は意識してタイトルを民衆暴力としたのである。この反響は大きかった。これによって、研究者のみならず、世間一般にも民衆暴力への関心が拡がった、といえる。

二〇二〇年、伊藤俊介ほか編『「下から」歴史像を再考する』[*37]が出版された。藤田貴士は「近代日本における都市民衆運動の胎動」において、民衆暴力の問題を意識して扱っている。藤田は、都市民衆騒擾が日比谷焼き討ち事件を中心に語られていることに対して、地方都市で起こった民衆騒擾を検討する必要があるとして、神戸の日露講和反対騒擾の様相を論じた。藤田の問題関心と危機意識は、現代の日本社会における「日常的な不満や鬱屈のはけ口」が「他者に対する排外主義的な暴力へと姿を変え、より陰湿かつ陰惨な形で繰り広げられている」ことにあった。藤田は、民衆が湊川神社にある伊藤博文の銅像を倒し、さらに派出所を襲撃していった事実を、新聞を通じて分析し、騒擾（暴力）の「本質が民衆一般の解放願望＝祝祭化にあった」ことを実証した。都市を舞台とする民衆騒擾、民衆暴力の発動において、鬱積した日常からの解放や祝祭気分が、集合心性を形成していたことは、先に触れた喜安朗の研究とあわせ、今後一般化されてゆくであろう。なお、藤田論文の面白さは史料の扱い方にあるが、それは後述する。

また、大川啓は「米騒動と女性沖仲仕」において、富山県中新川郡東水橋町の米騒動の様相を明らかにした。大川は、女性沖仲仕集団が一定の自律性を有し、米騒動を牽引していたことに着目し、彼女たちのリーダー＝「親方」が「きっつい」面を持ち、彼女たちが日常的に「殴る文化」を共有していたことを見出している。面白い視点である。先述した藤野裕子は、暴力を男の世界として描いたが、大川は女性の暴力を論じている。はたして、女沖仲仕たちの暴力を当時の社会にどう位置づければよいのであろうか、言及がないのは残念であった。

小川原宏幸は「植民地朝鮮における地域社会の秩序意識と民衆暴力」を著した。これまで政治史を論じてきた小川原が論文タイトルに民衆暴力と表記したのである。被差別民であった「白丁《ペクチョン》」の身分解放を実行した衡平運動が、朝鮮民衆から強い反発を受け、民衆による衡平社員襲撃事件が発生した。小川原は、その一つである醴泉事件を分析し、この「集団的暴力がどのような回路を通じて形成されていったのか」を問題にして、それをトゥレ――農民たちが酒食をともにし、ドラなどを打ち鳴らして農苦を慰め合う行事――などに求めた。都市における民衆結合の背景を論じた研究は既述してきたが、小川原はそれを農村部において実証したわけである。ただし、小川原の問題関心は「朝鮮における地域社会の秩序意識は三・一独立運動を経て一九二〇年代にどのように変化していくのだろうか」という点にあり、「民衆が一義的に排除の対象としたのは、身分集団としての白丁というよりも、近代主義的立場からする身分解放運動としての衡平運動そのものだった」という論点を提示している。しかし、「近代主義的立場」の前提には、趙景達が長年論じている植民地支配の暴力（儒教文化破壊）に関する説明が必要に思える。小川原の研究は、日本近代の身分解放令反対一揆との比較が期待できる。

二〇二〇年、菊池秀明の『太平天国』[*38]が刊行された。菊池は、洪秀全のパーソナリティや、独特のキリスト教理解が、宣教師から危険視され、ヨーロッパ諸国との断絶につながったことを丹念に明らかにし、一四年に及ぶ太平天国の戦いと、その過程で現出した権力闘争と反主流派の粛正や民衆暴力の様相を具体的に描いた。

以上、二〇一〇年代以降の民衆暴力に関連する研究を整理した。権力によって追い詰められたことによって、民はやむにやまれず立ち上がった、というナイーブな解釈はもはや通用しない。繰り返すが、民衆暴力を明らかにすることは、民衆の主体性に着目することと同義なのである。

人びとはなぜそれを選択し、どのように語られたか、ということが問題となり、民衆暴力をめぐる集合心性が明らかにされようとしている。

5 民衆暴力をめぐる若干の史料論

二〇一〇年代以降、民衆史研究者は語らない人びとの心性を探るため、浄瑠璃・歌舞伎・落語作品といった芸能資料をメディアとして位置づけ、そこには当該時期の社会が反映されているとして、それらを積極的に利用し始めた。たとえば、須田努は、浄瑠璃・歌舞伎作品から江戸時代における民衆の朝鮮・朝鮮人観を浮かび上がらせ、中臺希実は、江戸時代の都市民衆のジェンダー観を論じた[*39]。

そして、民衆暴力の問題を論じる際に、ルポルタージュ・新聞や、演劇脚本などの芸能資料が史料として扱われるようになった。

須田努は、秩父事件がどのように語られていったのかを問題にし、婦女子への性的暴行があったなどと、事実に反して、ことさらに読み手の嫌悪をさそう記事が出ていたことに着目して、秩父事件以降、在地社会において、騒動・争議の際に殺人などの集団暴力が行使されていない事実をそこに見出した。そして、新聞は秩父事件の暴力を、「烏合の暴徒」「博徒」に指導された「無知蒙昧」な者たちの行為とし、自由・民権・正義といった近代的文脈にそぐわない事象として報道していたことを明らかにした。[*40]

藤野裕子は『都市と暴動の民衆史』において、「暴動の行動形態を再構成」するために「官憲の記録、新聞記事のほか、判決・予審集結決定・調書類などの裁判記録」を用いている。

また、藤田貴士は「近代日本における都市民衆運動の胎動」において、新聞記事の有用性を原田敬一の研究[*41]に求め整理し、課題を三点あげている。その中で報道対象の恣意性に対しては、「新聞史料が持つバイアスには十分留意し、事件報道の多義性を意識する」ことを指摘し、騒擾に際しての煽動者と傍観者の存在を浮かび上がらせている。また、新聞を史料として利用し民衆像を描く際には、当該時期の政治・社会状況（主体としての民衆を取り巻く構造）を把握し、その中に分析結果を位置づける必要があるが、藤田はそれを十分意識して論理展開している。見習うべき手法である。

芸能資料を利用した民衆暴力へのアプローチとしては、須田努『三遊亭円朝と民衆世界』[*42]がある。そこでは「暴力の記憶」として、「鏡ケ池操松影」「業平文治漂流奇談」などを素材として、凄惨な民衆暴力を描いた作品が文明開化期に創作された意味を論じ、特別な能力や資産を持たない者たちが「自己の意志を貫き、他者に対して影響力を行使するためのもっとも簡単な手段は暴力」であったとし、国家権力による暴力の統制や違式詿違条例といった社会の規律化による「逼塞する空気」を〝切り裂く〟エネルギーをそこに見出した。

伊藤俊介は日清戦争における暴力の様相を、川上音二郎のルポルタージュとプロパガンダ演劇から描いた。[*43] 特に演劇が大衆に受けた理由として、音次郎のリアリティの追求と、日本人の「武威」と「神国意識」、日本＝「文明」、清国＝「野蛮」という二項対立的表現があったとしつつも、そこには戦争を仕掛けた日本への批判もあった、と論じている。伊藤は、演劇の脚本さらに演出方法にまで踏み込んで実証している。

こうして民衆暴力をめぐる歴史資料、特に芸能資料の存在に着目すると、なぜ暴力が娯楽作品で描かれるのか、つまり多くの人びとがなぜそのような暴力描写を好むのか、という壁に突き当たる。[*44] 歴史学単独でのアプローチでは解決できない問題であり、文学（演劇学）・社会学・社会心理学との連係が必要となろう。

おわりに

二〇二二年三月、ICUアジア文化研究所主催により「歴史の中の暴力と社会」が開催され、ロバート・エスキルドセン、藤野裕子、倉橋愛子、須田努が報告者となった。幕末社会・日本近代都市の米騒動、インドネシア大虐殺をそれぞれ個別テーマとするワークショップに、学生・院生が参加した。また、二〇二三年一月にはアジア民衆史研究会が「東アジア近代における民衆暴力の諸相」を設定し、吉澤誠一郎・小川原宏幸・中嶋久人が登壇し、近現代中国・植民地期朝鮮・現代日本における民衆暴力の様相を報告して、活発な議論となった。このように、現在、民衆暴力を議論するアリーナが形成された。民衆が暴力を選択したという歴史的事実がある。その問題に取り組むことは、民衆の主体性を明らかにすることになる、と述べてきた。最後にもう少し踏み込みたい。なぜ、歴史の領域から民衆暴力を研究するのか、そこから何を見出すのか、という問題である。

今の世界は不寛容と余裕のない社会となってしまった。多様姓の強調はその裏返しといえる。しかし、それは現代に限ったものではない。歴史の領域からアプローチする（過去の出来事を理解する）ことによって、現実社会に起こっている民衆暴力の問題を相対化しつつ、向き合うことができる。

普通の人びと（民衆）が暴力を選択するには、それなりの背景があり理由がある。そして、それらを取り巻く構造として、社会変容があったろうことは、容易に予見できるであろう。本書のタイトルに社会変容を掲げたゆえんである。

第Ⅰ・第Ⅱ部では、民衆暴力の背景・理由・構造を実証し、そこに暴力を選択した人びとを位置づけている。第Ⅲ部では、民衆暴力が事実から離れ、どう表象され語られていったのかをも論じている。演劇作品やメディア（ネットやSNSを含む）は、暴力を誇大に描写し、わかりやすい善悪・美醜などの二項対立に持ち込むために、暴力表現を好んで用いるということも事例として明示している。ここでは、各論文への言及は避け、構成の枠組みだけ提示しておきたい。

第Ⅰ部「宗教・思想を背景とした民衆暴力」

須田努（幕末）・武内房司（ベトナム近代）・大峰真理（フランス近代）・中嶋久人（日本現代）・崎山直樹

（アイルランド近代）からなる。人びとが暴力を選択するその背景を宗教・思想との関係から明らかにし、人びとの行動を、その中に位置づけたものである。

第Ⅱ部「地域社会内部で発動される民衆暴力」

宮間純一（幕末）・檜皮瑞樹（日本近代）・高江洲昌哉（沖縄現代）・趙景達（朝鮮近代）からなる。人びとが暴力を選択するその背景を、地域社会内部が抱える問題として考察した論文群である。

第Ⅲ部「民衆暴力をめぐる表象・言説」

中臺希実（日本近世）・伊藤俊介（日本近代）・石田沙織（日本現代）・加藤圭木（日本現代）となる。民衆暴力がどのように語られたかを、新聞・ネット、芸能資料により明らかにしている。対象時期は現代までを含み、家庭内暴力・ヘイトスピーチの問題も扱っている。

〔注〕

＊1　藤田貴士「近代民衆運動史研究の方法と課題――藤野裕子著『都市と暴動の民衆史――東京・一九〇五－一九二三年――』に寄せて」（『人民の歴史学』二〇八、二〇一六年）。

＊2　須田努「民衆と暴力」（歴史学研究会編『第四次　現代歴史学の成果と課題――世界史像の再構成』第二巻、績文堂出版、二〇一七年）。

＊3　安丸良夫『日本の近代化と民衆思想』（青木書店、一九七四年）。なお、これに対しては趙景達による批判がある（「民衆運動史研究の方法」アジア民衆史研究会・歴史問題研究所編『日韓民衆史研究の最前線――新しい民衆史を求めて』有志舎、二〇一五年）。

＊4　詳細は須田努『イコンの崩壊まで――「戦後歴史学」と運動史研究』（青木書店、二〇〇八年）を参照されたい。
＊5　アラン・コルバン『浜辺の誕生――海と人間の系譜学』（福井和美訳、藤原書店、一九九二年）。
＊6　アラン・コルバン『時間・欲望・恐怖――歴史学と感覚の人類学』（小倉孝誠訳、藤原書店、一九九三年）。
＊7　ピーター・バーク編『ニュー・ヒストリーの現在――歴史叙述の新しい展望』（谷川稔訳、人文書院、一九九六年）。
＊8　ナタリー・Z・デーヴィス『帰ってきたマルタン・ゲール――16世紀フランスのにせ亭主騒動』（成瀬駒男訳、平凡社ライブラリー、一九九三年）。
＊9　アラン・コルバン『人喰いの村』（石井洋二郎ほか訳、藤原書店、一九九七年）。
＊10　牧原憲夫『客分と国民のあいだ――近代民衆の政治意識』（吉川弘文館、一九九八年）。
＊11　鶴巻孝雄『近代化と伝統的民衆世界――転換期の民衆運動とその思想』（東京大学出版会、一九九二年）。
＊12　詳細は須田努「牧原民衆史・国民国家論と向き合う――『牧原憲夫著作選集』を読んで」（『歴史評論』八四六、二〇二〇年）を参照されたい。
＊13　詳細は須田努「イコンの崩壊から」（『史潮』七三、二〇一三年）を参照されたい。
＊14　成田龍一「歴史と歴史学」（『世界』六七五、岩波書店、二〇〇〇年、のち『方法としての史学史』岩波現代文庫、二〇二一年に所収）。
＊15　成田龍一『「大菩薩峠」論』（青土社、二〇〇六年）。
＊16　須田努『「悪党」の一九世紀――民衆運動の変質と〝近代移行期〟』（青木書店、二〇〇二年）。
＊17　趙景達・中嶋久人・須田努編『暴力の地平を超えて――歴史学からの挑戦』（青木書店、二〇〇四年）。
＊18　藤木久志『豊臣平和令と戦国社会』（東京大学出版会、一九八五年）、同『戦国の作法――村の紛争解決』（平凡社選書、一九八七年）。
＊19　愼蒼宇『植民地期朝鮮の警察と民衆世界　1894-1919――「近代」と「伝統」をめぐる政治文化』（有志舎、二〇

〇八年)。
＊20　稲葉継陽『日本近世社会形成史論――戦国時代論の射程』(校倉書房、二〇〇九年)。
＊21　藤木久志『刀狩り――武器を封印した民衆』(岩波新書、二〇〇五年)。
＊22　今西一『近代日本の地域社会』日本経済評論社、二〇〇九年
＊23　山田昭次『関東大震災時の朝鮮人虐殺――その国家責任と民衆責任』(八月書館、二〇〇三年)。
＊24　首相官邸ホームページ(https://www.kantei.go.jp/jp/headline/183shoshinhyomei.html 二〇二三年三月三日閲覧)。
＊25　須田努『幕末の世直し　万人の戦争状態』(吉川弘文館、二〇一〇年)。
＊26　喜安朗『民衆騒乱の歴史人類学――街路のユートピア』(せりか書房、二〇一一年)。
＊27　なお、民衆暴力と祝祭との関係についての先駆としてイヴ・マリ・ベルセ『祭りと叛乱』(井上幸治訳、藤原書店、一九八〇年)がある。
＊28　井上勝生『明治日本の植民地支配――北海道から朝鮮へ』(岩波書店、二〇一三年)。
＊29　趙景達『植民地朝鮮と日本』(岩波新書、二〇一三年)。
＊30　藤野豊・黒川みどり『差別の日本近現代史――包摂と排除のはざまで』(岩波書店、二〇一五年)。
＊31　藤野裕子『都市と暴動の民衆史――東京・1905-1923年』(有志舎、二〇一五年)。
＊32　前掲、藤田「近代民衆運動史研究の方法と課題」。
＊33　青木然「神戸の港湾労働者と清国人労働者非雑居運動」(アジア民衆史研究会・歴史問題研究所編『日韓民衆史研究の最前線――新しい民衆史を求めて』有志舎、二〇一五年)。
＊34　アジア民衆史研究会・歴史問題研究所編『日韓民衆史研究の最前線――新しい民衆史を求めて』(有志舎、二〇一五年)。
＊35　内田満『一揆の作法と竹槍席旗』(埼玉新聞社、二〇一七年)。

＊36　藤野裕子『民衆暴力――一揆・暴動・虐殺の日本近代』（中公新書、二〇二〇年）。
＊37　伊藤俊介・小川原宏幸・愼蒼宇編『「下から」歴史像を再考する――全体性構築のための東アジア近現代史』（有志舎、二〇二〇年）。
＊38　菊池秀明『太平天国――皇帝なき中国の挫折』（岩波新書、二〇二〇年）。
＊39　須田努「江戸時代　民衆の朝鮮・朝鮮人観――浄瑠璃・歌舞伎というメディアを通じて」（『思想』一〇二九、二〇一〇年）、中臺希実「浄瑠璃・歌舞伎から読み取るジェンダー」（総合女性史学会編『ジェンダー分析で学ぶ女性史入門』岩波書店、二〇二一年）。
＊40　須田努「語られる手段としての暴力――甲州騒動・世直し騒動、そして秩父事件」（『歴史学研究』八〇七、二〇〇五年）。
＊41　原田敬一『日本近代都市史研究』（一九九七年、思文閣出版）。
＊42　須田努『三遊亭円朝と民衆世界』（有志舎、二〇一七年）。
＊43　伊藤俊介「川上音二郎の描いた日清戦争――『川上音二郎戦地見聞日記』をもとに」（前掲、伊藤ほか編『「下から」歴史像を再考する』）。
＊44　この点については、前掲、須田『三遊亭円朝と民衆世界』でも、難しい問題として触れた。

第Ⅰ部

宗教・思想を背景とした民衆暴力

一　天狗党との関係から見た在地社会の暴力

須田　努

はじめに

日本史の大きな社会変容の時期である幕末、尊王攘夷を掲げた天狗党という武装集団が北関東から中山道を通過し信州に入り、京都をめざした。その途上、彼らは幕府によって組織された追討軍との戦闘を何度も経験した。本論では、天狗党と関係を持った、もしくは持たざるをえなかった在地社会の民衆暴力の様相を考察する。素材として、天狗党の母体である水戸藩領の大子地域（持った地域）、天狗党が移動していった通過点である伊那・木曽谷地域（持たざるをえなかった地域）をそれぞれ選択した。両地域に共通する点は、ともに尊王攘夷という政治思想を内面化させていたことにある。

1　天狗党、および乱の概要

万延元年（一八六〇）にカリスマ徳川斉昭《なりあき》が死ぬと、水戸藩は政治力を極度に低下させ、門閥保守派（諸生派）が台頭し、尊王攘夷派との政治抗争が深まっていった。第一〇代水戸藩主徳川慶篤《よしあつ》はこの内紛を収拾できなかった。文久三年（一八六三）、八月一八日の政変によって、長州藩ら尊王攘夷派が京都から一掃されると、これに危機感を強めた水戸藩尊王攘夷派のうち、過激なメンバー約六〇名（天狗党）は、元治元年（一八六四）三月二七日、田丸稲之衛門《たまるいなのえもん》を総帥とし、藤田東湖《ふじたとうこ》の子ども小四郎を中心として筑波山に挙兵した。尊王攘夷を掲げた彼らの目的は、横浜鎖港とそこに居住する「夷人」を殺害することにあった。天朝は攘夷を願っており、それを実行し「神州之威稜万国に輝候様致」[*1]し、交易によって諸品が払底する中で苦しんでいる民を救う、というのが、彼らの名分であった。[*2]

天狗党が理念として尊王攘夷を掲げ、「万民塗炭《とたん》之苦」を救うと謳っていたとしても、他者は彼らの行為を「思慮無之」「無謀之攘夷」と認識し[*3]、「浪人」集団と見ていた。さらに、幕府は、交易が始まった横浜を「浪人」どもが閉鎖できるはずもなく、京都に出て一橋慶喜を頼り、彼に攘夷の決断を願い出るのではないか、とも見ていた。[*4]また、水戸藩の内紛の結果、天狗党という過激な連中が生まれたのであり、そのような事態が起こった原因は、水戸藩主（徳川慶篤）の優柔不断にある、との批判も出ていた。[*5]文久期、水戸藩の政治的影響力は限りなく低下し、他者から軽んじられていた。

挙兵直後、天狗党は筑波山周辺の村々に対して、強引な金銭押借を実行した。最初に狙われたのは、横浜貿易で利益を得ていた新治《にいはり》郡片野村穀屋伝吉であった。天狗党は伝吉を殺害、梟首《きょうしゅ》にしたうえで、各地の商人から金を取り立てた。また、田中愿蔵《げんぞう》隊による栃木町焼き討ちでは、無抵抗の住民（女性を含む）を殺害した。[*6] 村々は恐れおののき、金子を差し出していった。天狗党は尊王攘夷という政治思想によって自己の暴力を正当化していたが、それは思い込みにすぎなかった。在地社会は彼らの殺人を伴う行為を押し込み強盗同然と見ていたのである。当然、自己の財産と生命を守るために、自衛を企図した村もあった。天狗党の暴力は、在地社会の自衛という暴力を引き出した。[*7] この様相は、高橋裕文『幕末水戸藩と民衆運動』[*8] に詳しい。

元治元年、北関東における天狗党と追討軍との北関東を舞台とした戦闘は以下のように推移した。

7月7日　高道祖《たかさい》の戦い
7月9日　下妻の戦い
7月25日から26日　水戸城下の戦い
8月から10月　那珂湊の戦い
10月10日　部田《へた》野《の》・平磯の戦い
10月27日　袋田の戦い
11月16日　下仁田の戦い
11月20日　和田峠の戦い

幕府は当初、関東の在地社会に対して警戒を命じていたが、六月には天狗党追討を決定、高崎藩・下妻藩などの北関東の譜代藩に出自の命令を出した。また、在地社会には天狗党を百姓から金銭を強奪する「賊徒」として、その殺害を許可した。

七月七日、小貝川《こかいがわ》左岸の高道祖村で、天狗党と幕府追討軍との最初の戦闘が行われた（高道祖の戦い）。この緒戦に敗れた天狗党は、いったん筑波山へと逃走する。七日夜、天狗党は下妻に戻り、追討軍に夜襲をかけた。天狗党には、木戸村（現・茨城県筑西市）出身で、地元の地理に明るい飯田軍蔵がいた。彼が指揮した天狗党は、幕府の本隊が布陣する多宝院を攻撃、放火した。油断していた幕府軍は敗走する。この市街戦によって町に火事が拡がり、下妻の町人は大きな被害を受ける。[*9]なお、幕府軍を統轄していた永見貞之允は反撃することなく、江戸に逃げ帰っている。[*10]戦闘地域であった下妻から四キロほど南下した新《しん》宗道《そうどう》村（現・下妻市）に残された飯塚静二家文書「乍恐以書付御歎声奉申上候」（元治元年七月二〇日）[*11]には、下妻の戦いの様子が詳しく記されている。そこには、天狗党が「甲冑馬上にて、御銘々抜身・鎗・鉄炮を携」えて行軍してきたとあり、「合戦」の様子が描かれている。日時の誤りがあるが、注目すべきは、多宝院には多数の遺棄死体があり、さらに「下妻町では老若男女が戦闘を避けて親類の所へ逃げていった。本宗道・新宗道村も戦闘にまきこまれるであろうから、家財道具などはみな親類のところへ運び込んだ」という記述である。天狗党による戦争が始まったのである。在地社会はその暴力を目の当たりにしてゆく。

2　関係を持った大子地域の特徴

徳川斉昭は「内憂外患」の危機意識から民衆統合を企図し、在地社会に尊王攘夷思想を定着させるべく、藩内に郷校を設置した（総数一五）。安政期には農兵制度を設け、在地社会を藩の暴力装置の末端に位置づけていった。小川館・潮来《いたこ》館・玉造館、そして大子館などはその中心であった。在地社会に外から政治思想と暴力が持ち込まれたわけである。

その事実は、在地社会から見れば、郷校教育に賛同すれば、藩公認特権を獲得できるということを意味した。そして、のちこの郷校賛同者が天狗党を支持してゆくのである。たとえば、小川館は天狗党との関係がもっとも強固であり、その中心勢力は特権を許可され、農兵の訓練を受けた百姓たちであった。その一人、竹内百太郎はのちに天狗党の三総裁となり、越前敦賀で処刑されることになる。

天狗党と関係を持った地域として大子地域（現・茨城県久慈郡大子町）を取り上げる。この地は、水戸城下からは北西約五〇キロメートル離れた阿武隈山地の南端にあり、八溝山・男体山などに囲まれた山間の地であり、袋田《ふくろだ》村・大子村が政治・経済の中心地である。

徳川斉昭は天保期に藩政改革を実行するが、旧勢力との軋轢を生んだ。弘化元年（一八四四）、幕府は、藩政を混乱させたとして、斉昭に藩主引退と謹慎を命じた。これと同時に失脚させられた改革派（尊王攘夷派）藩士や郷村役人らは、斉昭復帰のための活動を展開する。大子地域からも、この復帰運動に参加した者が多くいた。[*12] これを機に、大子地域には水戸藩内の政争の情報が伝えられてゆく。

嘉永二年(一八四九)、謹慎が解かれた斉昭は藩政に復帰、自己の藩政復帰に尽力した者への論功行賞を行った。大子地域では「名字帯刀御免」「一代郷士」等に任命される者が一〇人以上出る。安政期、彼らは農兵取り立てに応じ、北郡奉行の高橋多一郎による軍事訓練に参加している。この高橋は、井伊直弼暗殺計画の中心人物(のち自害)であり、桜田門外の変(安政七年〔一八六〇〕)の中核を担った関鉄之介は逃亡、袋田村の桜岡源次衛門家に潜伏し、村人との文化交流を行っていた。

以上のように、大子地域は水戸藩尊王攘夷派との関係が深く、これに加担した豪農は郷士に登用された。その一人である桜岡源次衛門が、特産品の蒟蒻《こんにゃく》製造に関係し、藩公認の蒟蒻会所を管理していたように、尊王攘夷派に属す豪農・村役人がこの地域の政治・経済の中核を握っていた。尊王攘夷という政治思想が現実社会の利益と結びつき、それに依拠する集団が形成され、それが政治・経済を牛耳っていたならば、その対極に不利益を被る(もしくはそう受け止める)個人・集団が存在していたことは必定といえる。天狗党の乱はそのような在地社会の矛盾を可視化させていった。

3　大子地域に入った天狗党と在地の動向

元治元年八月二八日、若年寄の田沼意尊《おきたか》が指揮する幕府の追討軍は、笠間《かさま》に到着、さらに徳川慶篤に要請され、藩政鎮静化のために水戸に向かった徳川頼徳(常陸宍戸藩勢)も含め、那珂湊の戦いが始まる

（八月から一〇月）。この敗戦後、宍戸藩勢に参加していた武田耕雲斎が天狗党に合流、総勢約一〇〇〇人にもなった戦闘集団が、水戸藩尊王攘夷派との関係が強い大子地域に入った。この地では、天狗党に参加する者が一〇〇人も出て――この中には、那珂湊の戦いの頃から参加している者が三〇人ほどいたが、すべて追討軍に投降している[*13]――、三五名が死んでゆくことになる。[*14] しかし、大子地域では諸生派に加担する者たちもいたのである。「水戸国難事件殉難者名簿」[*15]には諸生派に参加した大子村の益子軍蔵が「元治元年塩ケ崎にて戦死」とある――塩ケ崎とは那珂湊の戦いに関連した地である――。また、一六〇人ほどの百姓が諸生派に与し、やはりこの戦闘に参加して一〇人が戦死している。

茨城県久慈郡大子町教育委員会所蔵、益子公朋家文書には天狗党関係史料が多く残っている。その一つ「表題欠〈天狗諸生之乱顛末記〉」[*16]（以下、「顛末記」）は、天狗党の乱に関する情報を集めて冊子としたもので、書き手は不明であるが、その冒頭には水戸藩内の政争の発端が弘化年間までさかのぼり記載されている。書き手は、水戸藩内紛の元凶を門閥派の中心人物結城朝道《ともみち》とし、諸生党につながる結城一派を「国賊」「奸党」と罵っている。そして、天狗党は「浮浪之徒」であり、横行のふるまいをしている、攘夷などは「口実」でしかない、というのである。

この史料には、天狗党の戦闘の様相が詳しく記されている。先に触れた高道祖の戦いは、大砲（モルチール砲）、鉄砲などの「炮戦《ほうせん》」によって始まり、いたるところで放火が行われたようである。また、「敵味方」双方――書き手は幕府軍を味方と見ている――に、怪我人、討死・手負が多く出たとある。この史料は、大子地域に残された戦闘記録として管見のかぎりもっとも詳細である。大子地域の人びとは、天狗党の乱により在地も戦火に巻き込まれる、それが戦闘の実態であることを知る。

前述したように大子地域は天狗党との関係が深いが、「顚末記」の書き手は、天狗党を「浮浪之徒」「烏合の衆」として蔑視し、「公辺御法度」に背いたものと見ている。さらに、天狗党は攘夷を口実にして、所々で暴力行為をしており、幕府の法度にも抵触している、というのである。書き手が尊重しているのは「贈大納言」＝斉昭と「中納言」＝慶篤、さらに「公辺」＝幕府であり、結城一派・諸生派、天狗党らは水戸藩政を混乱させた政治勢力（分派）と理解している。このような辛辣な史料が、尊王攘夷派の拠点となっていた大子地域に残されていたのである。天狗党という暴力集団が、理念として尊王攘夷を掲げていたとしても、彼らの行動の中心にはつねに水戸藩内の政治闘争が位置づけられており、それがすべてに優先されていた、ということを大子地域の人びとは見抜いていたようである。

幕府による天狗党殺害許可は、大子地域にも入っていた。「顚末記」には、逃げた「賊徒」は死罪であるから、見つけ次第、関東取締出役などに連絡すること、また「怪敷躰ニ《あやしきていに》見懸ケ《みかけ》」たならば「無用捨召《ようしゃなくめし》捕《とり》」手向かった場合には「切捨」てもよい、もし彼らを「隠置」いたことが露顕した場合には「厳科」に処す、といった「触」の内容が収録されている。また、各地での戦闘の様子も記載され、首を落とされた者が二五人ほどいて、そのあたりは「生血」がおびただしく流れ「見るもの目驚かさるものなし」という記述もある。そこには暴力が溢れている。また、誇大な風聞もあり、百姓三人（伊藤辰吉・川上捨次郎・捨三郎）が大将武田耕雲斎の首を取る決心で天狗党に斬りかかり、捨次郎は「首級」を一三あげ、辰吉は耕雲斎の倅彦右衛門を「討取」った、とある。彦右衛門を「討取」ったことは「信用すべき事ではない」とあるが、百姓が武器を持ち天狗党に襲いかかり、「賊徒」を討ち取ったという風聞が、大子地域に流れていたのである。

元治元年の天狗党の乱によって、在地社会は二極化・分断に追い込まれていった。しかし、戦争に巻き込まれ、金品の強奪、放火、殺害という悲劇に見舞われたという、主体性を滅却させたような理解とはならない。彼らは天狗党や諸生派に与するという暴力の途を自ら選択したのである。

4　諸生派に与する人びと

大子地域に残された「文久四年中郷村諸御用御配符留帳」[*17]には、諸生派に加担する川山村郷士の菊池惣次衛門が支配下の猟師を武装させ動員している様子が記され、「元治元年　袋田村子御配賦諸人馬留帳」[*18]には、大子村の黒崎藤衛門が、諸生派に加勢すべく支配下の猟師と百姓を武装させ、大宮館へ集合するように、と命じていたことが示されている。藤衛門は天狗党を「国賊」としている。なお、「顚末記」には、水戸藩領の一〇か村ほどは、天狗党「征伐」と決した、これに加入しない場合は、「浮浪之徒」＝天狗党に加担しているとみなし、その家屋を打ちこわし放火する、とある。また、先述したように、大子地域の百姓のうち、諸生派に与した者は、那珂湊の戦いに参加していた。

慶応二年（一八六六）に、大子地域の歌神山勘車斎・佐川弥次右衛門・国谷貞蔵の連名によって、「上」＝水戸藩に対して出した訴願がある。[*19]そこには、諸生派に与した者に対する「恩賞」のことが記され、諸生派を支援した百姓たちを「義民」としている。そして、「義民」たちに「御褒賞」または「御手当」が出なければ、彼らの生活は行き届かない、ゆえに「恩賞」の有無によっては、立場を変えてしまうだろう――諸生派を裏切るであろう――として、足利義教を暗殺した赤松満祐を持ち出している。訴願とはいえ、その内容はほとんど恫喝に近いものである。さらに、身分を「夫々御引立被遊《それぞれおひきたてあそばされ》」ば「御家中」も同様であり、「万代不易之御味方《ばんだいふえきのおみかた》」である、とも述べている。勘車斎らが諸生派に与した理由は、諸生派への政治的共感などではなく、恩賞と身分上昇の獲得であった。また、「義民」は譜代の家来も同然であるので、今後「出陣」などがあっても差し障りなく「御奉公」を行う、と語っている。この史料の作成年度は慶応二年であり、天狗党の大量処刑が実行され、諸生派が水戸藩政を掌握している政治情勢下において作成された、ということを加えたとしても、大子地域で作成された天狗党の乱に関係する史料に「尊王攘夷」という文言は一切出てこないのである。

5　信州へ向かう天狗党

大子地域を出た天狗党約一〇〇〇人は、京都をめざして北関東地域を横断、信州に入る。その途中、一一月一六日には、上州の下仁田で高崎藩兵約六〇〇人との戦闘が起こった。[*20] 天狗党を追った高崎藩兵は名主の里美家に本陣をかまえた。天狗党は山上（頭上）からここに奇襲をかけた。激戦であり、その時の弾痕は、現在でも里美家の蔵壁に見ることができる。高崎藩兵は天狗党に包囲され六人が戦死、一八人が捕縛され、七人が鏑川《かぶらがわ》河原で処刑された。また、天狗党田丸稲之衛門の小姓であった野村丑之助（一三歳）は重傷を負ったため、願って味方に首を打たれた。刀槍での深手は、相当な苦痛を伴うものであり、多くは出血多量により死んでゆく。また、長距離移動する天狗党にとって怪我人は足手まといであった。幾多の戦闘を経験した天狗党はそのことをよく知っていたのであろう。

天狗党は水戸藩士と浪人・百姓の混成部隊である暴力集団であるが、その内実は百姓が中心であった。敦賀で幕府に投降した八二三人のうち、武士身分はわずか三五人、百姓身分と不明（おそらく百姓）は五七六人であった。[*21] 尊王攘夷を掲げ武装し均質化された集団内部において、集団アイデンティティへの顕現化が高まり、戦闘では武士はより以上に〝潔く〟行動し、百姓たちは武士たろうとしたであろう――社会心理学が明らかにした集団規範への同調という現象である[*22]――。生け捕りは恥辱である、という念が強く作用し、捕虜処刑という行為となったと推察できる。下仁田は宿場町としてにぎわう場であり人家も多い。多くの人びとがこの戦闘と、戦闘後の自害・捕虜処刑を目撃した。現在でも供養碑（丑之助の碑もある）など、この戦闘の記憶が残るが、下仁田地域の人びとが天狗党に参加したという記録はない。下仁田の人びとにとって天狗党は禍々しい他者でしかなかった。

一一月一九日、天狗党約一〇〇〇人は中山道和田宿へと入った。幕府は、信州の中部を代表する松本藩と諏訪藩に天狗党追討命令を出していた。二〇日、中山道の和田峠で松本藩・諏訪藩兵約二〇〇〇人との戦闘が発生した（和田峠の戦い）[*23]。山中の激戦であった。これも天狗党が勝利している。松本藩・諏訪藩合わせて一一人の戦死者と、多くの負傷者が出た。天狗党の死者は、後述する横田藤三郎を含め七人である。

和田峠を越え、信州に入った天狗党は中山道木曽福島の関所を避けるため、伊那街道を選択した。この戦闘集団は食料と軍資金を現地調達しつつ、伊那谷に迫ってゆく。そこには多くの平田国学者たちがいた。

6　関係を持たざるをえなかった伊那・木曽谷地域の特徴

伊那谷とその西にある木曽谷は山深いが、材木業・製糸業により、現金収入を得ることができた。また、中山道・伊那街道が通る交通の要衝であり、飯田藩五万石の城下町飯田を中心に、さまざまな情報（人・物）文化が行き交う場でもあった。両地域の村役人・豪農たちは豊かな経済力を基盤として、この地を訪れた文化人と交流し、和歌・俳諧といった分野を中心に文化活動を盛んにし、これを通じたネットワークを形成していた。嘉永期に岩崎長世《ながよ》（平田篤胤門人）が飯田に入り、この地域に平田国学が浸透していった。[*24]安政期、村役人・豪農たちは、地域の治安と秩序の安定をめざし、婚姻関係を利用して平田国学を拡げ、文久期には、平田国学の学習とその需要から形成された尊王攘夷運動を活性化させ、「国事」というより高度な問題を意識するようになっていった。

なお、弘化元年（一八四四）から明治九年（一八七六）にかけての平田篤胤没後門人――当時、平田鐵胤《かねたね》が当主であったが、彼は新しい門人をすべて篤胤没後の門人としていた――約三八〇〇人のうち、伊那・木曽谷では四二八人にものぼっている。[*25]その中核に、中津川宿の村役人（豪農）である市岡殷政《しげまさ》・肥田通光《みちてる》・間秀矩《ひでのり》、座光寺村《ざこうじむら》名主の北原稲雄、そして竹村（松尾）多勢子がいた。[*26]

文久期、平田篤胤の跡を継いだ鐵胤は、尊王攘夷派志士との交流を盛んにしており、門人の師岡節斎らは京都での尊王攘夷運動に参加していた。伊那谷地域からこれに加わる者が出て、八人が上京している。[*27]竹村多勢子もその一人であった。文久二年（一八六二）八月から翌年三月までのあいだ、彼女は平田国学のネットワークを利用し、同門の重鎮福羽美静《ふくばびせい》（津和野藩士）と対面することができ、久坂玄瑞・品川弥二郎といった長州藩士と交流している。また、和歌を通じて、宮中の踏歌の節会を拝観したり、公家たちとコミュニケーションをとることができ、公卿大原重徳にも会っていた。[*28]

交通の要衝である伊那・木曽谷地域にはさまざまな情報が入っている。それについては、島崎藤村『夜明け前』をはじめ、先行研究でも多く触れられている。[*29]『夜明け前』叙述の素材となった史料が、藤村の実家の隣家大脇家（屋号大黒屋）の『大黒屋日記』である。この大脇家は、尾張藩から木曽谷の支配を委ねられた山村甚兵衛家の信任を得て、年寄役を代々務めた馬籠宿の責任者であった。そして、この日記は、大脇家（大黒屋）一〇代目当主兵右衛門信興が、三〇歳から七四歳に至る四五年間に記した自筆の私用記録である。[*30]ゆえに、中山道を通過する人物の動静、事件、噂など、幅広い情報が掲載されている。現在、『大黒屋日記』を閲覧することはできないが、藤村がその一部を「大黒屋日記抄」として整理しており、わたしたちはこれを確認することができる。[*31]

文久三年六月朔日には、生麦事件に関連した記述があり、さらに、同年九月二日には「京都の騒動」として天誅組の変に触れている。この記載は、知人の手紙をもとに記したものである。「中川宮様」が天誅組の「大将」となっているなど、記述には誤記や誇張があるが、注目したい点は、京都の政治情勢（事件）が半月以内に、私信として伝達されていたことである。さらに元治元年七月二二日の記載では「長州騒動」という項目がある。簡単に引用したい。

京都にて長州様一揆起り、大変に相成り、先年軍の通りと申す事、十九日、昼時、大筒鉄砲より火移り京洛中町家の分、八分通りも焼失相成り候噂も有之、早乗駕籠三立参り、松本・松代へしらせの衆と申す事にて種々の噂有之候

これは、禁門の変〔元治元年〔一八六四〕〕に関する情報である。長州藩の挙兵を「長州様一揆」と表現している点に兵右衛門の立場が表明されている、といえよう。彼は、長州藩〔尊王攘夷派〕に特段の敬意や共感を示していない。また「一揆」という表記から、長州藩の軍事行動に、公儀に抵抗する要素を嗅ぎ取り、それを批判的に見ていたのであろう。おそらく、兵右衛門は尊王攘夷運動や京都の政治情勢といった、当時のはやりの言葉でいうところの「国事」に関心はないのであろう。それはともかく、禁門の変の発生から三日後には、その情報が馬籠宿に伝えられていた、という事実に注目したい。

禁門の変によって、長州藩系の尊王攘夷派は京都を一掃され、長谷川鉄之進のように伊那谷に逃げ込む者もいた。稲雄・多勢子らは彼らを一時期匿い、交流を重ねていた。[*32] 文久期以降において、時勢から取り残された水戸藩に比べ、伊那・木曽谷地域の宿役人、平田国学者が持つ情報の量と質には格段の違いがあった。

7　伊那・木曽谷地域に入った天狗党と在地の動向

平田国学を中心に尊王攘夷思想が定着して、質の高い情報が流入し、京都の尊王攘夷派と直接交流していた伊那谷の地に、武装した他者＝天狗党が入ってきた。

天狗党を阻止できる公権力は飯田藩だけであったが、この藩は天狗党が城下に入らなければ黙認するつもりでいた。一一月二四日、天狗党約一〇〇〇人は伊那谷に入った[*33]。地元の北原稲雄は、天狗党に飯田城下を迂回するよう裏街道を案内し、稲雄の弟今村豊三郎は天狗党に三千両の軍資金を支払うことで乱暴狼藉を回避した。また多勢子の長男松尾誠――慶応二年（一八六六）に、多勢子の紹介により平田国学門人となっている[*34]――は、伊那街道を南下し続けると尾張藩と衝突するため、西に険しい山道を登り清内路峠を越え木曽谷に入ることができると進言した。天狗党は、稲雄・豊三郎・誠たち平田国学者に助けられ、大廻りではあるが戦闘を避けつつ、馬籠宿を経由し、二七日、中津川宿に出ることができた。そこには、平田国学者の間秀矩・市岡殷政らがおり、敬意を持ち誠実に応対した。天狗党の横田藤四郎は、和田峠の戦いで戦死した息子藤三郎の首の埋葬を殷政に委ね、殷政・秀矩はひそかに墓碑を建てた。それは現在でも残っている。この下野真岡《もおか》の町人の藤四郎は、平田国学の徒であり[*35]、中津川宿の平田国学者たちにとって同門であった。

このように、伊那谷の平田国学者たちは天狗党に献身的に応対した。しかし、彼らの中から天狗党に参加し、北陸まで行動をともにした者は一人もいなかった。多勢子の長男誠は天狗党に助言したが、多勢子本人は天狗党の誰とも会っていない。竹村家〔多勢子の実家〕眼前を清内路峠《せいないじ》への道が通っていて、天狗党はそこを通過していたにもかかわらずである。

京都の情報が入ることによって政治情勢に明るい伊那・木曽谷の平田国学者たちは、天狗党には畏怖と敬意を持ち応対したとしても、禁門の変以後、政治的意味が限りなく低下した天狗党の存在を、危険な戦闘集団と理解していたのであろう。

8 「俄に」やってきた天狗党

和田峠の戦いの情報〔松本藩・諏訪藩敗北〕は、木曽谷にももたらされていた。[36] 天狗党が伊那谷に入るのは一一月二四日であるが、兵右衛門は、二一日の段階で、天狗党の情報を得ている。「水戸浮浪士」の暴力が迫る中、中山道馬籠宿の責任者である兵右衛門の心労は大きい。二六日、清内路峠を通行した天狗党が木曽谷に入る。その日の記述が以下である。

十一月二十六日　雨降り

いよ〳〵浪人衆、飯田辺りまで参り、昨二十五日、瀬内路〔清内路か〕泊りにて、俄に当宿泊触到来、大騒動に相成り、在方へ逃去り候ものも有之、家内道具、土蔵へ入れ、裏白戸まで用心いたし、大切の帳面、腰物などは拙家にては長持へ入れ、青野久次郎方まで持運させ、用心第一に番為致候、本家は勿論、隠居まで御用宿にて同勢二十一人、御泊り引受け宿いたし候（中略）、人気《じんき》悪敷《あしく》、ねだりがましき事も有之、旅籠銭は一人に前弁当用意二百五十文お払い被成候、人数凡《およ》そ二千人、及馬は乗馬、荷付馬共に凡そ四百疋程と申事に候、松本・諏訪合戦、和田峠にて有之、松本家老水野新左衛門と申す人討死、其他大人数殺され、其上、陣太鼓・具足・大筒抔も浪士方へとられ候由、浪人衆よりお咄有之候、諏訪も同様之由（中略）、飯田みのぜ茶碗屋善助と申す仁、横浜交易にて一万両之利分有之候事聞出し、右善助親召取り、当宿へ縄かけ引参り、拙家に泊り、金子ねだり、とう〳〵三百両出し、親父の命助かり、親類并に取扱の者共、五六人参り居候処、事済に相成り、二十七日朝、出立被致候、道々悪党の趣（〔 〕内は引用者）

木曽谷の人びとにとって、天狗党はまさに「俄に」やってきたのである。「大騒動」の様子がひしひしと伝わってくる。宿から逃げ出す者や家財道具などを隠す者たちがいる。当然のごとく、天狗党による強請・たかりも行われていた。横浜貿易で巨利を得た「茶碗屋善助」が拉致され、三〇〇両を要求され、子どもたちがそれを支払うことで善助の命は助かった、という事件が起こっていた。この記載には、天狗党への畏敬・同情などは微塵もない。先述したように、兵右衛門は平田国学など学んでいないし、「国事」にも関心がない。彼にとって天狗党は恐怖をもたらす、まさに「悪党」でしかなかった。このような認識・思いは平田国学者以外の伊那・木曽谷の多くの人びとに共通していたのであろう。

天狗党メンバーは、兵右衛門に和田峠の戦いの様相——松本藩・諏訪藩にいかに勝利したか——を語ったようである。平和な日常が続いていた木曽谷の人たちにとって、その自慢噺は硝煙と血の〝におい〟に満ちた禍々しいものであったに違いない。

先に触れた中津川宿の平田国学門人の市岡殷政は、街道に入った情報と平田国学者のネットワークをもとに、天狗党の筑波山蜂起（元治元年）から越前敦賀で処刑されたのちの慶応三年までの動向の詳細をまとめた「筑波颪《おろし》」という史料を残した。現在これは、牛久古文書の会が『筑波蜂起一件顚末記』として翻刻刊行している。[*37] この史料の冒頭には「四月廿九日　勝野七兵衛、旅人より聞取書」という見出しがある。この勝野七兵衛とは中津川宿の豪農であり平田国学の徒である。七兵衛は日光に参詣した「関商人兼廉平」という旅人から「水戸浪士」が筑波山に籠り、周辺村落から金銭を取り立てているという風聞を入手し、殷政はそれを書きとめたのである。また、田中愿蔵による栃木町焼き討ちの風説も記している。その天狗党が信州に入った和田峠の戦いについては詳細であり、松本藩と諏訪藩が敗れたという注進があったとし、また「溝口勢」＝新発田藩兵が、戦死後埋葬してあった「浪士」の死体を掘り出し「ずたずたにためし切」にしたという行為を記している。これが事実かどうかは不分明であるが、このようなおぞましい合戦とその結果の暴力の風聞が、伊那・木曽谷に流れていったのである。

9　天狗党の最期

さて、天狗党のその後である。中津川宿に出たとしても、そこから京都に到達するあいだに、彦根藩・

大垣藩などとの戦闘が予想された。一一月、天狗党は大きく北に迂回し、険しい雪中の山道を越えて越前に入り、そこから京都をめざすルートを選んだ。この間、一橋慶喜は天狗党追討を朝廷に願い出ていた。一二月、天狗党はそれを知る。そして、幕府追討軍も迫っていた。一二月一七日、力尽きた天狗党は加賀藩に投降する。加賀藩は天狗党を敦賀の諸寺院に分散収容し、厚遇をもって処したが、幕府追討軍が到着すると様相は激変する。幕府追討軍の責任者は、かつて天狗党と戦った田沼意尊であった。意尊は容赦なく、天狗党を鰊蔵に密集監禁、暖房はもちろん食事もまともに与えず〝処置〟した。

元治二年（一八六五）二月、来迎寺において、武田耕雲斎ら指導者から処刑が始まる。投降し捕縛された八二三人のうち、三五二人が斬首とされた。江戸時代、これほど多くの人間が一度に処刑されたという事実はない。天狗党のうち、最後まで行動したメンバーの中心は水戸藩領内の百姓たちであった。残念ながら、彼らの年齢構成はわからないが、「勤王殉国事蹟」[*38]には、大子地域から那珂湊の戦いなどに参加し討伐軍に投降した者が三四人書き上げられていて、三〇代以下が二四人であったことがわかっている。このデータを援用すると、天狗党という暴力集団の大勢をしめていたのは、百姓の若者であったと推察できる。

おわりに

水戸藩領であり郷校が設定され、徳川斉昭と改革派（尊王攘夷派）武士との関係が濃厚であった大子地域では、天狗党に参加する者が多く出、敦賀での処刑も含め三五名が死んでいった。彼らが天狗党に参加し行動する、つまり暴力という手段を選択するに際して、尊王攘夷という政治思想がそれを後押ししたといえるが、在地に残された天狗党関係史料に尊王攘夷という語句はほとんど出てこないのである。また一方、水戸藩尊王攘夷派に与せず天狗党と戦った集団・個人も存在していた。天狗党という政治思想集団の到来は、地域内の矛盾を顕在化させた。天狗党という他者の圧力を受け止めた大子地域の人びとは、それに参加するにしても、それを拒否するにしても暴力という途を主体的に選択していったのである。

関係を持たざるをえなかった伊那・木曽谷の特徴は、平田国学者の存在にある。つまり、この地域にも尊王攘夷思想は濃厚であった。彼らは、天狗党に敬して接したが、天狗党に参加することはなかった。彼らのこの主体的判断の背景に、京都からの〝鮮度〟のよい情報の流入があったことを指摘した。情報を分析した伊那・木曽谷の平田国学者にとって、天狗党の政治的存在意義は限りなく低下していて、粗暴な暴力の側面しかイメージできなかったのであろう。しかし一方、平田国学者でもなく、「国事」に何ら関心を持たない人びとも多くいたのである。彼らにとって、天狗党はまさに「俄に」やって来た暴力集団＝「悪党」でしかなかった。

大子地域と伊那・木曽谷地域の差異を考えるにあたり、情報の量と質の問題に行き着く。大子地域の人びとが集積した情報は、史料で確認するかぎり、水戸藩の政治動向および領内の状況のみであったが、伊那・木曽谷の人びとは、より広く幕末の政治情勢を集めていた。

幕末という社会変動の中で、人びとはむやみやたらと暴力に頼っていたわけではなかった。地域の安寧を破る武装した他者の到来により、幕末を生き抜く手段の一つ、さらには自己実現の方策として、暴力という選択肢が顕在化したということになる。ただし、それを選択するかどうかという局面では、情報分析による冷静な判断がはたらいていたわけである。

また、若者と暴力という視点にも触れておきたい。天狗党という暴力集団の大勢をしめていたのは、百姓の若者であったろうことは先述した。大子地域から参加し、死んでいった者たち三五人も多くは若者であったと推察できる。

これに比べ、伊那・木曽谷地域の平田国学者たちは、みな四〇代以上の壮年であり、在地社会において責任ある立場の者たちであった。そもそも、彼らが平田国学の途に入ったのは、在地社会の安寧を保全するためであり[*39]、政治情勢から取り残された天狗党に参加する意味はないのである。

わたしは、天保期以降、既得権益が強固である社会において、若者たちの将来への夢や希望は消えていったことを指摘し、秀でた能力や資産を持たない若者にとって、現状から脱却する術は暴力であり、幕末の尊王攘夷がそれに正当性を与えたが、暴力を選択した若者の多くはその中で死んでいったと論じた。[*40]大子地域の若者たちは、尊王攘夷という政治思想で固まった天狗党という暴力集団に自己実現の途を見ていたのであろう。破滅的であったその主体的行為をわたしたちは、幕末という時代に位置づけ理解したい。

〔注〕

*1 「浪人共差出候檄文写」(玉虫誼茂『波山記事』二、東京大学出版会、一九七三年)。

＊2 「浪士強借之義ニ付、常州平潟　書簡抄」（前掲、玉虫『波山記事』一）。
＊3 「浮浪之徒暴行無御拠御人御指向之義ニ付、水戸様御家老等え被仰出候御書付写」（前掲、玉虫『波山記事』二）。
＊4 「浪士共筑波御大堂へ集会等之義、水戸様御家中書簡抄」（前掲、玉虫『波山記事』一）。
＊5 「水戸様御家中内揉之義ニ付探索書写」（前掲、玉虫『波山記事』一）。
＊6 稲葉誠太郎『水戸天狗党栃木町焼打事件――稲葉重左衛門日記』（ふろんてぃあ、一九八三年）。
＊7 須田努「排外的ナショナリズムの形成と社会的影響」（『明治大学人文科学研究所紀要』八四、二〇一九年）。
＊8 高橋裕文『幕末水戸藩と民衆運動――尊王攘夷運動と世直し』（青史出版、二〇〇五年）。
＊9 千代川村史編さん委員会編『村史　千代川生活史』第五巻（二〇〇三年）。
＊10 「龍ケ崎御代官ヨリ高道祖村争戦之義ニ付、大庄屋等ヨリ差出候探索書、相副相達候書簡写」（前掲、玉虫『波山記事』二）。
＊11 千代川村史編さん委員会『村史　千代川生活史』第三巻（二〇〇一年）。
＊12 大子町史編さん委員会『大子町史』通史編上巻（一九八八年）。同地域に関する動向は、本書を参考にした。
＊13 「勤王殉国事蹟」大子町史編さん委員会編『「元治甲子之変」天狗諸生之乱参加者氏名事跡抄』（大子町、一九八五年）。
＊14 前掲、大子町史編さん委員会編『「元治甲子之変」天狗諸生之乱参加者氏名事跡抄』。
＊15 同右。
＊16 茨城県久慈郡大子町教育委員会所蔵、益子公朋家文書（箱番号166、番号059）。
＊17 大子町史編さん委員会『大子町史』資料編上巻（一九八四年）。
＊18 同右。
＊19 「表題欠〈願書、天狗・諸生騒ぎ中、治安についての願〉」（茨城県久慈郡大子町教育委員会所蔵、益子公朋家文書、箱番号166、番号026）。

＊20　高崎市史編さん委員会『新編高崎市史』通史編三（高崎市、二〇〇四年）。下仁田の戦いに関しては本書を参考にした。
＊21　水戸市史編さん委員会『水戸市史』中巻（五）（一九九〇年）。
＊22　縄田健悟『暴力と紛争の〝集団〟心理――いがみ合う世界への社会心理学からのアプローチ』（ちとせプレス、二〇二二年）。
＊23　長野県編集『長野県史』通史編第六巻（長野県史刊行会、一九八九年）。
＊24　市村咸人『伊那尊王思想史』（国書刊行会、一九二九年）。
＊25　前掲、長野県編集『長野県史』通史編第六巻。
＊26　同右。
＊27　宮地正人『歴史のなかの『夜明け前』――平田国学の幕末維新』（吉川弘文館、二〇一五年）。
＊28　アン・ウォールソール『たをやめと明治維新――松尾多勢子の反伝記的生涯』（菅原和子ほか訳、ぺりかん社、二〇〇五年）。
＊29　高木俊輔『『夜明け前』の世界――「大黒屋日記」を読む』（平凡社、一九九八年）、および、前掲、宮地『歴史のなかの『夜明け前』』。
＊30　「大黒屋日記抄」解題、島崎藤村『新装版藤村全集』第一五巻（筑摩書房、一九六八年）。
＊31　前掲、島崎『藤村全集』第一五巻。
＊32　前掲、市村『伊那尊王思想史』。
＊33　前掲、長野県編集『長野県史通史編』第六巻。なお、伊那・木曽谷の天狗党の動向に関しては同書、および中津川市『中津川市史』中巻Ⅱ（一九八八年）中津川市を参考にした。
＊34　「門人姓名録」（平田篤胤全集刊行会『新修平田篤胤全集』別巻、名著出版、一九八一年）。
＊35　「誓詞帳」（前掲、平田篤胤全集刊行会『新修平田篤胤全集』別巻）。

＊36　「浪士共和田駅止宿等之義ニ付、贄川宿ヨリ注進書写」（前掲、玉虫『波山記事』二）。
＊37　牛久古文書の会編『筑波蜂起一件顚末記』（宮地正人・筑波颪翻刻刊行プロジェクト、二〇一九年）。
＊38　前掲、大子町史編さん委員会編『「元治甲子之変」天狗諸生之乱参加者氏名事跡抄』。
＊39　須田努『幕末社会』（岩波新書、二〇二二年）。
＊40　同右。

二　カオダイ教の勃興とナショナリズム
——一九二〇〜四〇年代、ベトナム南部の宗教運動

武内房司

はじめに

植民地期後期、とりわけ一九二〇年代以降、ベトナム南部においては多くの宗教運動が勃興した。なかでもカオダイ教とホアハオ教はそうした運動を代表するものであった。コーチシナ（旧ベトナム南部）政府政治・行政問題担当監察官を務めたラロレットは、一九三一年、カオダイ教に関する報告書の序文の中で、カオダイ教が登場した背景に、一九一〇年代以降の教育の普及、大規模な道路工事、自動車・電気の普及、各種通信手段の増加等の社会変化が、人びとの精神世界や価値観に大きな動揺をもたらし、祖先崇拝など既存のベトナムの伝統宗教ではすくい上げることのできないより時代に即した新たな宗教の登場を望む心情が広がっていたことを指摘した。[*1] スピリチュアリズムから出発したカオダイ教の登場は、確かに植民地期に生じたこうした社会変化を象徴するものといえる。

カオダイ教とは至高神カオダイの教えの謂である。カオダイ教は、勃興するやまたたく間に一〇万を超

える信徒を獲得し[*2]、日本の「仏印進駐」期にはカオダイ教軍を、さらに戦後においても独自武装勢力を抱えるなど、ベトナム南部において大きな政治的影響力を有した宗教勢力として知られている。かつて、フエ・タム・ホー・タイは、他の新宗教運動と比較し、カオダイ教が東西のスピリチュアリズムと結びつき、そこに教祖のカリスマ性に由来しない独自な宗教権力の構造・ヒエラルヒーが生まれた点に注目した[*3]。実際、カオダイ教においては、自らが生き神様としてカリスマ性を体現し民衆のあつい崇拝対象となったホアハオ教教主フイン・フー・ソーのような宗教指導者が登場することはなかった。

本稿は、フランス・ベトナムに残されている同時期の植民地行政文書やカオダイ教文献をもとに、降霊運動から出発したカオダイ教が、一九三〇〜四〇年代の時代状況の中で急速に政治化・軍事化（暴力化）を指向していく動きを、特に彼らの発した神諭に焦点をあて、跡づけようとする試みである。

1 カオダイ教の登場

（1） 降霊会

まず、カオダイ教創教の経緯をたどっておく。カオダイ教は一九三〇年代以降いくつかの分派を生み出すが、草創期の歴史を今日に伝える同時代史料として、一九三〇年八月から九月にかけて『カオダイ教徒（*Revue Caodaïste*）』の第二・三号に連載された「カオダイ教の歴史」がある[*4]。

この記事によれば、至高神カオダイを最初に見出したのは、コーチシナ政府の知府職にあったゴー・ヴァン・チエウ（Ngô Văn Chiêu, 1878－1926?）であった。一九一九年、シャム湾に面したフークオック島に赴任したゴー・ヴァン・チエウは一二〜一五歳の年若い霊媒たちの助けを借りて神降ろしを行い、降臨した神々の中にカオダイが含まれていたのに気づき、その崇拝を申し出る。その後チエウはサイゴンに帰任したが、一九二五年頃、サイゴンでは各行政機関に勤務するベトナム人下級官吏たちのあいだで降霊術が流行していた。

彼らはテーブルターニングという方法で諸神に問いかけ、さらには亡くなった親族や友人たちを呼び出しては助言を求めていた。その中に「A Ă Â」と名乗る匿名の霊が現れた。カオダイである。ゴー・ヴァン・チエウもこの降霊サークルに加わった。コーチシナ参事会議員であり、サイゴンの名士であったレー・ヴァン・チュン（Lê Văn Trung, 1876－1934）がこの降霊サークルにかかわることで、新たな展開が生まれた。チュンは金儲け一辺倒のチョロンの喧騒の中で宗教からは縁遠い生活を送っていたが、ある晩、サイゴンの〝ミン・リー（明理）〟というセクトに属する交霊者の親族に誘われ、チョガオ郊外で行われた降霊会に参加した。この時、李太白（カオダイ神のこと）の霊が現れ、自らの霊的起源を明かすと同時に、チュンに宗教的使命を告げた。恩寵に触れたレー・ヴァン・チュンは、それまで嗜んでいたアヘンをやめ、菜食主義者となり、事業もやめ、宗教に専念するに至った。彼が新しい信仰に従って生きることを決意した時、諸霊は交霊グループの解散を命じ、結果、メンバーたちは大きな驚きと深い悲しみを味わった。もともと孤独に慣れ、かつ公務員であった知府のチエウは、信者の急増に動揺し、宗教運動からの離脱を決意し、一九二六年四月末にはレー・ヴァン・チュンがその後任者に任命されたという。

富や享楽への執着を捨て宗教的回心を経てカオダイ教に帰依し、カオダイの召名を受け教主の地位に就いたレー・ヴァン・チュンの指導者としての正統性、さらにチュンのヘゲモニーのもとに降霊会が統合されていく過程を示す内容となっている。しかし、先に紹介したラロレットによれば、一八七五年、チョロン省フオックラムの農民の家に生まれたレー・ヴァン・チュンは一八九三年、ベトナム人にとってほとんど唯一の官界へのルートを提供したシャスルー・ローバ校を卒業するとともにコーチシナ政府の書記生に採用され、同政府第二局に九年間勤務したのち、一九〇五年頃からビジネスの世界に身を投じ、フェリーやバラスト、米穀、鉄道敷石などチョロンを中心に諸事業を手がけて成功を収めた。また、コーチシナ参事会委員にも選出され、一九一二年にはレジオン・ドヌール勲章も授けられるほどの名声を獲得した。しかし、一九二〇年代に入ると、ビジネスは危機に陥り、一九二四年には、金融投機に失敗し四万ピアストルに及ぶといわれる負債を抱えていた。レー・ヴァン・チュンはその投機的本能から「過去の失敗を償う偉大なビジネス」をカオダイ教の運動に感じ取ったのだ、としている。[*5]

カオダイ自身が降ろしたとされる言葉（以後、神諭と記す）は、仏領期の一九二八年に『聖言協選（Thánh Ngôn Hiệp Tuyển）』として公開・出版されているが、収録されたのは一部にとどまる。[*6]これに対し、近年公開された『道史日記（Đạo Sử Nhựt Ký）』は『聖言協選』には見られない神諭を多く含み、編年体で時系列にまとめられている。[*7]これによれば、カオダイ教の創始者グループが中国式の扶鸞を採用し始めるのは一九二五年のこととされる。このカオダイ教の神諭を編纂したグエン・ヴァン・ホンは、次のように解説を加えている。

〔カオ・クイン・〕クーと〔ファム・コン・〕タックが各仙を玉箕により降臨させてから、二人は常にセイバン（xây bàn）よりも玉箕を用いるようになった。玉箕を用いたほうがセイバンを何度も行うより聖なる教えをより速やかに受け入れることができるからである。それはカオ・クイン・クーの家においてであった。……それ以前、セイバンの使い手は西方の神霊学に従って見えない世界の神霊と接したが、七娘の教えにより、皆は玉箕を通じて中国からベトナムに伝えられた仙教の神々に降臨を請うようになった。この扶箕はセイバンよりもより速やかであり、進歩的であった[8]（〔 〕内は引用者の注記。以下も同様）。

セイバンはテーブルを回転させる、の意であり、三名で不安定なテーブルの揺れから神意をうかがう西欧起源の降霊術である。一方、玉箕とはベトナム語のクオック・グー表記ゴック・コー（Ngọc cơ）の漢字表記である。玉は尊敬語であり、コー（cơ）は神を降臨させる際に用いる木製の棒（箕）を指し、中国の神降ろしの技法「扶乩《フーチー》（扶箕、ないし扶鸞とも記す）」に由来する。[9]

上記の記事は、テーブルターニングから扶乩による神降ろしという、一見すると些細な技術上の転換と見えるかもしれない。しかし、カオダイ教が宗教運動として展開するにあたり、この転換は大きな意味を持った。セイバンよりも扶箕を用いよと命じたのが、七娘という瑤池金母に仕える仙女であるからである。

すなわち扶箕の導入には、カオダイ教が瑤池金母信仰、そしてその延長上には中国の明末清初以来の無生老母信仰と結びついた一連の救済思想がかいま見える。『道史日記』は、七娘の指示を受けたカオ・クイン・クーらがゴック・コーをアウ・キックの主宰する「明理」系の教派から借り受けた経緯を紹介している。[*10]この明理とは中国の民衆宗教の一つである青蓮教系の流れを汲む明師道から派生した一派である。アウ・キックはアウ・キック・ラム（Âu Kích Lâm, 1896－1941）といい、サイゴンにおいて三宗廟を創設した人物であり、[*11]華人の父とベトナム人の母を持ついわゆるミンフオンであったという。[*12]

カオダイ教の正式呼称は「大道三期普度（Đại Đạo Tam Kỳ Phổ Độ）」であり、三期目の救済に関する大いなる教え、を意味する。すなわち一期目に儒仏道を代表する文昌帝君・燃燈仏・太上道祖、二期目に孔子・釈迦仏・老子による部分的救済を経て、現在は三期目のカオダイ神（玉皇上帝）による全面的な人類救済事業が行われると説かれるが、[*13]無生老母の主宰のもと燃燈仏・釈迦仏・弥勒仏による三次にわたる救済が行われるとする無生老母信仰のそれと確かな親縁性を持っている。

しかしカオダイ神の神諭を書きとめる営為が中国起源の伝統降霊術の再現とばかりはいえない。そこには近代という時代にふさわしい新たな要素が付け加わっている。たとえば、カオダイ教が勃興してまもない頃、フランス植民地当局は、ベトナム南部の降霊信仰を次のように報告している。[*14]

降霊術から派生した宗教は、コーチシナではごく少数の老学者によってのみ実践されていた。漢字の詩で信者とやりとりしていた霊は、中国やアンナンの文学で知られる有名な文人《レトレ》だという。……ほとんどの場合、不治の病を治すために霊を呼び出すのである。近年では、その呼び出された霊の一人が、唯一無二の真の神、最高神、万物の創造主であると主張している。この霊は、その崇拝者たちに、いつの日か地球上の普遍的な宗教となる新しい宗教を広めるよう命じている。……コーチシナではアンナン人の文人の数が日に日に減ってきているので、信者の中にはこの霊に、漢字の詩を学んでいない崇拝者たちに、詩文であれ散文であれ鄙俗なクオック・グーを使って、交流してほしいと依頼したことがある。この新しい神は、このような通信手段を受け入れただけでなく、自分を好意的に思ってくれる人にはフランス語で返事をすることに同意した。（傍点部引用者、以下同じ）

すなわち、一九二〇年代の南部ベトナムにおいては、クオック・グーを用いた（時にフランス語による）神降ろしと神論の記述が行われるようになっていたという。中国において、宋代に扶乱ないし扶鸞の技法が登場してからというもの、神降ろしは時期・季節を問わず随時降臨させることが可能になるとともに文人によるテキスト化がなされるようになった。二〇世紀ベトナム南部の扶乱も、クオック・グーによるテキストの普及を受け、人びとの宗教意識を解き放つ役割を果たしたと考えられる。[*15]扶鸞を通じて種々の神格と自由にアクセスできることはそれだけ至高神との交流する権利をめぐって争いを惹起する要因ともなる。神と交信する権利をいかに排他的に掌握するかが、宗教教団のへゲモニーにつながっていく。実際、レー・ヴァン・チュンの降霊会に参加していた直接税局の知府ヴォン・クアン・キーは、予言の中の誤りが指摘され、カオダイ教教会から排除されている。[*16]

（2）運動の拡大

カオダイ神への信仰が以上に述べたベトナム人下級官吏たちの私的な降霊サークルの範囲内にとどまっていたならば、カオダイ教は教団化するに至ることはなかったであろう。後述する一九二六年のカオダイ教創立宣言から五年を経ずして、カオダイ教は一〇万人に及ぶほど急速な拡大を遂げた。フランス植民地当局の報告者の一人は、こう分析している。*17

一九二七年から二八年にかけて、そして一九二九年の第一四半期に、コーチシナでカオダイ教が広まった。アンナン〔ベトナム中部〕に近く、伝統的な儀式に執着し、とりわけ貧しく、人口の少ない東部諸州では〔布教は〕比較的遅れており、カオダイ教の布教者が関心を寄せるには値しない状況である。これとは対照的なのが、中央と西部、特にチョロン、ゴコン、ヴィンロン、ミトー、カントー、ラクザーなどであり、宣伝に最大の力を注いでいる。一九三〇年七月、カオダイ教信者の数は約一〇万人と推定された。

すなわち、初期カオダイ教の発展を支えたのは、貧しいベトナム中部・東部というよりは開発の進んだメコンデルタ中西部の地域であり、それゆえ布教活動も中西部に力点が置かれたというのである。メコンデルタ中西部は植民地期以降、大土地所有制が急速に展開を見せた地域であった。地主とその小作人である「ターディエン」がともにカオダイ教を受け入れたのである。一九二七年九月、保衛局はコーチシナ総督宛に提出した報告の中で、カオダイ教が農村に広まる背景について、以下のような興味深い分析を提示している。

> この宗教を信仰する貧しい層は、自分たちのパトロンやブルジョアジーのメンバー、高官たちが同じ宗教の仲間となることで、昔よりずっと人道的で博愛的で寛大な態度で接してくれるものと期待しているのだ。実際、たとえば地主の「小作人」すなわち「ターディエン」に対する態度が、ともにカオダイ教に属している場合、日々、顕著に変化しているのを目にすることができる。[*18]

ほかに農民たちを惹きつけた理由があるとすれば、三度目の救済すなわち「三期普度」に伴う新たな体制変革への期待があげられよう。たとえば、一九二八年、カオダイ教への入信を勧めていた立憲党系知識人ズオン・ヴァン・ザオは、農民たちに対し、「カオダイ教に改宗すれば税金を支払う必要がなくなり、村の有力者であるノタブルたちも辞任するであろう、至高神カオダイを崇拝するならば、目が見えるようになり、智恵がつき、国が解放される」と説いたという。[*19] ほかにもベトナム移民の多かったカンボジアのソアイ・リエンではカオダイ教の布教師（「教師《ザオスー》」）レー・ヴァン・ソーは、タイニンのカオダイ教本部で受け取ったというメッセージ（神諭）をもとに、一九三三年、現政府が存在しなくなるのだから、税金は収めずともよい、とのキャンペーンを行ったことでカンボジアからの退去処分を受けた。[*20] 農民たちにとってカオダイ教のいう「普度《きゅうさい》」とは世界や体制が一新されることと同義であった。

2 カオダイ教の政治化とナショナリズムへの傾斜

一九二六年一〇月七日、レー・ヴァン・チュンらカオダイ教指導者たちはコーチシナ総督宛に以下の書簡を送り、その公認を求めた。[*21] いわゆるカオダイ教創立宣言書である。

インドシナには三つの宗教（仏教、道教、儒教）があった。私たちの祖先は、この三つの教義を宗教として実践し、これらの宗教の創造主が示した麗しい教えに従って幸福に暮らしていた。その昔、人びとは屈託なく暮らしており、〔夜に〕戸を閉めることなく休むことができ、道に落ちているものを拾うことさえ潔しとしなかった。すなわち「家の戸締まりもせず、路《みち》に落とし物を拾うものなし（Gia vô bê hô, lô bât thâp di）」、こうした格言が史書には記されていた。嗚呼！ この美しい時代は、以下の理由によりもはや存在しない。

一．どの宗教も善を行い悪を避け、創造主を敬虔に崇拝するという点で〔儒仏道の〕三教はすべて同じ目的を持つにもかかわらず、これら三教の実践者は分裂を求めてきた。

二．彼らは、これらの神聖で貴重な教義の意味を完全に歪めてしまった。

三．人びとの快適さ、名誉、野心のための競争はまた、現在の見解の相違が生まれる主な原因である。

今のアンナン人は、昔の良きモラルや伝統を完全に捨ててしまっている。このような現状に強い違和感を覚え、熱烈な伝統主義者であり宗教者であるアンナン人のグループが、これらの宗教に再び検討を加え、カオダイ教すなわち「大いなる教え（Đại Đạo）」（改革された仏教）という唯一かつ独自な宗教を設立しようとするものである。

文中に引用されたベトナム語（クオック・グー表記）は、本来『韓非子』などの著作に登場する「家無閉戸、路不拾遺」の語句をベトナム音で記したものであろう。かつての王国時代の治安の良さが象徴されるとともに、儒教・仏教・道教の三教の本質に回帰することでかつての王国の復興がめざされるべきとの観念が示されている。この書簡に対し、当時のインドシナ総督はただちに反応を示さず、しばらく静観するにとどめた。これをカオダイ教の側では、公認されたと受け止め、布教に利用したのである。

教団成立後も、レー・ヴァン・チュンに不満を抱く高位指導者（教団内では〈職勅《チュクサク》〉——高位聖職者の意——と呼ぶ）は少なくなかった。一九三三年六月の段階で、レー・ヴァン・チュンはファム・コン・タックと協力し、レー・バー・チャン（もとチョロン中央区督府使）とグエン・ゴク・トゥオン（もとカンジオック知府）を退けたが、レー・バー・チャンらは、一九三三年六月一一日、レー・ヴァン・チュンの不正経理問題を審議すべくカオダイ教の諸代表および信徒六〇〇名からなる宗教会議を招集してレー・ヴァン・チュンに会議への出頭を要請し対抗した。レー・ヴァン・チュンは拒否したが、同会議は公然と教宗《ザオトン》（教主）として不適格と認定するに至った。[*22] こうした高位指導者間の内紛は信徒を離反させ教団を危機に陥らせたが、こうした対立の構図の背景にあったのが、フランス植民地統治への対応の相違であった。

一九三四年一一月にレー・ヴァン・チュンが死去したのち、タイニンのカオダイ教の教権を掌握したのは宗教戒律の庇護者、すなわち「護法《ホーファップ》」を自称した、もと税関・専売局秘書ファム・コン・タック（Phạm Công Tắc, 1890–1959）であった。タックは、「協天台《ヒエップ・ティエン・ダイ》」と呼ばれる機構に依り、対仏ナショナリズムをより強調していった。「協天台」は立法機関などと理解されることもあるが、[*23] フランス当局による訳語「霊媒宮臨時施設（*Corps temporel du Palais Médiums*）」に端的に示されているように、その本質は霊媒たちを組織し、カオダイ神をはじめとする諸神と交信し――それこそ協天の原義であろう――、各種予言や神諭の公布を担う組織であった。

ファム・コン・タックがカオダイ教団の中で基盤を固め、実権を掌握していくにあたって活用されたのがカオダイ神や諸神の名で降ろされた数々の神諭であったが、その特徴として反仏ナショナリズムを強く打ち出した点があげられる。[*24] 一九三八年一二月、サイゴン警察の作成した以下の報告は、レー・ヴァン・チュン在世時にすでにファム・コン・タックがナショナリズム指向を持っていたことに注意を促している。[*25]

> 一九三一年にはすでにファム・コン・タックは以下のようにナショナリズムを賛美していた。
> インドシナをフランスに渡して植民地とした者たちを非難する。奴隷状態にあることを知った民衆はうめき声をあげる。〔トンキン・アンナン・コーチシナの〕三圻のすべての住民は、フランスの政権に虐げられている。ナム山の頂上から、我々は祖国を再獲得するつもりだ。専制的な扱いは終わろうと

している。圧政の後には自由が訪れる……

「われわれはキリスト教の文明を消滅させる。アジアとヨーロッパは分離され、イギリスとアメリカは西側に首都を置く。君主制は民主主義によって倒され、フランス帝国主義は取り乱し、白旗を揚げる。

「約八〇年間、アンナンの血が流れ、愛国者たちが涙を流してきた」「どうすれば、侵略者に輝かしい勝利を収めることができるのか」。

一九三六年の段階で、ファム・コン・タックはカオダイ教タイニン本部を管轄下に置くタイニン省省長に、信者を行政や財政の規制に忠実に従わせること、慈善施設に関する現行の規則に従って教団の慈善施設「福善」の開設と機能を行政の管理下に置くことを約束し、信者の会合をカオダイ教の宗教施設（聖室）の中だけに限定することを受け入れてはいた。[*26] しかし、一九三八年から一九三九年にかけて、タックとその周辺は多数の反仏予言を流布させていく。注目されるのは、ファム・コン・タックが単にフランスの植民地支配を批判するだけにとどまらなかったことである。一九三〇年代、日本の台頭とともに動揺する東アジアの政治秩序を見据えつつ、神諭の内容を変化させていった。すなわち、①枢軸国に対する積極的評価、②ベトナム亡命王族クオンデへの期待、③日本の役割、が神諭の中でより明確化されていったのである。

①についていえば、ベトナムを植民地化したフランスへの批判が、一九三〇年代以降台頭したドイツ・

イタリアといった枢軸国家への期待へとつながったことを示している。先の警察報告は報告時、すなわち一九三八年一二月の数か月前に、すでに以下の神諭が出されていたことを指摘する。

> アジアではKhôiとKhuêという星（おそらくフランスとイギリス）が衰退していく。しかし、グエン朝は今度こそ王位を失う。貴重な真珠が主人に返される日が来る。その日、人びとは平和に暮らすことができる。アンナンの地に一人の聖者が生まれた。この人物は国家の独立を回復するのを助けてくれよう。……
>
> 日本は陰暦の一〇月（一九三八年一一月二二日から一二月二一日まで）のあいだにインドシナを統治するようになり、クオンデ王子をアンナンの王座に就かせるだろう。一九三九年に予定されている敵対行為のあいだ、卍とタイニン派のカオダイ教徒に属することを示す印のある家は、日本の爆撃を免れる。カオダイは彼の弟子ムッソリーニとヒトラーを地球に送り、「ヨーロッパの状況を修正し中国を破壊する」よう命じた。

タイニン省省長は「ファム・コン・タックが誇大妄想に駆られて、〔カオダイ教の神格の一人〕李太白の弟子であるヒトラーとムッソリーニが神より与えられた使命、すなわち全世界の統治と特にインドシナからフランス人を追放することを信徒に再び力説するというのは当然ありうることだ」と、一九三六年一月の時点でタックのヒトラー礼賛にかかわる言動を報告していた。[*27] したがって、上記の神諭は一九三八年以前にはすでに登場していたと見てよい。

その後の日中戦争の本格化と日本軍の海南島占領という事態、さらには枢軸国の台頭は、ファム・コン・タックの予言の正しさを証明するものと受け止められ、カオダイ教の求心力をいっそう高める結果となった。こうした事態を受けて、ファム・コン・タックは、寄付協力者に「戦争が近づいている」、「日本はインドシナを占領する」、「位階を保持している者から新たな官僚が選出される」、「枢軸国が勝利する」等の宣伝を広めた。現在、ホーチミン市のベトナム国家第二アーカイブズセンターには、フランス当局によって押収されたそうした神諭が多数残されている。以下は、一九四〇年八月、ミトーのタイニン派の宗教施設を捜索した際に発見された仏訳版の神諭から訳出したものである。[*28]

午と未の年（おそらく一九四二年から一九四三年）には、恐ろしい出来事が起こる。悪魔がこの世に現れ、国民はさまざまな不幸に見舞われる。私（カオダイ教の神）はあなた方、私の子どもたちを憐れむ。あらゆる災難に耐えることになるからだ。大風と豪雨は住民を恐怖に陥れる。国全体が三メートルの高さまで水浸しになる。洪水の災いが、戦争の災いに加えられるだろう。住民は完全な困窮状態に陥るだろう。家は破壊され、住民は野外で生活することを余儀なくされる。コレラが蔓延し、魔物が大量に出現するようになる。都市や村は廃墟と化すだろう。人びとははしかやてんかん、狂気、麻痺で死ぬだろう……。地球そのものが破壊され、大きな災難がこの世界を襲うだろう。物価が高すぎるため、人は飢え死にすることになる。これらは天罰である。私（カオダイ神）は正直な人間を災難から救いたいが、聖なる権威〔が損われること〕を恐れている。私の子どもたちよ、唱えよ、善を行い悪を避けよ、喫斎せよ、和解をとりつければ、災難に遭わずにすむのだ。龍華会は近い。この際、正直者は災難から救われるであろう。子どもたちよ、精霊に守られたければ、早く改宗せよ。

日本の「仏印進駐」前夜のベトナムの社会状況を洪水・疫病・飢餓・戦争に象徴される「劫難《しゅうまつ》」と捉え、その後に「龍華会（la réunion dite "Long-Hoa"）」が開かれ理想世界が現出すると説かれる。

一九四一年五月の段階に入ると、ファム・コン・タックの日本への期待はいっそう高まったようである。「松岡氏が〝カオダイ教総裁〟の職を引き受けてくれることを望む。そうしてこそ〝ようやく〟〝宗教の復興〟が可能になろう」といった宣言も出された。[*29]「松岡氏」が一九四〇年七月発足の近衛内閣において外相となり大東亜共栄圏の確立を主張し日独伊三国同盟締結の中心人物となった松岡洋右を指していることはいうまでもない。

こうした神諭が各地で発見されたことを危険視した植民地当局は、一九四一年八月にはタイニンのカオダイ教本部を強制捜査し、ファム・コン・タックらを逮捕するに至るのである。タイニン派本部いわゆる聖座は閉鎖に追い込まれ、タック自身もサイゴンの中央監獄に送られた。そのうえで、インドシナ総督は、ファム・コン・タックおよび六名からなる主要指導者をマダガスカル島西方のコモロ諸島にあるノジ・ラヴァに送り監禁処分とする決定を下した。[*30] 信者との絆を切断するのがねらいであった。

結びにかえて

日本は一九四一年七月末、軍をベトナム南部に進駐させた。いわゆる「南部仏印進駐」である。しかし、日本の対インドシナ政策の基調はフランス植民地体制を温存・容認することを前提としたいわゆる「静謐政策」にとどまり、フランス側を刺激するような民族主義者グループに対する公的な支援は控えられていた。にもかかわらず、大南公司社長松下光広ら日本のアジア主義者や憲兵隊の一部のメンバーによるカオダイ教との関係構築が試みられた。[*31]

ファム・コン・タックがマダガスカルに流刑されたのち、タイニン派カオダイ教を率い日本と親密な関係を築いたのは教団内で一般布教者にあたる「教師」の地位を有するにすぎなかったチャン・クアン・ヴィン（Trần Quang Vinh, 1897－1975）であった。松下光広へのインタビューを試みたウェルナーによれば、マダガスカルに流刑になる前にヴィンはタックから日本側と接触するよう指示を受けていたという。ヴィンは造船所での労働者としてカオダイ教徒三〇〇〇名余を提供し、その見返りに日本軍によるカオダイ教徒への軍事訓練を求めていた。[*32] 日本軍は軍の編成に必ずしも積極的であったわけではないが、最終的に合わせて三二四〇名からなる内応義軍・近衛軍と呼ばれるカオダイ教軍を発足させ、一九四五年三月九日の「仏印処理」に際してもその一翼を担わせた。[*33]

こうした軍事（暴力）指向を支えたのは、劫難の到来とその後の救済を受動的に期待するだけでなく、自らも新世界の到来＝「王国の復興」に向けて積極的にかかわるべきだとする観念であった。周知のように、日本とインドシナとのかかわりは一九四五年八月、日本の敗戦とともに転機を迎えるが、その後も南部においてカオダイ教は有力政治・宗教勢力であり続けた。その複雑な政治参加の過程を彼らの内面から捉えていくためにも、華人宗教を含めた二〇世紀以降のベトナム南部の宗教状況とカオダイ教の教義の展開に注目していく必要があるだろう。

〔凡例〕

以下の略号を用いる。

ANOM：Archives Nationales d'Outre-Mer（フランス国立文書館海外館）

TTLTQG2：**Trung Tâm Lưu Trữ Quốc Gia 2, Việt Nam**（ベトナム国家第二アーカイブズセンター）

〔注〕

＊1 L'Inspecteur des Affaires Politiques et administratives de la Cochinchine Lalauretteà M. le Gouverneur de la Cochinchine-Saigon, Saigon, juin 1931,p.2 [ANOM/Indochine NF/2410].

＊2 信徒数の正確な把握は困難であるが、一九四〇年前後の時期に急速な増加を見せたようである。一九四〇年のある報告は、行論で触れられるカオダイ教タイニン派だけで少なくとも三〇万に及ぶと指摘している。Extrait du Rapport Politique du mois de Juillet 1940 [TTLTQG2/GOUCOCH/17334].

＊3 Tai, Hue Tam Ho, *Millenarianism and Peasant Politics in Vietnam*. Cambridge: Harvard University Press, p.83.

＊4 Anonyme, "Historique du Caodaï", *Revue Caodaïste*, n°2-3, 1930.

＊5 Lalaurette, op.cit. p.14.

＊6　Đại Đạo Tam Kỳ Phổ Độ, *Thánh Ngôn Hiệp Tuyển*. Bổn Thứ Nhứt. Dakao-Saigon: Imprimerie Tam-Thanh, 1928.

＊7　Nguyễn Văn Hồng ed. *Đạo Sử Nhựt Ký*. Quyển I- Phần I: Thời Kỳ Khai Đạo & Đức Quyền Giáo Tông Cẩm Quyền Nền Đạo. Tài Liệu Sưu Tầm, 2017. 高津茂「カオダイ教団創設期（１９２６年）のお告げとその解析――大道三期普度教団の創設」（『アジア文化研究所研究年報』五五、二〇二一年）。

＊8　Nguyễn Văn Hồng ed., *op.cit.*, p.101.

＊9　降神儀礼においては本来「箕《みの》」が用いられていたが、宋代以降、「箕」に代わり丁字形の棒「乩」が用いられるようになった。こうした丁字型の棒を用いた降神法を一般に扶箕、扶乩、扶鸞と呼ぶ（武内房司「清末四川の宗教運動――扶鸞・宣講型宗教結社の誕生」『学習院大学文学部研究年報』三七、一九九〇年、参照）。ベトナム語のコー Cơ にあたる漢字は「箕」であろう（Đào Duy Anh, Giản-Yếu Hán-Việt Từ-Điển, NXB Bản Khoa Học Xã Hội, 1992, p.126）。

＊10　Nguyễn Văn Hồng ed., *op.cit*, p.102.

＊11　Jammes, Jérémy, *Les Oracles du Cao Đài: Étude d'un mouvement religieux vietnamien et de ses réseaux*. Paris: Les Indes savantes, 2014, p.89.

＊12　Service de la Sûreté, Note sur le Caodaïsme ou Bouddhisme indochinois renové. 10 Septembre 1927. [ANOM/GGI/65545].

＊13　Sơn Kỳ Giang, *Sau Khi Cuộc Công Đồng Giáo Lý Tôn Giáo*, Saigon: Nhà in Đức-Lưu-Phương, 1936, p.49.

＊14　Note confidentielle n°2335. Saigon, le 29 mai 1926. À M. le Gouverneur de la Cochinchine, Saigon.[ANOM/GGI/65545].

＊15　扶箕・扶鸞により伝えられた神諭は中国において乩示、乩諭と称され、のちに書物（鸞書）にまとめられた。カオダイ教タイニン派の場合は、神諭を「聖言」と呼ぶ。ベトナム南部においてはクオック・グー版の鸞書も登場している（武内房司「先天道からカオダイ教へ――ベトナムに根づく中国近代の民衆宗教」同編『戦争・災害と近代

東アジアの民衆宗教』有志舎、二〇一四年、を参照）。

＊16 De TASTES, Enquête sur le "Cao Dai". Saigon, le 9 Mars 1927, p.8. [ANOM/GGI/65545].

＊17 N°3048SG. Note sur le Caodaisme, Saigon, le 16 Mai 1946, p.4.[ANOM/HCI/Conspol 222].

＊18 Service de la Sûreté, "Note sur le Caodaïsme ou Bouddhisme indochinois rénové". 10 Septembre 1927, [ANOM/GGI/65545].

＊19 Werner, Jayne Susan, *The Cao Dai: The Politics of a Vietnamese Syncretic Religious Movement*, Cornell University, Ph.D., 1976, p.68.

＊20 N° 25-ZX. Le Résident Supérieur au Cambodge à M. le Gouverneur Général de l'Indochine, Phnom-Penh, le 29 Juillet 1933. [ANOM/RSC232].

＊21 Le Van Trung, À Monsieur le Gouverneur de la Cochinchine, Saigon. 7 Octobre 1926. in "Note sur le Caodaïsme ou Bouddhisme indochinois rénové", [ANOM, GGI/65545 Caodaïsme].引用した原文のクオック・グー表記は、di とすべきところを vi としているが転記ミスであろう。本書簡には高津氏の訳があるがベトナム語訳からの重訳であり（前掲、高津「カオダイ教団創設期（１９２６年）のお告げとその解析」七〇頁）、訳文に異同があるので、ここでは仏語原文より訳出した。

＊22 Anonyme,"Note sur le Caodaïsme", Novembre 1933, [ANOM/Indochine NF/2410].

＊23 Tai, Hue Tam Ho, *op.cit.*, p.86.

＊24 戦後、カオダイ教タイニン派によって編纂された「ファム・コン・タック小史」では、ジルベール・シエウ事件への関与やグエン・アン・ニンの編輯した新聞『ひび割れた鐘』に投稿するなど、果敢なナショナリストであった点が強調される（高津茂「護法ファム・コン・タック小史試訳――カオダイ教聖典の考察Ⅰ」『アジア・アフリカ文化研究所研究年報』二〇、一九八五年、を参照）。しかし、戦前・戦時期の仏側記録からはレー・ヴァン・チュンのように詳細な履歴、カオダイ教に参加する以前のタックの政治行動を確認することができない。

＊25 Le Commissaire, "Activités caodaïques pro-japonaises en Cochinchine et campagne de presse communiste contre la secte de Tay-Ninh". Saigon, le 5 Décembre 1938. [ANOM/GGI/65556].

＊26 N°1537.Le Gouverneur p.i. de la Cochinchine à M. le Gouverneur Général de l'Indochine, Saigon, le 9 Octobre 1936.[ANOM/GGI/65557].

＊27 L'Administrateur, Chef de la Province de Tâyninh à M. le Gouverneur de la Cochinchine, Saigon. Tayninh, le 9 Janvier 1936.[ANOM/SPCE/362].

＊28 Traductions de documents saisis au cours des perquisitions effectuées le 26 Août 1940 en exécution de l'ordonance du Gouverneur de la Cochinchine n°4508 du 22 Août 1940.[TTLTQG2/GOUCOCH/17734].

＊29 Propagande et Manifestations caodaïstes. Mois de Mai 1941.[TTLTQG2/GOUCOCH/17656].

＊30 Commissariat Fédéral aux Affaires Politiques, Saigon, le 5 juin 1946.[ANOM/HCI/Conspol 222].

＊31 武内房司「大南公司と戦時期ベトナムの民族運動――仏領インドシナに生まれたアジア主義企業」（『東洋文化研究』一九、二〇一七年）。

＊32 Werner, *op.cit.*, p.235.

＊33 Tran, My-Van, "Japan and Vietnam's Caodaists: A wartime relationship (1939-1945)", *Journal of Southeast Asian Studies*, Vol.27, n°1, 1996, および高津茂「両大戦期におけるカオダイ教と日本との関わり（上）――「復国時期1941-1946におけるカオダイ教の歴史」を中心として」（『東洋文化研究』一五、二〇一三年）を参照。

三　フランス革命期モージュ農村社会とジャック・カトリノ

――内面的思索の醸成から自律的行動の萌芽へ

大峰真理

はじめに

ジャック・カトリノは、一七五九年一月五日、キリスト教徒としての信仰心のほかには何も財産を持たない家の子として生まれた。（中略）神は困難な状況に彼をつかわしたが、熱烈な魂と寛容な性格と不屈な情熱に溢れた意志をすでに与えていた。彼は、優しさと朗らかさゆえに同郷のすべての人から愛された。（中略）一七八五年、彼は六人目の子どもの洗礼に際して「ジャック・カトリノ、荷車引き」と署名した。[*1]

これは、一八九六年一月三日ジャック・カトリノ（Jacques Cathelineau）の生誕地に記念碑が完成した時、司教が読み上げた祝辞の冒頭部分である。記念碑建立によって称えられるカトリノは、フランス革命期一七九三年三月にフランス西部で始まった「反革命的騒乱」――ヴァンデ戦争――を主導し、同年五月に結成されたカトリック王党軍（Armée catholique et royale）初代総司令官として知られる人物である。司教が語る篤い信仰心と寛容な心を持つ一人の荷車引きが、なぜ「騒乱」に参加し主導することになるのか。この素朴な疑問が本研究の動機である。

（1）研究史の整理

フランス革命は一七八九年に封建的諸特権を廃止して特権に基づく絶対主義国家を否定し、「人間および市民の権利の宣言」（「人権宣言」）を採択して自由で平等な個人が編成するあたらしい社会の理念と枠組みを謳いあげた。一七九二年九月から革命を牽引した国民公会にとって、フランス西部の農民による蜂起は「説明しがたい」ものだった。[*2] なぜならば、革命議会は王政の廃止と共和政を宣言し国王処刑を裁可して万人が平等であることを明示したのだから、農民は旧い体制――アンシャン・レジーム――から解放されたはずであり、これほど進歩的な改革に反旗を翻す理由はどこにもない、と考えたからである。そのような理由から、九三年三月に始まる農民の抗議行動は、国民公会にとって「後進的な反乱分子」による「騒乱」以外の何物でもなかった。[*3]

ヴァンデ戦争に関する近年の研究史をたどるためには、田中久美子と大島幸之介による論考が役に立つ。[*4] 彼らによれば、「ヴァンデの反乱」は革命という必然的過程から逸した存在として評価され続けたが、修正学派による問題提起をきっかけに、社会経済史的視点と文化史・心性史的視点から考察され始める。[*5] 一九六〇年代、P・ボワはサルト県の農村共同体の住民構成と財の蓄積を考察し、C・ティリはアンジュー地方の農村経済を分析して、都市化が遅れた地域では革命へのより強い抵抗が認められると結論づけた。[*6] 一九八〇年代初めには、C・プティフレールが手工業者や地方名士に着目して、領主‐農民関係だけで説明できない地域社会の実像を描出した。[*7] その後、「反革命的」文化・心性の観点からD・M・G・サザーランドが教会財産の国有化・売却と社会変容を考察し、在地の教会財産が外来者によって買い占められたために伝統的地域社会の組成が壊され、「革命の恩恵」に浴することができない中小農民や貧農が置き去りにされていく過程を示した。[*8] さらに、J・C・マルタンやA・ジェラールはヴァンデにおける徹底した弾圧とその結果を実証し、恐怖や暴力をキーワードとして地域に刻み込まれる長期的記憶の表出と影響を検証した。[*9] このような研究蓄積の結果、フランス西部の農民による運動は旧体制の再興をもくろむ貴族と聖職者によってそそのかされた無知で狂信的な「反乱」ではなく、革命の諸改革によって生活が激変し壊されていくのを押しとどめたいと願う民衆の自律的な行動だった、[*10] と評価し直されている。

以上の研究史整理に加えて本稿では、二〇〇〇年代の動向を簡略に追記する。代表的研究者は、A・ロラン＝ブレストロである。彼女は、マルタンの指導のもとで博士論文を執筆し公刊した。[*11] ロラン＝ブレストロの問題関心は、モージュ地域（Mauges）の伝統的社会の再現にある。彼女は、三つの集落――ル・パン＝アン＝モージュ、ヌヴィ、サン＝クリスティヌ――に着目し、住民構成、封建的領主‐農民関係、係争事件を考察して中世のそれと変わらない伝統的封建制度の社会経済的特徴を描出した。[*12] ロラン＝ブレストロは、その後も数多くの論考を発表しアンジュー地方における「内乱」の実証と総論を試み、ヴァンデ研究第一人者となった。[*13]

地図1　ロワール川中下流域　アンジェ～ショレ～ナント

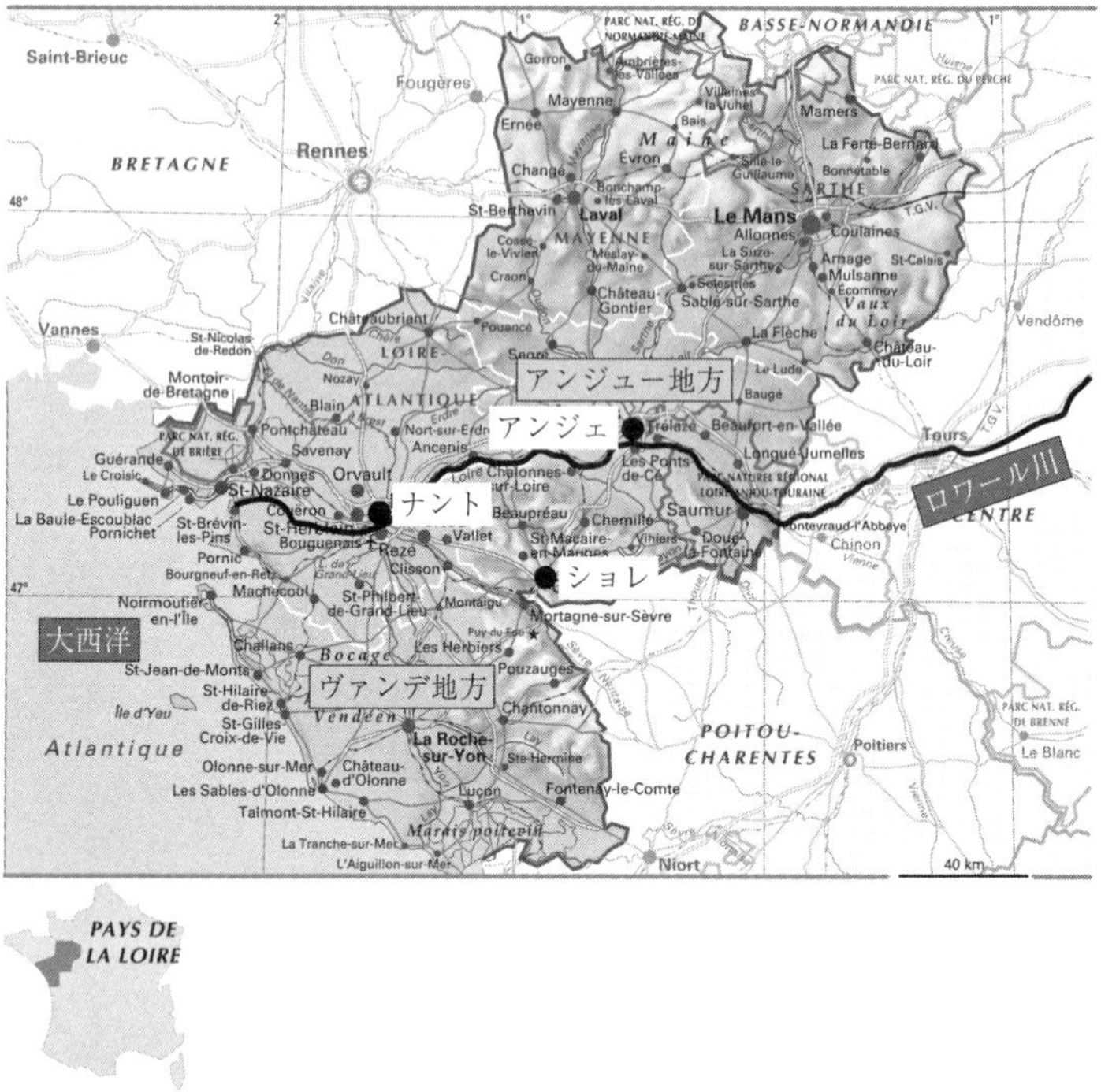

出典：Pays de la Loire – Média LAROUSSE　https://www.larousse.fr/encyclopedie/cartes/Pays_de_la_Loire/1309232（2023年2月26日閲覧）

ロラン＝ブレストロの一連の個別研究はミクロ歴史学の可能性を学界に提示し続けるが、地理学分野でもモージュ地域の観察が蓄積されている。A・ショヴェによる研究成果『ナントの開口とショレの孤立——地誌学的試論』はその代表である。[*14] 彼は、ブルターニュ地方を指す中世の用語「アルモリカ」という呼称に示唆を得て、ロワール川から大西洋へと開かれる海港都市ナント（Nantes）とモージュ地域内陸に位置する手工業都市ショレ（Cholet）を並置し、二つの都市が編成する地域の歴史的経過を解明しようと試みた。一見すると、ナントとショレはそれぞれ完結する地理的空間の中心都市であり、異なる機能を果たす隣り合った空間でしかないが、ショヴェは二つの空間の自然・社会・経済・文化とその歴史的変容を観察し、相互に重なり合う関係を明示した（地図1）。

（2）問題関心と分析対象史資料

本研究の素朴な疑問――一人の信心深く寛容な荷車引きがなぜ暴力行使もいとわない「反革命的騒乱」を指揮することになるのか――に答えるためには、彼が生きた土地を知り、在地社会のあり様を理解し、日々の営みを実証する作業が不可欠である。

考察対象は、カトリノが生まれ生きた集落ル・パン＝アン＝モージュ（Le Pin-en-Mauges, 以下、ル・パンと略す）が位置するモージュ地域である。これまでも、同地域に関する言及はあった。とりわけ森山軍治郎は、一九九一年と九三年に現地を巡見し史資料を収集して、中心都市ショレの歴史をいきいきと描いてみせた。[*15] 本稿では森山氏の研究成果を参照しつつ、一八世紀後半に作成された地図（地形図）と近年フランスで発表された論考に依拠して、モージュ地域とル・パンに関する記録と情報を整理する。[*16] また、司祭が書き残した説教集を一次史料として、「騒乱」に参与するまでのカトリノの実像に迫る。[*17]

地図2　カッシーニの地図に記されるモージュ地域中央部

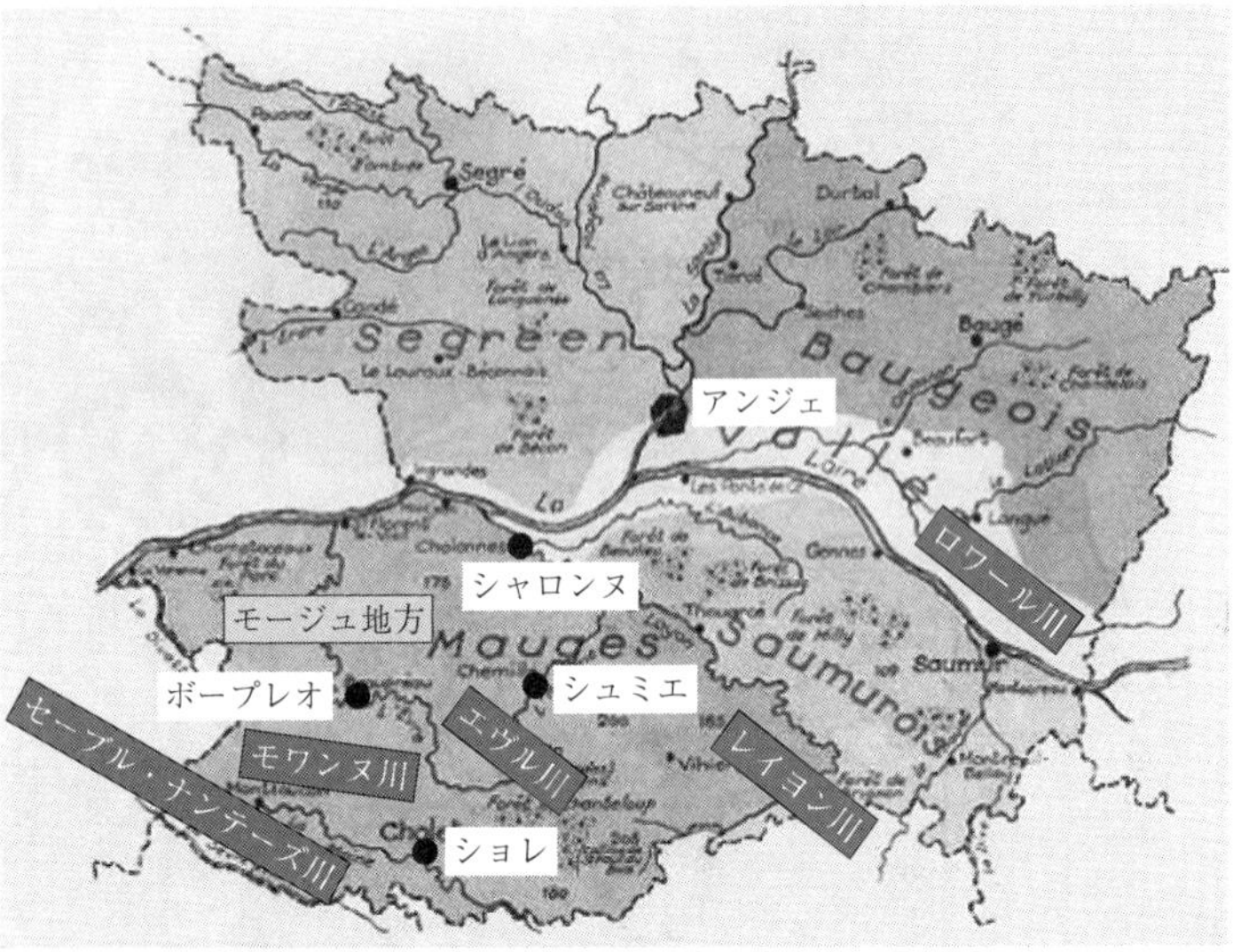

出典：Carte physique de l'Anjou, BDF49 L'Anjou

1　モージュ地域とル・パン＝アン＝モージュ

モージュ地域は、アンシャン・レジーム期アンジェ裁判行政管区[*18]内に位置する丘陵地であり、北はロワール川、東はレイヨン川、西と南はセーヴル・ナンテーズ川とモワンヌ川によって他の地域と隔てられていた（地図2）。

（1）カッシーニの地図

ジャック・カトリノが生まれたル・パンは、モージュ丘陵地の北部にある。地図3は、一八世紀に作成された『カッシーニ地図』の中からル・パンが記された部分を切り抜いたものである。[*19] モージュ丘陵地は小川と森によって区切られるボカージュ（bocage）であり、地味はそれほど良くない。それゆえ、同地域が豊かな穀倉

地図3　カッシーニの地図に記されるモージュ地域中央部

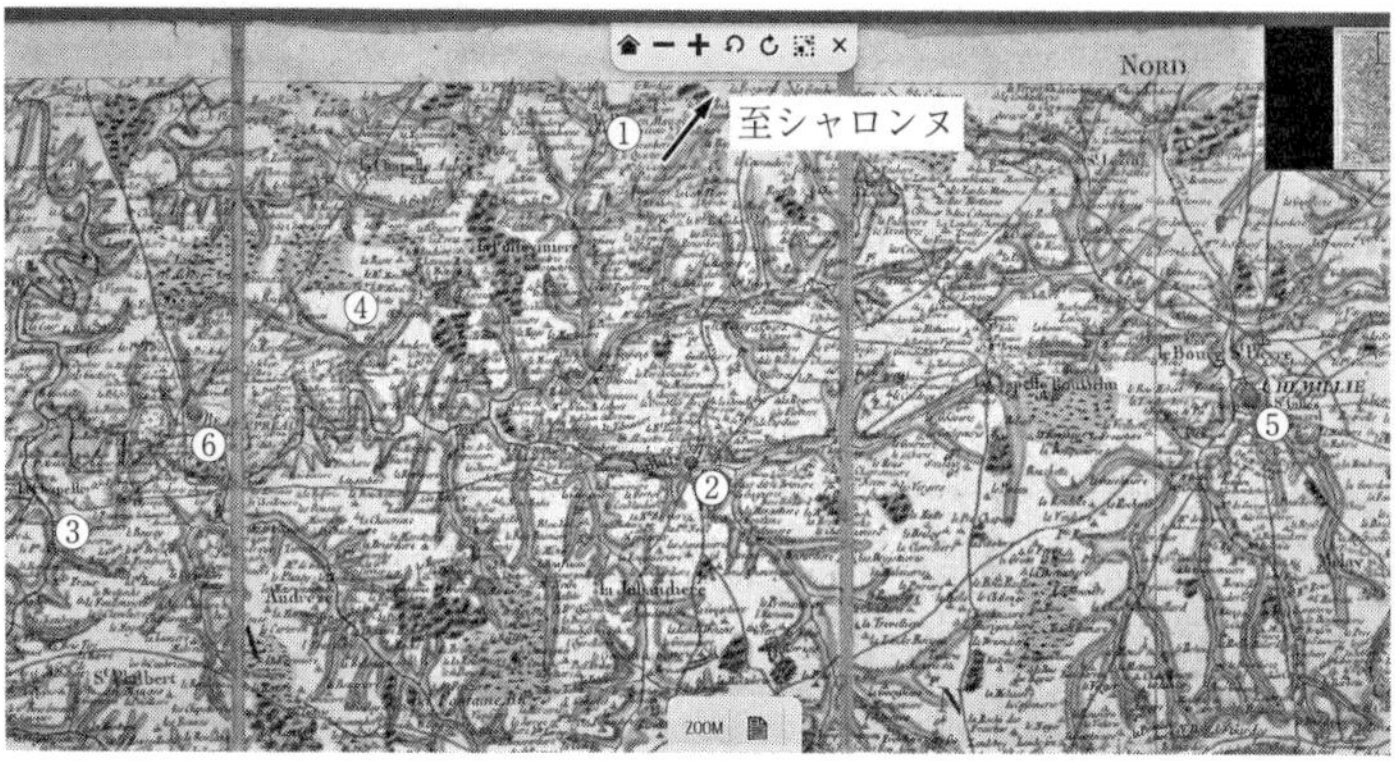

①ル・パン＝アン＝モージュ
②ジャレ
③ラ・シャペル・ドゥ・ジュネ
④ラ・ポワトヴィニエール
⑤シュミエ
⑥ボープレオ
実線は馬車道，実線に沿う膨らみの部分は小川と川岸，黒点の集合部は灌木の林や森
出典：Carte générale de la France. 099, [Mortagne]. N° 99. Flle 102 / Aldring Sculp. [sit]; [établie sous la direction de César-François Cassini de Thury] | Gallica (bnf.fr) https://gallica.bnf.fr/ark:/12148/btv1b530951935/f1.item.zoom（2023年2月26日閲覧）

地帯となることはなく、住民は分散する小さな集落とその周辺で家畜の飼育と飼料作物を栽培して生きてきた。[*20] ル・パンにもっとも近い町はジャレ（Jallais ル・パンから舗装道路を通って南に七・三キロメートル）であるが、カッシーニの地図にはル・パンとジャレとを結ぶ道は描かれていない。移動が必要な場合には、けもの道程度の小径を通ってボカージュを抜け小川を渡らなければならなかったに違いない。

（2）住民と生活

社会科学高等研究院による人口統計データベース化作業の成果は、二〇〇六年にオンライン上で公開された。[*21] それによれば、一七九三年のル・パンの人口は七六八人、ジャレは三六〇〇人、ショレは八四四四人である。

ボカージュの地モージュにおける土地所有と社会のあり様は、領主‐農民関係によって説明される[*22]。つまり、領主（そのほとんどは中小貴族）が土地を所有し、彼らは農民と短期契約（通例三年から九年）を結んで土地を貸し付ける。ボカージュにはまとまりのある耕作地が少なく生産性は低いので、小作農は経済的不安定さから逃れられない。領主は封建的諸権利（パン焼き窯の使用強制権、商品取引税、通行権など）を行使して農村社会を管理運用する一方で、収穫物を「等分」した。つまり、まず徴税人が収穫物全体から直接税を徴収し、次に領主が契約に基づいて貢租を受け取り、その後、残った収穫物を領主と小作農とで二分する伝統が革命前まで続いたのである。モージュ地域における領主‐農民関係は比較的安定していたといわれるが、その要因はこの「等分」にあった、とも指摘される[*23]。

モージュ地域におけるもう一つの生産活動は手工業――とりわけ織機業――である。一八世紀初頭に黎明期を迎えたショレの繊維産業は一七八〇年代後半まで発展し続け、織工、紡工、染物師として働く農民の数は増加した[*24]。その誘因は西方に位置する海港都市ナントの経済的発展だった。ショレは陸路と河川路でナントと結ばれ、内陸手工業都市として成長したのである。ショレ麻織物業の歴史を研究したP・ドレによれば、一八世紀ナントから積み出された麻織物の大半はショレで生産された。世紀半ばになると、モージュ内陸の集落にも織機が設置され、農民は麻糸を紡ぎ麻布を織ってショレの麻織物商に納品した。一七八九年にはモージュの約一〇〇の集落が麻糸と麻織物を生産しショレへ発送している[*25]。カトリノが生まれた集落ル・パンはその一つだった。

2 ジャック・カトリノ（一七五九年一月五日〜九三年七月一四日）

ジャック・カトリノは一七五九年一月五日モージュ内陸のル・パンで洗礼を受けた。[*26] 父はジャン（Jean, 一七三五〜八七年）、母はペリーヌ・ユドン（Perrine Hudon, 一七三五〜八〇年）である。二人は一七五六年二月二三日に結婚し、四人の男子と一人の女子をもうけた。[*27] このうちの二男がジャックである。ジャックの人物像はさまざまな立場から語られ、史実と神話的要素とが混在している。[*28] こうした状況に対して、L・M・クレネは歴史学的方法を用いてカトリノの実像に迫ろうと試みた。彼は一八世紀後半ラ・シャペル・ドュ・ジュネ（La Chapelle du Genêt）の教区司祭が保管した説教集[*29]を分析し、ジャックに関する記録を抽出して人物像の再現に挑んだ。本稿ではクレネの研究成果に依拠し、「反革命的騒乱」までのカトリノの足跡をたどる。

（1）教区司祭による教え

ジャック・カトリノを知るためには、まず、父ジャンの経験をたどる必要がある。一七二一年ル・パン教区は、新しい司祭トマ・コンペールを迎えた。司祭は「モージュの住民は妄信の罠にはまっている。読むことも書くこともできない」と回想した。[*30] 司祭は福音を説き続け、子どもたちにはイエス＝キリストと聖人の歴史を語った。一七三五年に生まれる父ジャンに洗礼を授けたのはこの司祭である。幼少期の父ジャンは司祭の話をよく聴き、のちに聖具室係として礼拝の準備を手伝い、司祭とともに教区の家々を訪問した。司祭と過ごした長い時間と経験は父ジャンに初歩的教養を与えた。その習熟度は、彼が五人の子どもの洗礼に際して残した美しい署名筆跡によく現れている。[*31] 司祭とともに教区民とかかわる父ジャンの姿は、カトリノ家がその他多くの住民と同様に小作と機織りで生計を立てる家であるとしても「ほかとは違う何かを備えた家」として住民に認知させる要因にもなっただろう。

一家の子どもたちは教会附設の司祭館に頻繁に出入りし、聖職者の生活空間と様式を実体験してイエス＝キリストの生涯を学んだ。まもなく、次代司祭フランソワ・ケノは父ジャンに二男ジャックをラ・シャペル＝ドュ＝ジュネ（ル・パンから西南に約一四キロメートル、人口八一三人、以下ラ・シャペルと略記）の司祭に預け、読み書き計算を学ばせカトリック信仰を深めさせるよう勧めた。[*32] こうして一七七〇年夏、ジャック・カトリノ（一一歳）はル・パンを離れラ・シャペルに向かった。

ジャックの教育を担当したのは、司祭マルシェだった。モージュ出身の司祭は、ボカージュでの困窮する生活が魂の堕落と隣り合わせであることを経験的に良く知っていた。[*33] それゆえ彼は、説教の中でしばしば「誘惑にそそのかされてはならない。悪事に手を染めてはならない。（中略）自分の中にある戦いを知り、警戒を怠らず、質素な暮らしに努め、心地よく巧みな誘いをつねに拒まなければならない」[*34] と説いている。正直に生き清貧と品行に努める司祭の態度は教育においても貫かれただろうから、カトリノの生き方に影響を与えたに違いない。また、カトリノがラ・シャペルで過ごした六年間（一七七〇〜七六年）は、絶えず死に向き合い、魂の救済について考え続けさせられる日々でもあった。というのは、この時期のラ・シャペルはたびたびエヴル川の洪水に見舞われ壊滅的な被害を受けたからである。洪水は伝染病も蔓延させたので死者はさらに増えるばかりだった。カトリノは司祭とともに終油《しゅうゆ》の聖体拝領に何度となく臨んだ。一〇代半ばのカトリノは同じ年頃の少年が経験するよりもずっと多くの臨終に立ち会い、生命のはかなさを実感したのである。[*35]

(2) 親族との行進、地元名士との合流

ジャック・カトリノは一七七六年(一七歳)ル・パンに戻り、翌年二月四日にルイーズ・ゴダン(Louise Godin, 一七五一~一八一〇年)と結婚して、その後一一人の子どもを持った。[*36] カトリノは聖職には就かなかったが、信仰を失わず教区の聖歌隊にも加わった。読み書き計算を学び、清貧と品行の道をはずれず、魂の救済を深慮するカトリノ家の息子ジャックは、たとえ本人が望まなくとも集落の中心的存在だっただろう。一九世紀初頭にヴィクトワール・ド・ドニサン・ド・ラ・ロシュジャクラン(Victoire de Donnissan de La Rochejaquelein, 一七七二~一八五七年)は『回想録』のなかで、「ジャック・カトリノは村でもっとも尊敬される人物の一人だった[*37]」と記録した。

カトリノが「反革命的騒乱」に参与するのは、一七九三年三月一三日(三四歳)である。彼は二七人の男とともに、ラ・ポワトヴィニエール(La Poitevinière, ル・パンの南約三キロメートル、人口一一九〇人)に向かって行進を始めた。きっかけは、モージュ各地で頻発した徴兵忌避の知らせがル・パンに届いたことだった。国民公会は一七九三年二月二四日、共和国軍を強化するために一八歳以上の独身男性を対象とし

てくじ引きによる三〇万人の徴兵を決定したが、一定の条件を満たす富裕層は代理人を立てることが許され行政にかかわる者は無条件で徴兵を免除されたので、農民は王政時代を想起させる不平等なこの制度に激しく抵抗した。[*38] ロラン＝ブレストロによれば、ル・パンを出発した二七人のうち、五人はカトリノのいとこ、三人は甥、一人は義理の弟であり、さらに六人は三～四世代さかのぼれば一家と婚姻関係にある者だったので、計一五人（約五六％）が彼の親族だった。[*39] その他の一二人はカトリノの親族ではないが、それぞれ父と義理の息子、義理の兄弟、いとこ同士、叔父と甥といった具合に姻族や血族だった。つまり、この行進は徴兵対象男性と年長の親族によって構成され、働き手を不条理に奪われ生活基盤が崩されることに対する怒りと不安に端を発する行動だったと理解できるのである。そして、この性質は他の集落のものと相違ない。つまり、カトリノが含まれていたからといってル・パンのそれが特別な意味を持ったわけではない。

一方、最初の行動から一〇日後の三月二三日、カトリノは北東のシャロンヌ（Chalonnes, ラ・ポワトヴィニエールから北東に約一九キロメートル、ロワール河岸の町、人口五二〇九人）に移動し地元の名士シャルル・ド・ボンシャン（Charles de Bonchamps, 一七六〇～九三年）と合流して、連名でシュミエ（Chemillé, シャロンヌから南に約一七キロメートル、人口四〇七四人）の指揮官に手紙を書き「共和国軍五〇〇〇人の小隊が大砲三門を備えてアンジェから南下してくる」という情報を共有した。[*40] この一通の手紙は、小作の息子で荷車引き＝行商人のジャック・カトリノがモージュ地域における徴兵忌避運動の指揮連絡網の中核に座したことを示す。わずか一〇日のあいだに彼は「農民の代表」としてふるまい、地元名士とともに主導的役割を果たすことになったのである。

さらに一〇日後の四月二日、カトリノは「カトリック信徒からなる軍（armée catholique）を指揮するわたしたちは、ヴァンサン・プリュダン〔共和国軍の兵士で捕虜の一人と思われる〕に対してシュミエの委員会に出頭するよう〔移動の〕権利を与えた」と単名で記録した。[*41] これは、カトリノが自らのアイデンティティと帰属集団の本質をカトリック信仰に見出していたことを示す最初の史料である。

おわりに

ある時代を生きた一人の民について記録が残る事例は、洋の東西を問わず多くない。そうした中にあって、フランス革命期のジャック・カトリノは例外である。父の代から続く司祭との結びつきゆえに記録が残り、習得した識字ゆえに自ら記録を残したからである。本稿では網羅的な史料調査と分析には至らなかったが、ルブランが整理した説教集とクレネによる知見に学びながら、カトリノの人生をたどり、一七九三年三月の彼の行動の基底にあるものを探ろうと試みた。カトリノは、聖職者とともに多くの死を弔いながら生命のはかなさを思い知ったであろうが、その生命が紡ぐ共同体の生活を正しくまっとうすることによって魂は必ず救済される、と深慮しながら生きていた。にもかかわらず、革命政府は共同体の営みを壊す新たな社会の枠組みと機能を一方的に提示し服従を強いたので、彼の深慮は憤りに置き換わり暴力をも伴う抗議行動の一歩を踏み出したといえよう。内面的思索から導き出された意志を自律的な行動に移す民

図1　A.-L.ジロデ作　ジャック・カトリノ（1816年，ヴェルサイユ宮所蔵）

出典：https://histoire-image.org/etudes/jaques-cathelineauhttps://histoire-image.org/etudes/jaques-cathelineau（2023年2月1日閲覧），フランス共和国文化省と国民教育省が開設したオンライン上のサイト。絵画，デッサン，版画，彫刻などについて解説し，作品分析を通して歴史を学ぶことを目的としている。現在，2960点が閲覧可能。画家アンヌ・ルイ・ジロデ（Anne Louis Girodet, 1767－1824年）によるジャック・カトリノは，信仰と国王を守る意志を表すモチーフ――短銃と十字架，王党派の旗と剣と十字架――をまとっている。カトリノは戦いの場から立ちのぼる煙を指し，そのまなざしは控えめでありながらも情熱に満ち溢れ，遠くを見据えている。

の姿がここにある。

その後四月一一日にカトリノは、前出のボンシャン、領主モリス・デルベ（Maurice d'Elbée, 一七五二〜九四年）とともにシュミエに向かい共和国軍に勝利する。「シュミエの激突」と呼ばれるこの戦いでは、共和国軍兵士四〇〇〜五〇〇人が捕虜になったといわれるが、デルベは処刑を許さず「捕虜を殺そうとするなど、神を欺いてはならない」と説いて、信仰のもとに貫かれるべき慈悲と寛大さを謳った。[*42] 直後にボンシャンとデルベは二手に分かれ、前者はボープレオ（Beaupréau）を占領し、後者はカトリノを伴ってショレに向かう。徴兵忌避運動が最初の山場を迎えるのは、このショレでの戦いである。急襲に成功したデルベとカトリノは兵士を城内に追い込みながら剣と銃と大砲を奪い、四月二〇日には降伏させた。[*43] 敗走する共和国軍を見た指揮官ボンシャンとデルベがパリ進軍という新しい目的を抱き始めたのはこの頃だったともいわれている。ボンシャンはロワール川を越え北進すべきと主張し、デルベはモージュ以南に駐留する共和国軍の掃討を優先させるべきだと訴えた。こうして、指揮官の対立が表面化し指揮系統の確立は阻害された。[*44]

一方、農民たちは徴兵忌避を希求し続け、五月にも各地で「騒乱」を起こしたが、彼らは自分が住む土地の近くで始まった戦いには参加するものの、それが終われば家に帰って農作業と手仕事に戻るので、常設の軍隊組織が編成されることはなかった。[*45] 一七九三年五月二七日のカトリック王党軍最高評議会設立と初代総司令官カトリノの選出は、この「間に合わせの軍隊[*46]」を一つのまとまりあるものに組織化するための戦略だったと指摘できよう。伝統的農村共同体を破壊する革命にあらがい続ける荷車引きのジャック・カトリノは、主要な戦闘で最前線に立ち勝利した「英雄」として、また、揺るぎない信仰をまっとうする「聖なる人」として、ヴァンデ戦争の象徴的主導者像を帯びることになるのである（図1）。

〔注〕

＊1　*Le Dimanche: supplement à la Semaine religieuse du diocèce de Cambrai*, le 5 décembre 1896, p.777, conservé numériquement à la Bibliothéque nationale de France, Fonds regional, Nord-Pas-de-Calais.

＊2　フランソワ・フュレ／モナ・オズーフ『フランス革命事典I』（河野健二ほか監訳、みすず書房、一九九五年）、四一頁。

＊3　柴田三千雄ほか編著『世界歴史体系　フランス史2』（山川出版社、一九九六年）四〇三頁、および、田中久美子「フランス革命におけるヴァンデ戦争の史的位置」（『史窓』六二、二〇〇五年）七七－一〇一頁。

＊4　前掲、田中「フランス革命におけるヴァンデ戦争の史的位置」、および、大島幸之介「ヴァンデ戦争におけるカトリック王党軍の組織――フランス革命期の地方反乱について」（『クリオ』二八、二〇一四年）五八－七一頁。

＊5　前掲、田中「フランス革命におけるヴァンデ戦争の史的位置」七七－七八頁。

＊6　P.Bois, *Paysans de l'Ouest: des structures économiques et sociales aux options politiques depuis l'époque révolutionnaire dans la Sarthe*, Le Mans, 1960, rééd., 1971; C.Tilly, *The Vendée: A sociological Analysis of the Counter-Revolution of 1793*, Cambridge, 1964, 3rd edition（1976）.

＊7　C.Petitfrère, *La Vendée et les vendéens*, Paris, 1981; Ibid., "Paysannerie et militantisme politique en Anjou au début de la Révolution（1789-1973）" dans *Annales de Bretagne et des pays de l'Ouest*, 1982, t.89, no.2, p.173-183.

＊8　D.M.G.Sutherland, *The Chouans: the social origins of popular counter-revolution in Upper Brittany, 1770-1796*, Oxford, 1982.

＊9　J.C.Martin, *Blancs et Blues dans la Vendée déchirée*, Gallimard, Paris, 1986; A.Gérard, *Par principe d'humanité...: La Terreur et la Vendée*, Paris, 1999.

＊10　前掲、柴田ほか編著『世界歴史体系　フランス史2』三七六－三七七頁。

＊11　A. Rolland-Boulestreau, *Les notables des Mauges: communautés rurales et Révolution（1750-1830）*, Rennes, 2004.

＊12　ロラン＝ブレストロによれば、この三集落は「戦うヴァンデVendée militaireの中央部」である。

＊13　A. Rolland-Boulestreau, "Sociabilités, pouvois et notabilités en Anjou, 1730-1830: trois communautés des mauges à l'épreuve de la guerre" Thèse de doctrat en Histoire, 1999; Ibid., "Enter en guerre civile en Anjou. Les notables à l'heure du choix（1792-1793）dans J.-C.Caron（sous la direction de）, *La France en guerre*, 2018, Rennes, 2018; A.Boulestreau et B.Michon, "Introduction" dans Boulestreau et Michon（sous la direction de）, *Des guerres civiles du XVIe siècle à nos jours*, Rennes, 2022.

*14　A.Chauvet, *Porte nantaise et Isolat choletais, essai de géographie régionale*, Nantes, 1987.

*15　森山軍治郎『ヴァンデ戦争――フランス革命を問い直す』（筑摩書房、一九九七年）。

*16　フランス国立図書館のデジタルサイトGallica BNFで閲覧可能な*Revue historique, littéraire et archéologique de l'Anjou*（一八六七年創刊）を調査対象にした。

*17　郷土史研究雑誌 *L'Anjou historique*（一九〇〇年創刊）は一九五六年まで隔月で発行された。Gallica BNFで閲覧可能。

*18　セネショセと呼ばれる裁判管轄区は、王令の公布と適用、徴税、軍事にかかわる行政管轄区でもあった。アンシャン・レジーム期の司法と行政については、前掲、柴田ほか編著『世界歴史体系　フランス史2』を参照。特に裁判区については八頁、八九頁。

*19　カッシーニ家によって作製されたすべての地図はGallica BNFで閲覧可能（https://gallica.bnf.fr/html/und/cartes/france-en-cartes/la-carte-de-cassini 二〇二三年二月一四日閲覧）。

*20　L.Poirier, "Essai sur la morphologie de l'Anjou meridional（Mauges et Saumurois）" dans *Annales de Géographie*, 1935, t.44, no.251, p.474; 小栗了之「ヴァンデーの反乱について」（『北海道教育大学紀要　第一部B社会科学編』一八-一、一九六七年）一六-二八頁、および、前掲、田中「フランス革命におけるヴァンデ戦争の史的位置」八〇頁。

*21　*Des villages de Cassini aux villages d'aujourd'hui*（http://cassini.ehess.fr/fr/html/index.htm 二〇二三年二月一四日閲覧）。現行政区分上の各自治体について一七九三年以降の推計人口を知ることができる。

＊22　前掲、小栗「ヴァンデーの反乱について」二二頁。前掲、森山『ヴァンデ戦争』四〇－四二頁。小林良彰「ヴァンデー反乱の経済的要因」（『同志社史学』二二－三、一九七〇年）四一－六二頁。あわせて前掲、柴田ほか編著『世界歴史体系　フランス史2』二五－二八、三九－四二、五五－五八頁を参照。
＊23　前掲、小栗「ヴァンデーの反乱について」二二頁。
＊24　C.Tilly, *op.cit.*, p.26.
＊25　P.Dollé, "Cholet et l'industrie toilière au début du XVIIIe siècle" dans *Annales de Bretagne et des pays de l'Ouest*, 2000, t.107, no.2, p.71-74, p.85.
＊26　https://gw.geneanet.org/gntstarcathelineau（二〇二三年二月一六日閲覧）、*Genanet*はフランス各地の県文書館が保管する教区簿冊の調査結果を集積するデータベース。
＊27　長男ジャン（一七五六年生まれ）はサヴネの戦いで、次男ジャック（一七五九年生まれ）はナントの戦いで、四男ジョゼフ（一七七二年生まれ）はギロチン刑に処されていずれも一七九三年に死亡した。また三男ピエール（一七六七年生まれ）は一七九四年三月の戦いで重傷を負い、まもなく死亡した。
＊28　Louis-Marie Clenet, *Cathelineau Le "saint de l'Anjou"*, Paris, 1991, p.8-9.
＊29　一七六三年から九八年までの説教集は、ルブランによって整理された。F.Lebrun, *Parole de Dieu et révolution. Les sermons d'un curé angevin avant et pendant la Guerre de Vendée*, Toulouse, 1988. 八一回の説教を保管したのは司祭イヴ＝ミシェル・マルシェである。歴史家ルブランはこれらを主題別に分類し、一八世紀後半モージュの様子を再現しようと試みた。ルブランによれば、八一回のうち二六回の説教の中で地元の歴史的出来事が語られている。ただし、この史料もまた「教会／聖職者による記録」という点で注意は必要である。
＊30　L.-M. Clenet, *op.cit.*, p.13.
＊31　*Ibid.*, p.13.
＊32　*Ibid.*, p.14, 19.

＊33 マルシェ司祭はモージュ内陸のボープレオ（ラ・シャペルから約四キロメートル、一七九三年の人口は二六七八人）の出身。毛織物商の家に生まれるが四歳の時（一七三〇年）に孤児になり、叔父（ろうそく商）に育てられボープレオの聖スルピス神学校で修学した。マルシェは一七五七年にラ・シャペルの助任司祭となり六三年に司祭となった。

＊34 F.Lebrun, *Parole de Dieu et révolution...*, *op.cit.*, p.66. マルシェ司祭がのちに「聖人神父 saint prêtre」と呼ばれる理由は、彼の説教にある。

＊35 L.-M.Clenet, *op.cit.*, p.28.

＊36 https://gw.geneanet.org/gntstarcathelineau（二〇二三年二月一六日閲覧）、一一人のうち六人は生後まもなく死亡した。Godinの綴り字は、史料によってはGaudinと書かれる。

＊37 Victoire de Donnissan de La Rochejaquelein, *Mémoires*, Paris, 1814; 著者は一八〇二年三月にラ・ロシュジャクラン侯爵と再婚した。ラ・ロシュジャクラン侯爵はカトリック王党軍第三代総司令官だったアンリHenriの弟である。侯爵夫人は自身の人生を記録するために『回想録』を執筆し、その中で夫から聞き取ったヴァンデ戦争の様子を叙述した。ジャック・カトリノについては、『回想録』第四章の始まりの部分に言及がある。『回想録』の全文はオンラインで閲覧可能。https://www.gutenberg.org/cache/epub/15642/pg15642.html

＊38 前掲、柴田ほか編著『世界歴史体系　フランス史2』三七六頁、および、前掲、フュレ／オズーフ『フランス革命事典I』三四頁。

＊39 ル・パン教区司祭ジャック・カンティト（Jacques Cantiteau）による記録（一八〇七年作成）は、L. de la Sicotière, *La curé Cantiteau*,（Angers, 1877）に所収されている。ロラン＝ブレストロはこの司祭記録を一次史料として分析し、論文“Familles, réseaux et Contre-Révolution dans les Mauges”を発表した。同論文はJean-Clément Martin（sous la direction de）, *La Contre-Révolution en Europe*, Rennes, 2001に所収（p.17-24）。

＊40 *L'Anjou historique*, 1925.10.1, p.237.

＊41　*Ibid*., p.237; 出典は一八七三年に発行された *Revue des Documents historiques* の中で引用された文書である。試訳のうち〔　〕内は、大峰の追記である。

＊42　Y.Gras, *La guerre de Vendée: 1793-1796*, Paris, 1994, p.31-32.

＊43　J.C.Martin, *Blancs et Blues dans la Vendée déchirée*, *op.cit*., p.59.

＊44　前掲、森山『ヴァンデ戦争』一一三－一一四、一一九－一二〇頁。

＊45　前掲、田中「フランス革命におけるヴァンデ戦争の史的位置」八四頁。

＊46　A.Gérard, *La Vendée 1789-1793*, Paris, 1992, p.159.

四　現代の民衆運動における暴力の位相

――三里塚闘争を事例にして

中嶋久人

はじめに

本稿は、現代において暴力行使の主体とみなされなくなった生活の専門家としての民衆の運動において、[*1]暴力はどのような位相を有していたかということを、一九六〇〜七〇年代のエポックメーキングな民衆運動の一つである三里塚闘争を事例にして検討することを課題としている。一般的に、近現代社会では、国内における政治闘争において選挙や司法などの制度に依拠した合意による解決が志向され、実力行使についてもデモやストライキなどの非暴力的な営為が選択され、実際の暴力行使は軍隊・警察などのいわゆる暴力装置に限定される傾向がある。とりわけ、一九五五年体制下の戦後日本社会においては、その傾向が強かった。しかし、高度経済成長期においては、水俣病などの公害病や原発開発など、地域社会との合意が形骸化し、地域民衆の生活を権力が破壊することが見られるようになった。そして、民衆は自ら生活を守る運動を展開した。それに対して、警察などが暴力的に弾圧する場合に、運動側は暴力によって対抗することはできないのか。それを問いかけたものが三里塚闘争であった。三里塚闘争については、さまざまな角度から分析が試みられているが[*2]、ここでは、一九六〇年代末から一九七〇年代初頭において、まさしく生活の専門家である農民が中心となって組織した三里塚芝山連合空港反対同盟が、その運動において、どのように暴力に向き合っていたかということを、同時代の資料[*3]に依拠して中心的に検討することとする。

1　三里塚闘争の開始

成田市三里塚地域と隣接の芝山町にまたがる地域に空港建設計画が持ち上がったのは一九六六年のことであった。もともと、羽田空港を代替する空港建設が計画され、東京湾千葉県側・茨城県霞ヶ浦などが候補として浮上した。一九六五年には千葉県富里町・八街《やちまた》町に建設されることが閣議決定されるが、社会党・共産党などが支援する反対運動のため挫折した。そこで一九六六年に隣接する成田市三里塚地域への建設計画が発表されることになった。三里塚地域は台地部の開拓地で、空港用地の大部分をしめていた。近世の佐倉牧に源流を持つ御料牧場や県有地がかなりの割合をしめており、さらに開拓地という生産力の低い地域が多い地域であった。戦後開拓地は農業経営が厳しい農家が多く、農業経営に期待を抱く農家も存在していたが、共同体規制がなく、各戸それぞれが判断することになり、空港用地のかなりの多くの部分は買収された。他方で、芝山地域は谷地田を中心として中近世に起源を持つ「古村」と呼ばれた地域であり、共同体規制が強かった。買収される空港用地は少なく、空港が建設されてもそれほど利益はなく、他方で、騒音などの公害を被ることになるので、芝山地域は集落ぐるみで反対運動が展開することになった。[*4]

一九六六年六月に三里塚空港反対同盟・芝山町空港反対同盟が成立し、同年八月二二日に三里塚芝山連合空港反対同盟となった。[*5] 反対同盟は基本的に集落ごとに組織され、正規の構成員はそれぞれの家の戸主であって、親同盟と通称されていた。さらに、年齢・性別にしたがって、老人行動隊・青年行動隊（青年同盟）・少年行動隊・婦人行動隊・三里塚高校生協議会などが組織されていた。三里塚芝山連合空港反対同盟の委員長にはクリスチャンであり、三里塚で農機具商を営みつつ、地域で文化活動を行っていた戸村一作《いっさく》が就任した。[*6]

同年の六月二八日に三里塚空港反対同盟の主催で開催された三里塚新国際空港反対総決起大会における大会宣言では、「関係農民の血と汗しみこむ農地を無理やり奪って、農業を破壊し、さらに騒音や公害によって北総一帯の農業地帯を営農困難な状態におとし入れ、広大な周辺住民の生活と学校教育などをおびやかす、許すことのできない人権無視の政策である」とし、「地元民に他に考える余裕も与えず最初から反対の意見を押し殺す態度で、閣議決定を急いで強行する暴挙に対して、政府並びに県当局に本大会の名において強く抗議するものである」と表現している。[*7] つまりは、農地・農民・農業・環境をおびやかす「人権無視」の政策であり、この地域の農民の意向を無視するものだと批判しているのである。この思いが、反対同盟の闘争の根源にあった。

2　新左翼の登場

（1）日本共産党との絶縁

結成当時の反対同盟は日本社会党・日本共産党（青年組織である民主青年同盟を含む）に組織的に依拠しつつ、委員長戸村一作は「無抵抗の抵抗」を提唱し、請願・議会工作・一坪地主運動などの非暴力的活動を中心としていた。他方、結成過程であった一九六六年七月一〇日に、反対同盟が組織されている地域には非常警戒用のドラム缶が準備されることになった。八月一七日には、自民党千葉県連の現地視察に際して、ドラム缶が鳴ると周辺の反対同盟員が集まり、包囲して抗議し、撃退した。[*8] その後、警察・公団などが現地に入ってくると、ドラム缶を鳴らし周囲の反対同盟員が集まって撃退するという運動文化が形成されていったと見られる。

そもそも日本全国の社会主義化を志向する社会党・共産党と、空港建設阻止を目的とする反対同盟とのあいだにはズレがあった。そうした中で、建設方針を堅持する政府・空港公団の姿勢に直面すると、新規開拓地で営農条件も悪い三里塚地域を中心にして、政府側に切り崩される農民も増えてきた。議会工作・請願の限界が見えてきており、反対同盟は次第に調査・測量・工事などを実力で阻止することをめざすようになった。その傾向が明確になったのが、一九六七年一〇月一〇日に行われた空港外郭測量阻止闘争であった。この日、機動隊が動員され、それに守られながら、公団は空港外郭部分の測量を目的として杭を打つ作業を実施しようとしたため、反対同盟はそれを阻止しようとした。反対同盟青年行動隊員の柳川秀夫は「10・10ってのは、測量のよ、強行を阻止しようってんでよ、その時に同盟はスクラム組んで坐り込んだわけだよ」と回想している。しかし、この言に続いて、柳川は「共産党は、機動隊が出てきたら道をあけてしまってよ。社会党はあの時オレらと一緒だったよな」と述べている。同じく青年行動隊員の石井恒司は「共産党なんかよ、反対同盟の腹がまえとはかなりつり合わないわけだよ、闘争のなかでよ。わきに機動隊がこういてよ。機動隊が杭を囲んで、百姓はそれにとびかかって行くのに、そのわきで歌を歌ってるのはすごく、全然ちぐはぐなムードしかねえわけだよな、百姓としては」と指摘している。[*9] 日本共産党は、一九五五年の六全協以来、一貫して暴力行使を忌避し、関係する運動にもそれを求めたのであった。[*10]

（2）新左翼との共闘

このような状況のもとで、三里塚闘争に新左翼が登場してくることになった。新左翼とは、戦後革新運動の主流としての日本社会党・日本共産党を批判し、一九五〇年代末から登場してくる党派であり、共産主義者同盟（共産同）、革命的共産主義者同盟（革共同、のちに革マル派・中核派などに分かれる）、社会主義者青年同盟解放派などが該当する。特に、一九六〇年安保闘争においては、共産同が国会突入デモなどの行為を中心的に担った。この時期は、中核派、共産同の学生組織の社学同、社青同解放派が全日本学生自治会総連合会（全学連）の中心を担い、三派全学連と呼ばれていた。また、総評青年部を中心に組織されていた反戦青年委員会にも新左翼は影響力を強めていた。[*11] 中核派が主導権を掌握していた三派全学連の中央執行委員長秋山勝行とその情宣部長である青木忠は「革命に暴力が不可避なのは、倒される相手が、必ず暴力に訴えてくるからである」と述べた。[*12] 彼らによれば、一九六七年の羽田闘争以来、従来の学生運動になかった「ヘルメットと角材」が登場してきたが、それは「権力の強力な弾圧に耐えて進むための、ほんのささやかな工夫の一つであった」。[*13] 彼らは、警察側の暴力への対抗手段として、「ヘルメット」と「角材」による武装を位置づけていたのであった。

反対同盟は、一九六七年八月頃より、共闘関係にあった砂川反対同盟宮岡政雄副行動隊長を通じて全学連などの新左翼と接触を図っていた。新左翼が組織的に三里塚闘争に関与するのは、三里塚で一九六七年一一月三日に開催された「三里塚空港粉砕、ベトナム戦争反対一一・三青年総決起集会」に全学連が参加してからであった。この集会の主催者であった総評青年部を中心とした千葉県反戦県労連青対部は全学連の参加を拒否したが、反対同盟は参加させるべきだと主張し、結果的に五〇名の全学連学生が参加したとされている。この全学連の参加に日本共産党・民青は阻止行動をとり、それらと反対同盟は絶縁状態となった。そして、一一月一二日に全学連はバス三台を連ねて現地入りし、測量杭作製の阻止闘争に農民とともに参加したという。[*14]

一一月中には、東京地区反戦青年委員会、動力車労働組合千葉青年部、全学連（三派系）とのあいだで反対同盟は共闘の原則を確認した。その原則は、①支援ではなく、労働者、学生がそれぞれの立場から自らの闘うべき課題として現地に結集し、農民と同盟する、②強制的な土地取り上げに反対し農民の生活防衛闘争を支持するとともにベトナム人民・アメリカ人民とも連帯しなくてはならない、③反対同盟の方針を尊重し、その同意をもとに共闘体制を整える、の三点であった。[*15]

とはいっても、反対同盟と新左翼などの外部の支援者とは違いがあった。辺田部落の反対同盟員龍崎主計は一九七〇年二月三日の辺田部落の集会で「前田さん（支援学生の名前）はこの空港闘争を、自分のためではなく国家百年のことを思って闘争していると思います。われわれ農民は、国家のことは第二、今ここに空港つくられたら、われわれ自身、職場を失ってここに住んでいらんねえから、だから現在反対しているんです。それまでのことです」と発言している。[*16] この発言は重要で、反対同盟の構成員たちが生活の専門家という立場に立って運動を行っていることを示している。

他方、『全学連は何を考えるか』では、「別に農民からたのまれて助太刀に行くというような単純なものではなく、一貫して闘ってきた反戦・反権力の闘いの必然的発展なのである」[*17] とし、彼らの成田空港建設反対の理由として、①日米安保条約によって軍事基地化が想定される、②米軍に使用させている横田基地や航空路などを返還させれば民間空港を新設する必要はない、③権力による一方的な決定により、農民の土地を強制的に取り上げ、その生活を破壊し、戦争への道を深めていることを掲げた。結局、反対同盟の青年行動隊員であった石井恒司が「外から反戦だ、学生だ、とくるとき、また心にもないことをいわなけりゃならない、つらいよな、義理だててよ」といわざるをえない状態であった。[*18]

それでも、一九六七年一一月以降、総評や新左翼の労働者を中心とする反戦青年委員会や、全学連などの外部からの参加者の比重が大きくなった。一九六八年二月二六日に成田市営グラウンドで開催された

「二・二六　三里塚空港実力粉砕、砂川基地拡張現地総決起集会」は、砂川基地拡張反対同盟、全学連もともに主催者となった。中核派一〇〇〇名、反対同盟一〇〇〇名が参加したといわれている。同じく成田市営グラウンドで三月一〇日に開催された「三里塚国際空港粉砕、ベトナム侵略反対、反戦青年成田集会」の共催団体は、反対同盟、全国反戦青年委員会、千葉県反戦青年委員会の三者であり、全国反戦青年委員会二二八〇名、反対同盟一二〇〇名、学生一二〇〇名、その他の民主団体五〇〇名であった。さらに、三月三一日にも反対同盟主催で三里塚公園において集会が持たれた。これらの集会において、機動隊と反対同盟・学生・労働者らは、暴力的に対抗することになった。二月二六日の集会では、機動隊の暴力によって、戸村一作ほか多数の人びとが負傷した。三月一〇日の集会では、会場の周囲に金網・有刺鉄線・丸太などで作られたバリケードを棍棒を持つ学生側が破壊し、反対同盟なども投石を加え、それに機動隊が放水・催涙弾・盾・警棒で応戦する事態となり、負傷者・逮捕者が続出した。三月一〇日の学生側の動きについては、その後の全国反戦青年委員会でも賛否が分かれることとなった。[*19] ただ、反対同盟側は学生側の機動隊などに対する暴力には肯定的であった。たとえば、芝山町辺田部落の反対同盟の「親同盟」に属する萩原勇一（ゴロベー）はこのように発言している。

……最初はこう、なんかあんなにまでも機動隊とぶつからなくてもいいじゃないかなんてのね、気持ちは。ほら2・26くらいのときは。それがほら、こう胸がスーっとしたわけだ、そのときは……学生がこうやって、目の当たりに見ると、〃あっ、われわれのカタキをとってくれた〃と……やっぱり学生がやってたことというのは、自分自身でこう闘いを通して、やっぱりこう確認されてきてるわけだよなあ。[*20]

このように、反対同盟も政府・公団・警察の暴力に対抗するものとして、新左翼の暴力を、肯定するようになってきたのである。

3 反対同盟の「武装化」

(1) 戸村一作の提起

しかし、反対同盟の中心をなす「親同盟」の人びとは自身の手で目的意識的に暴力を行使することに否定的であった。彼らは、座り込みや投石程度は行ったが、後述するように青年行動隊が反対同盟全体の武装化を提案した際、拒否したのであった。小川プロダクションで一九六八年の反対同盟の運動を撮影していた大津幸四郎は「2・26から3・31の闘争では農民は手が出ないわけで結局、全学連が主体になっちゃったんです」と回想している。[*21]

ただ、委員長の戸村一作は、それではすまないと感じていた。戸村はもともと「無抵抗の抵抗」を主張しており、三月一〇日の集会でも、バリケードを構築した公団や警察側を「彼らは、みずから孤立しました。われわれの闘いが彼らをそうさせたのです。われわれは闘わずして勝ったのです」と挨拶し、警備が厳重の中で集会を実施したという非暴力の闘いを評価していた。[*22] しかし、一九六八年二～三月頃に反対同盟の会議と推定される場面で、米軍に立ち向かうベトナムの農民に言及したのち、次のように発言している。

……わたしたちは機動隊とぶつかるばあいも、あるいはわたしたちが農機具をもって出動しなければならないこともあるでしょう。わたしたちのこの防衛手段としては、鎌を振り回さなければならないときもあるでしょう。そこまで行かなけりゃならない。農民一揆、昔の農民一揆じゃない。農民の解放戦線だとわたしは思います。また、ひとつの革命運動だとわたしは思います。（中略）
わたしたちは機動隊のそういう暴力をも恐れない、死をも恐れない、捕縛も恐れない。この闘いはそこまで徹底しなければ、わたしは勝てない、機動隊の首のひとつやふたつ、チョン切るくらいのことでなけりゃ勝てない。わたしは、そうまで覚悟しております。[*23]

戸村の発言で、殺傷用ではない農機具＝鎌で機動隊の首をとるということは、一つに反対同盟は目的意識的に暴力をふるう主体ではないことを明示するとともに、それにもかかわらず暴力を行使する必要があると提起したことになる。

（2）青年行動隊の武装化

このような、戸村の提起を受け止めたのが、反対同盟の青年行動隊であった。元来、反対同盟の青年部として青年同盟があったが、青年同盟は民青の影響を強く受けており、日本共産党との絶縁を契機に青年行動隊に再編された。この時期、菱田部落には共産同ML派の「政治工作者」が入ってきており、その影響も受けて「実力闘争」を行う意識が生まれていた。[*24] 秋葉義光は「オレらはゲリラだった、公団職員ばかりねらったもんな」と回想しており、[*25] 彼らは「ゲリラ」活動に従事していた。しかし、青年行動隊内部でも異論があった。三ノ宮文男は「正攻法でよ、真正面からぶつかるか、それともゲリラだよな」として、自身としては「もうぶつかることしか考えになかった」としている。そして、その理由を次のように述べている。

……だけど行動としてはよ、なんていうか、スクラムを組んでよ、機動隊とぶつかった方がいいな、と思ったんだよな。……戸村さんがよ。「無抵抗の抵抗ができねえもんがよ、棒を持ったりよ、鎌をもって機動隊の首をちょん切ってまでやる、そういった抵抗はできねえんだ」といったんだよな。で、オレはそれを逆にとって、いまだ無抵抗の抵抗ができねえオレらがよ、棒とか、そういうものをもつのは、非常にあぶねえんじゃねえかと思ってたんだよ。機動隊に向ってスクラムを組んでよ、そのスクラム自体が破れねえだけのスクラムを組むこと自体がよ、必要じゃねえか、と思ったんだよ。[*26]

三ノ宮としては、機動隊に向けてスクラムを組んでぶつかるという「無抵抗の抵抗」のほうが重要だとしていた。同様に、青年行動隊の島寛征《ひろゆき》も「鎌だって集会に使うだけの意味しかもってなかったじゃないかね。戸村さんのいう実行的な意味で、鎌を持つというだけの、あの時の戸村さんの考え方はオレたちの考えの範囲を越えてたんじゃないのか」と回想している。[*27] つまりは、公然とした実力行使には青年行動隊にも逡巡があったのである。

しかし、機動隊・公団などから暴力を日常的に受けていくにつれ、一九六八年五〜七月頃より青年行動隊は武装するようになった。島寛征は「天神峰闘争〔一九六八年五月中旬〕の中途までは普通のデモでな。天神峰闘争から青行隊の武装が始ったけど、反対同盟の武装まで行かなかったな。横堀のバリケード闘争〔一九六八年七月中旬〕で、その萌芽がやっと出てきたところで、向うは手を打ったわけだよ」と回想している。[*28] そして六月三〇日に、三里塚公園で開催された集会で青年行動隊長萩原進が「本日、はじめてわれわれはここに竹槍と鎌を持った。本日、われわれはここにはじめて武装した」と宣言している。[*29]

(3) なぜ、武装化するのか

それでは、青年行動隊は、なぜ武装するのか。島寛征は「それ〔空港建設反対の意志表示〕をやろうとすると、どうしても機動隊が出てきて、そういう反対同盟の意志表示を弾圧すると。力で圧殺しようってするってわけでしょう。それをやっぱりなんていうか、最低防衛するっていうことね、おれたちの意志表示をさ」とし、さらに「それと同時に、やつらをここから追い出すというさ[*30]」と語っている。結局、島は、①弾圧に対する反対同盟の意志表示の防衛、②機動隊・公団などの弾圧者を追い出すことを青年行動隊の武装の理由にあげている。②については暴力を含めた実力行使といってよいだろう。ここでは、①についで、より掘り下げていく。青年行動隊の秋葉義光は、「そこで完全に、たとえ一〇名であれ、二〇名であれ、それ〔機動隊の暴力〕を食いとめる部隊があったら、ありゃあ、反対同盟というものは逃げる部分だって戻ってそこでやるわけだ」とし、そのために犠牲になる部隊が必要だとしている[*31]。

そして、島は次のように主張している。

……向こうが具体的に力で押してきたばあいは、こちらもそれに力で対決するという決意を見せるという意味で、武装するってわけでさ。七月二日（十余三南部の動員した日）のばあいにはさ、おれらやっぱり青同が武装してたよね、隠れてはいたけどさ。で、それがあってはじめてね、やっぱりあの雨のなかの七時間半のさ、スクラム組んだ闘いってのがさ、勝ちとれたと思うわけよ[*32]。

つまりは、反対同盟全体の闘争意欲を挫かせないためにも青年行動隊の武装は必要であったとしているのである。島は「青行隊が武装して、武装部隊つうかゲリラ部隊としてきちっとあって、それと反対同盟の正規軍がきちんと抗議闘争をやるというたてまえのもとによ、ある程度、闘争の形がこう集約されてくる」とも主張している[*33]。武装とは、単に実力行使のためだけではなかったのである。

そして、青年行動隊は自らの暴力を、新左翼の暴力とは違うものと認識していた。青年行動隊長の萩原進は「われわれの思想ってのはさ、マルクス＝レーニンとかさ、そういう理論的なもんでないと。しかしな、われわれが直感的に身体でそれをさ、感じとってな」と語っている。[*34] 島寛征は「学生諸君がゲバ棒持つということの決意とね、農民の青年が、しかももっともよく闘っている農民の青年が、しかももっともよく現在の反対同盟の闘える限界を知ってるさ、青年の諸君がね、持つということはさ、もうこれぜんぜん違うという感じな」と指摘している。[*35]

青年行動隊員には、武装に対してさまざまなかたちで逡巡があった。萩原進は、次のようにいっている。

……いわゆるゲバ棒をな、ひとりで持つかという問題になるわけだ。一〇〇〇名いる同盟員のなかでな、ひとりで持つかとなったらさ、持てねぇと思うわけよ。いかなる情勢のもとにおいてもさ。じゃ、そこで青同がな、ここで三名持ったと、鎌を三名持ったと。こりゃなあ、やっぱりさ、口では言い表わせない連帯というよりもさ、おたがいにそれを確かめ合ってる。[*36]

反対同盟内部での連帯があって初めて武装できると萩原は心情を吐露している。また、権力側であっても人間に暴力を振るうことへの忌避感もあった。三ノ宮文男は「だけどずうっと考えてみるとよ、人をぶん殴るの、悪いことだと思ってたわけだよな」とし、それ自体が権力側によって刷り込まれた価値観だと指摘しつつも、「だけどよ、かえって、そういうふうに思うこと自体よ、オレの人間性っていうものよ、こう痛めつけてるみてえなよ」と感じていた。[*37] 人間に暴力を振るうことを問題視する意識は三ノ宮以外の青年行動隊員も共有していた。石井恒司、島寛征、石毛博道、三ノ宮文夫は、人間に暴力を行使することの是非について次のように対話している。

石井　うん、だからぶん殴るのは人間をぶん殴ってんじゃねえってことといってるわけか。

島　なんなんだよ、だからよ、相手はなんなんだよ。それがはっきりしなきゃ。人間だなんだとかいって、人間ならぶん殴れねえのか。

石毛　そうだよ。

三ノ宮　人間だっぺやな。[*38]

（4）戸村一作による暴力論の理論化

戸村一作は、『闘いに生きる』（一九七〇年）の中の「暴力論」で、従来の主張とより整合性がとれたかたちで反対同盟の暴力について説明している。[*39] 戸村は「殺人的凶器と武力をもつ国家権力そのものが暴力である」と定義している。そのうえで「しかるに権力と武力をもたない闘いが、現在の人民の闘いであるが、支配階級のあくなき暴力に対決する被抑圧者のやむにやまれぬ個の生命の、本然の行為としての怒りの爆発は必ずあるべきである」とする。つまりは、そのようなものとして、民衆側の暴力を把握しているのである。戸村は「世俗的な議会主義による慣れ合い政治と体制内の悪循環あるのみで、闘う者の自己変革は元よりなく」と議会主義を否定し、「無血革命は私の理想である」としながらも「もし、国家権力に対立する被抑圧者の俗にいうところの無抵抗と非暴力がありうるとすれば、それは現実社会に生きる人間として、もっとも大きな矛盾と虚偽の生活ではなかろうか?」と「無抵抗と非暴力」に疑問を呈している。とはいえ、戸村は、「支配権力者の暴力に対する私たちの実力行使は、武力の対立関係による闘争ではない。泥試合の流血は私たちの望むところではない」とする。戸村は、一九六八年三月一〇日の集会で自身が述べた学生たちに向けた「角材を闘いのシンボルとしてください」という発言を前提にして、「角材はデモ隊のアクセサリーではない。あくまで闘う者のシンボルとしてあるべきである。角材は戦闘の意思表示である。シンボルは兇器ではない。人民を殺す兇器は官憲側にある」と述べる。この闘いのシンボルは、角材だけではなく、プラカード、大鎌、竹槍、糞尿、路傍の石、森の蛇などを含み、それによって「表現の自由をかちとるだろう」と主張している。そして、一九六八年六月三〇日の反対同盟青年行動隊長萩原進の「鎌と竹槍をもった」という宣言については、「こちらから権力者に起ちむかって斬り込むという暴力主義ではない。権力側の計画された殺人的兇器と武装に備えて起つ、闘う者の心血の迸《ほとばし》りである」と評価している。つまりは、武装といえども、殺傷などの暴力を目的にしたものではなく、「闘争のシンボル」として位置づけようとしているのである。後述するように、反対同盟の中心である「親同盟」は自らの武装化に否定的であり、青年行動隊においても実際の暴力行使には逡巡があった。戸村は、そのような意識を汲みながら、反対同盟の暴力論の理論化を行ったといえよう。

4 反対同盟における暴力のゆくえ

青年行動隊は、反対同盟全体の武装化も提起した。一九六八年六〜七月頃と思われる辺田部落の反対同盟集会にて、青年行動隊の秋葉義光が、一部の人間だけが突出して竹槍を持っているのは問題であり、「親同盟」を含めた反対同盟全体が闘う姿勢を示すため、全体が武装すべきと提案した。萩原勇一は、「この反対同盟にしたって、無抵抗の抵抗なんて、いうような言葉でもって一年以上もやってきた……学生の石を運ぶのがきっかけで、学生がいなくなったあとは、こんど自分らが投石しようというようなことで」としながらも、「なんにも持たなくても勝てる方法があればよ、こりゃまあ、いちばんよいわけだよ」という。その他の参加者たちも、「逃げることはよいことだよ」「戦闘的なのはいつでも戦闘的だし、逃げる者はいつでも逃げてる。うん。竹槍持ったって同じこと」「投石専門で行く」「いや無理に、無理に竹槍、あの持つ気のねぇ者に持たしたってダメだからさ。明日はよ、竹槍と鎌持たねぇで、素手で行ったたって石はあるんだから」と、投石以上の「武装化」には消極的であった。[*40] 島寛征は「で、あと八月〔一九六八年〕になってから反対同盟全員の闘争ということで、駒井野から天狼まで武装デモやったけれども」としながら、「これは威嚇だよな。何つうか形式だったたな。あれは八月二十四日だっけな」と回想している。[*41]

一九六八年以降、機動隊との暴力を交えての対抗はより激しくなっていくが、それでも反対同盟の中核をなす「親同盟」は、武装に消極的であった。一九七一年二〜三月には、一坪地主や反対同盟構成員の土地にバリケードや地下トンネルを設置して要塞化した六つの「砦」が築かれ、反対同盟や新左翼の学生・労働者が籠り、そこに向かって機動隊や公団が攻撃をかける第一次強制代執行闘争が行われたが、当時の青年行動隊員である石毛博道は反対同盟が籠った第二砦で三月三日に行われた論争について次のように回想している。

……あの砦の攻防戦の日の夕方、青行隊は「火炎瓶や竹やりをバリケードの中に入れろ」と主張して、親同盟と大激論になった。国側は、婦人行動隊や子供にも見境なく暴力をふるってきた。機動隊も切れたんだろうな。予想を上回るすごい調子だった。だから青行隊も切れちゃった。「やられたら、やり返してやろう」と。実際に衝突すると感情がそこまで高ぶるんだ。飛び道具が欲しくなる。結局、「武器は何を持ってもいい。ただし個人の責任で持つこと」というすごい方針を親同盟は出した。三月五日から砦に武器を入れた。[*42]

つまり、この段階でも、「親同盟」は武装に消極的であったのである。
同年九月、第二次強制代執行闘争が行われたが、その最中の九月一六日に三名の機動隊員が死亡した。その直後より反対同盟内の青年行動隊員たちが逮捕・起訴され、青年行動隊員であった三ノ宮文男は自殺するに至った。青年行動隊員たちは保釈されるが、ほぼ一五年にわたる裁判闘争を余儀なくされる（結果としては無罪もしくは執行猶予）。武装化を強く主張してきた青年行動隊員たちは保釈中のため暴力行使を含めた非合法活動ができない状態となる。

一九七二年に反対同盟は滑走路南側に二基の鉄塔を建て、開港を阻止しようとしたり、一九七四年には戸村一作が参議院選挙に立候補するなど、暴力的ではない運動を試みた。[*43]とはいえ機動隊などとの暴力的対抗は必至で、結局は支援する新左翼が中心的にそれを担うことになる。たとえば、一九七八年三月二六日、成田空港開港阻止を目的に開港直前の管制塔が占拠され、機材が破壊されたが、それを実行したのは支援の新左翼党派(第四インターなど)であり、反対同盟自体ではない。結局、機動隊との暴力的対抗は新左翼が担うという形態となったのである。

おわりに

一九六〇年代末は、三里塚闘争に限らず、新左翼や全共闘など一部の民衆の運動が武装化していく契機を有していた。それは、運動の激化に対して進められた機動隊などの重武装化に対抗するという側面があった。そもそも、生活の専門家である民衆=農民が武装化することの正当性は第一義的には機動隊などの国家権力に対抗することに求められていた。それは、初発において新左翼も同様であったと考えられる。しかし、国家権力の組織的暴力を体現する機動隊や、それに組織的に対抗する党派ではない、生活の専門家である民衆=農民である反対同盟が恒常的に武装化することは難しかった。親同盟の人びとは、機動隊などへ暴力的に対抗することの必要性は認めつつ、それについては新左翼にまかせ、自らは終始武装化には消極的であった。戸村一作は運動の進展上より過激な姿勢を示し、それに紆余曲折しながらも青年行動隊が応えていくのであるが、彼ら自身は内心では逡巡を抱えており、反対同盟全体の戦意を示すために青年行動隊のみが武装化するというかたちをとらざるをえなかった。そして、戸村一作も、従来の「無抵抗の抵抗」という論理と整合するかたちで、角材＝ゲバ棒、鎌、竹槍などを、闘争意欲を示すシンボルとして位置づけることを提起したのである。

このように、農民が武装化し、恒常的に暴力の主体となっていくことは、かくも困難であった。そして、一九七一年九月第二次強制代執行闘争の最中に起こった三人の警官の死亡事件を契機に、それまで反対同盟の武装化を担っていた青年行動隊は弾圧されて裁判闘争を強いられ、暴力行使をすることができなくなった。以降、基本的に反対同盟自体は非暴力的な運動を行い、機動隊などとの暴力的対抗は新左翼にまかすという形態に落着したといえる。しかしそれは、一九七〇年代において、新左翼と反対同盟が分離していく契機となったわけではない。一般的に、一九七二年の連合赤軍事件で、新左翼に対する世論の共感は薄れたといわれるが、少なくとも一九七〇年代においては、反対同盟と新左翼の共闘関係は維持され、新左翼の暴力に対する社会的共感は存在していたと考えられるのである。

〔注〕

＊1 「生活の専門家」という概念については安丸良夫『近代天皇像の形成』（岩波書店、一九九二年）二七三頁で提案されている。

＊2　三里塚闘争については、評論・回想を含めさまざまな文献が存在するが、紙面の関係上、包括的で実証的に論じている、D・E・アプター・澤良世『三里塚——もうひとつの日本』（岩波書店、一九八六年）、福田克彦『三里塚アンドソイル』（平原社、二〇〇一年）、相川陽一「三里塚闘争における主体形成と地域変容」（『国立歴史民俗博物館研究報告』二一六、二〇一九年）をあげておく。

＊3　ここで本稿が主に依拠した資料について説明しておく。戸村一作『闘いに生きる——三里塚闘争』（亜紀書房、一九七〇年）は、三里塚芝山連合反対同盟委員長戸村一作の著作として発表されたが、反対同盟が編集したと推定される運動経過、資料、年表などを含んでいる。のら社同人編『壊死する風景——三里塚農民の生とことば（増補版）』（創土社、二〇〇五年、初出一九七〇年）は、後述する反対同盟青年行動隊員たちの座談会の記録を中心としているが、本書も資料・年表を含んでいる。鈴木一誌編著『小川プロダクション「三里塚の夏」を観る——映画から読み解く成田闘争』（太田出版、二〇一二年）は、小川紳介監督・小川プロダクション制作で、いわゆる「三里塚シリーズ」の第一作である記録映画『三里塚の夏』（一九六八年制作）を解説した書で、撮影カメラマン大津幸四郎などの座談会、『三里塚の夏』のシナリオ、年表などを含んでいる。なお、記録映画『三里塚の夏』は小川紳介の見解に基づいてかなり編集されているが、それらの点については、それぞれの箇所において注などで指摘しておきたい。

＊4　三里塚・芝山地域の概略については、前掲、相川「三里塚闘争における主体形成と地域変容」一七八－一八三頁を参照。

＊5　前掲、鈴木『小川プロダクション「三里塚の夏」を観る』一七三頁。

＊6　三里塚芝山連合空港反対同盟の組織については、前掲、相川「三里塚闘争における主体形成と地域変容」一八六－一九〇頁を参照。

＊7　前掲、のら社同人『壊死する風景』三六六頁。

＊8　同右、四七四－四七五頁。

＊9　柳川・石井の発言は、同右、二六六頁による。なお、共産党との絶縁は、反対同盟の青年たちにとって大きな問題であったが、映画『三里塚の夏』では取り上げられていない。
＊10　中北浩爾『日本共産党』（中公新書、二〇二二年）参照。
＊11　高畠通敏「大衆運動の多様化と変質」（『年報政治学　一九七七』岩波書店、一九七九年）三五〇－三五一頁参照。
＊12　秋山勝行・青木忠『全学連は何を考えるか』（自由国民社、一九六八年）二〇七頁。
＊13　同右、五〇頁。
＊14　前掲、のら社同人『壊死する風景』四八四－四八九頁。前掲、戸村『闘いに生きる』二五七－二七二頁。
＊15　前掲、戸村『闘いに生きる』二六八－二七〇頁。
＊16　前掲、福田『三里塚アンドソイル』九八頁。
＊17　前掲、秋山・青木『全学連は何を考えるか』二七一頁。
＊18　前掲、のら社同人『壊死する風景』三六一頁。
＊19　前掲、戸村『闘いに生きる』二七二－二九四頁。前掲、のら社同人『壊死する風景』四九一－四九三頁。前掲、鈴木『小川プロダクション「三里塚の夏」を観る』五一－五九頁は、映画『三里塚の夏』では、二月二六日、三月一〇日、三月三一日の映像が一連のものとして編集されていると指摘している。
＊20　前掲、鈴木『小川プロダクション「三里塚の夏」を観る』一五三頁。
＊21　同右、五五－五六頁。
＊22　前掲、戸村『闘いに生きる』二八一頁。
＊23　前掲、鈴木『小川プロダクション「三里塚の夏」を観る』一四二－一四三頁。この発言は内容から見て一九六八年二～三月頃と推測されるが、詳細は不明である。なお、撮影した大津によると、反対同盟の正式な会合における発言とのこと（同、五二頁）。一九六八年二月二六日の集会で戸村は負傷するが、映像では負傷が確認できないので、それ以前かもしれない。前掲、のら社同人『壊死する風景』四九一頁で、戸村は、抗議活動はもはや効果的で

なく、「今、敵を圧倒すること」が必要であるとしているので、あるいはその時の発言なのかもしれない。
＊24　前掲、のら社同人『壊死する風景』二七二－二七三、二九二－二九五頁。なお、映画『三里塚の夏』ではオルグの影響を受けて青年行動隊が実力行使を志向したことに触れていない。
＊25　前掲、のら社同人『壊死する風景』二五六頁。
＊26　三ノ宮文男の発言については、前掲、のら社同人『壊死する風景』二七二－二七三頁を典拠としている。
＊27　同右、三五二頁。
＊28　同右、三三一頁。
＊29　前掲、鈴木『小川プロダクション「三里塚の夏」を観る』一五七頁。
＊30　同右、一五六頁。
＊31　同右、一五六－一五七頁。
＊32　同右、一六五頁。なお、ときおり、青年行動隊とその前身である青年同盟（青同）との混同が見られる。
＊33　前掲、のら社同人『壊死する風景』三三二頁。
＊34　前掲、鈴木『小川プロダクション「三里塚の夏」を観る』一六七頁。
＊35　同右、一六七頁。
＊36　同右、一六五頁。
＊37　前掲、のら社同人『壊死する風景』三五四頁。
＊38　同右、三五五頁。
＊39　前掲、戸村『闘いに生きる』四一－六五頁。なお、文中で一九六八年六月三〇日の萩原進による「武装宣言」に年次を明記せず触れているので、戸村が発言もしくは執筆した時期は一九六八年下半期と推定される。安藤丈将『ニューレフト運動と市民社会――「六〇年代」の思想のゆくえ』（世界思想社、二〇一三年）九七－一〇三頁では、当時の学生を中心とする「ニューレフト運動のアクティヴィスト」たちの暴力観について、ヘルメットとゲバ棒で

武装しても重武装した警察に対抗することは無力であり、警察という権力を可視化するという点での象徴的効果があったと指摘している。他方で、警察との暴力的対抗が「管理社会から解放されて、生きているという感覚を彼らに与えた」ともしている。新左翼と反対同盟の暴力観の異同については、これからも検討すべき課題である。

＊40 前掲、鈴木『小川プロダクション「三里塚の夏」を観る』一六〇－一六一頁。

＊41 前掲、のら社同人『壊死する風景』三三一頁。

＊42 朝日新聞社成田支局『ドラム缶が鳴りやんで――元反対同盟事務局長石毛博道　成田を語る』（四谷ラウンド、一九九八年）三八頁。

＊43 その後の反対同盟の運動については、前掲、鈴木『小川プロダクション「三里塚の夏」を観る』一七六－一七九頁参照。

五　ブレグジット以降の北アイルランド情勢

――揺らぐ和平合意とウィンザー・フレームワーク

崎山直樹

はじめに

二〇二三年二月末、英国政府とEUは、ブレグジット（Brexit）に関してウィンザー・フレームワークという新しい枠組みで合意に至ったと公表した。この新しい枠組みは、貿易のルールを定めた北アイルランド議定書の運用上の課題を解決する新たなルールとなる。このルールの適用によって、通関手続きが大幅に簡略化される。さらに重要な点は、これまで以上に当事者としての北アイルランド社会の意志を尊重する仕組みを導入した点にある。

これは北アイルランド議会が所在するストーモントにちなみストーモント・ブレーキと呼ばれることになる。具体的には、「北アイルランド議会が反対した場合、英国政府は当該規制と関連するEU司法裁判所の解釈の適用を拒否することができる」というもので、意志決定機関として北アイルランド議会が最大限尊重されることになる。

ただしこの権限を発動するためには二つ条件がつけられている。それは「ただし、同制度の発動には北アイルランド議会の二つ以上の政党の議員計三〇人の支持が必要となる」そして、「当該規制が住民の日々の生活に重大な影響を及ぼす場合に限定される」というものであった。[*1] 特に現状の北アイルランドの状況を考慮するならば「北アイルランド議会の二つ以上の政党の議員計三〇人の支持が必要」という条件は非常に重いものとなっている。なぜならばこの一年、北アイルランド議会は開催されていない。また議会開催の前提となる自治政府内閣の組閣も行われていない。北アイルランドではいったい何が起こっているのか。その状況に対して、この枠組みはどのように機能するものだろうか。

北アイルランドの現状を理解するためには、北アイルランドの成り立ちを理解する必要がある。本稿では、第三次アイルランド自治法案そして第一次世界大戦と北アイルランドの成り立ちを確認したうえで、一九九八年の和平合意へのプロセス、そしてブレグジットに関連した北アイルランドの社会の混乱を確認し、ウィンザー・フレームワークの意図を分析する。

1　第一次世界大戦とアイルランド分割

（1）貴族院改革と第三次アイルランド自治法案

一九〇九年自由党のアスキス政権は、社会福祉政策の拡充に加え、海軍を中心とした軍備増強の財源の必要から、不動産への新規課税、所得税や相続税の増税など、富裕層への課税強化をめざした。だが、この予算案に対して、貴族院議員たちは反発し、庶民院を通過した予算案を貴族院は大差で否決した。事態打開を図るべく行われた一九一〇年一月の総選挙では、自由党二七五議席、保守党二七三議席、労働党四〇議席で、アイルランド国民党の八二議席が意味を持ち始めた。アイルランド国民党からしても、自由党との連携再構築は悲願であるアイルランド自治法案成立の好機であった。しかし法案の成立のためには、長らく障壁となっていた貴族院の拒否権を封じ込める必要があった。

一九一〇年一二月に再度、総選挙が行われたものの、自由党、保守党間の拮抗関係は変わらず、アイルランド国民党が政局のキャスティングボートを握ることとなった。一九一一年一月自由党はアイルランドの自治法案について検討を開始した。また二月には、貴族院改革を骨子とする法案を提出した。同法案は与党自由党ならびにアイルランド国民党の賛成を得て庶民院で可決されたが、貴族院はこれに抵抗する姿勢を見せた。そこで首相アスキスは、新国王ジョージ五世の同意を得て、新たに数百人の貴族を自由党支持派から創設し、貴族院の勢力比率を覆す案を提示し、貴族院議員たちの抵抗を封じた。こうして八月に議会法は貴族院で可決された。これにより貴族院は、予算関係法案への拒否権を失うとともに、その他法案についても否決は二度までと制約された。そのためすでに二度否決されていたアイルランド自治法案が否決されることはなくなり、争点はどのような自治が与えられるべきなのかという点に移っていった。[*2]

一九一二年四月、庶民院に第三次アイルランド自治法案が提出されると、政党のみならずさまざまな社会集団がアイルランド自治についての意見を表出するとともに、具体的な行動を起こすようになる。特にこの頃から、英国との連合維持を望むプロテスタント住民たちはユニオニストを自称し、一方で英国からの分離、アイルランド島全島の完全独立をめざす人びとはナショナリストと呼ばれるようになる。

たとえば、アイルランド島北部アルスタ地方のユニオニストたちは、この自治法案に対し、強硬な意見を表明し始めた。一九一二年夏、アルスタ誓約同盟の活動が始まる。彼らにとってアイルランド自治とは、「物質的幸福」や「市民的かつ宗教的な自由」、「市民権」そして「帝国の一体感」を破壊するものであり、これに対して「あらゆる手段」をもって抵抗し、もしそれが強要されるのであれば、「その権威を拒否」するとする「誓約」を用意し、二三万七千人強の署名を集めた。[*3]

一九一三年一月には、この誓約に署名した人びとを中心に、自治の強制に抵抗するための組織としてアルスタ義勇軍（以下UVF）が結成された。一九一四年夏までには義勇兵の数は一〇万人超の規模に達したとされる。また北部での民兵集団の組織化を受け、ダブリンを中心とする南部でも、自治の早期実現を要求するアイルランド義勇軍（以下IV）が結成された。当初約八万人がこれに登録したが、アイルランド国民党がこの動きを支持した結果、さらに多くの義勇兵が加わり、兵員は二〇万人近くまで増加した。[*4]

一九一四年四月にはUVFがドイツから武器・弾薬の密輸に成功する。治安当局は武器密輸を実質的に黙認し、関係者を逮捕しようともしなかった。同年五月、第三次アイルランド自治法案は庶民院を通過し、後は国王の裁可を受ける手続きが残されるのみとなる。しかしアルスタからの軍事力を伴う圧力の前に、法案の修正が必須な状況となっていった。[*5]

事態の収拾を望む国王ジョージ五世は、政党各党代表をバッキンガム宮殿に招集し、打開策の検討を行った。七月二一日から四日間協議は続けられたが妥協点は見出せなかった。その最中、同年六月に起きたサラエヴォ事件を受け、オーストリア＝ハンガリー帝国がセルビアに最後通牒を送り、第一次世界大戦の幕が切って落とされた。戦時体制下、アスキス内閣は保守党との協議に基づき、アルスタ地方の処遇で結論が出ていないアイルランド自治を、一年また戦争終結まで先送りすることを決定した。[*6]

一九一〇年の英国議会選挙において自由党と保守党の勢力が均衡した結果、アイルランド国民党がキャスティングボートを握ることになった。またこのタイミングで長らくアイルランドへの自治権付与に抵抗を続けていた貴族院からの反対意見を封じられたことで、アイルランド自治法案の法制化に向けた歩みは一気に進展した。しかしアイルランドに自治権が付与されることでマイノリティに転落することを恐れたプロテスタント住民の武装化、そして第一次世界大戦の勃発を受け、アイルランド自治法の先行きは未確定のまま、大戦終結後まで棚上げされることとなった。

（2）アイルランド革命と暴力

第一次世界大戦勃発によって、アイルランド自治が棚上げされたことで、アイルランド社会は大きな分断が生じた。まず一つ目の分断は、この戦争にどのように向き合うのかという溝である。あくまでこれは英国の戦争であり、アイルランドにかかわるものではないというスタンスもあり、一方で戦争を早期に終結させることで、悲願のアイルランド自治を成立させたいという意見もあった。逆に、英国が戦争中である現状こそが、独立に向けた千載一遇のチャンスと捉える集団もあった。一九一六年にはダブリンでアイルランド独立を求め、イースター蜂起が起こった。蜂起そのものは短期間で鎮圧されたが、その後の自治運動に大きな変化をもたらすことになる。蜂起の指導者たちが処刑されると、その同情や共感から、ナショナリスト集団であるシン・フェイン（SF）への支持が高まっていった。SFは一九一七年二月のロスコモンでの補選に、イースター蜂起の「殉教者」の父であるジョゼフ・ブランケットを公認候補として担ぎ出し、国政における初めての議席を獲得した。その後、SFは選挙を通じて勢力を拡大していく。

一九一八年一一月に第一次世界大戦が休戦すると、改正された選挙法のもと、総選挙が行われた。アイルランド国民党の人気が凋落する一方、SFは七三議席を獲得した。またアルスタ地方を中心にユニオニスト党が二三議席を獲得した。*7

SFの躍進の理由の一つとして、ビラを用いた徹底したプロパガンダがあげられるだろう。このビラの一部は現在アイルランド国立図書館に保管されている。SFは、自治権獲得交渉で後手を踏み、北部アイルランド分離案を認めたアイルランド国民党の不作為を徹底的に批判した。また第一次世界大戦の休戦に伴い、民族自決の名のもとに独立していく中東欧の国々、たとえばチェコスロバキア、ユーゴスラビアそしてウクライナを引き合いに出し、なぜアイルランドにそのルールが適用されないのか、英国政府を批判する。もちろん現代の我々はこれらの国々が複数の民族からなる複合国家であり、大国の思惑でまとめられたことを知っている。またこれらの国々がたどった未来も知っている。そういう情報はもしかすると、この当時の人びとの切実さを理解しようとするときに逆効果になってしまうのかもしれない。しかしSFは、第一次世界大戦に巻き込まれた周縁地域に生きる抑圧され続けてきた民衆の実感として、同じく大国に抑圧されてきた地域への共感や独立を勝ち取ったことへの憧れ、そしてそれが自分たちには与えられない怒りを表明する。それが民衆からの支持を引き出したのである。[*8]

総選挙で圧勝したSFは一九一九年一月ダブリンで、アイルランド国民議会を開会し、独立宣言を採択した。独立戦争を開始するとともに、パリで始まっていた第一次世界大戦の講和会議に使節を派遣し、アメリカやフランスにはたらきかけを試みたが、独立の承認はかなわなかった。

英国は八月に議会でアイルランド治安維持法を制定し、独立運動の弾圧を強化する一方で、和平交渉の模索と棚上げされていた自治問題処理を始めた。一九二〇年一二月アイルランド統治法が成立した。これはアイルランドを南北二地域に分割し、それぞれに自治議会を設立するという案であり、南のナショナリスト、北のユニオニスト双方から反発があった。一九二一年五月にそれぞれで自治議会議員選出の総選挙が実施され、自治議会が設立された。一九二一年七月に英国との休戦が成立、一二月には英愛条約が結ばれ、南部二六州からなるアイルランド自由国が成立し、北部六州は自治権を持ったまま、英国にとどまることになった。一九二二年一月には英愛条約の批准をめぐり自由国内部の対立が深まり、条約は僅差で批准されるものの、SFは事実上二派に分裂し、内戦が勃発した。この戦いは翌年五月まで続いた。[*9]

これまでの研究において、南部の独立戦争から内戦にかけての時期の暴力は注目されてきた。しかし不安定な情勢に由来する暴力の連鎖は南部のみならず、アルスタ地方でも多くの命を奪ったのである。一九一九年一月から一九二一年七月にかけて、北アイルランドとなる地域においておよそ二〇〇〇人のカトリック住民が殺害された。[*10]

近年ではこの一九一三年から二三年の変化をアイルランド革命として認識するようになっている。英国の国政、第一次世界大戦、そしてアイルランドのさまざまな集団の異なる理想の政治体制、これらに翻弄されつつも、アイルランドは自治を獲得した。しかしそのかたちは誰も望んでいなかった分断を伴うものであり、その内部にはつねに暴力をはらむ不安定なものであった。

2 和平合意への道

（1）北アイルランドにおける公民権運動

分断直後の時期において、プロテスタントとカトリック住民の人口比はおよそ二対一であり、北アイルランドはその成立当初から内部に対立する二つのコミュニティを抱えていた。英国とは良好な関係を維持していたものの、英国政治の中心から疎外されているという不安感が、北アイルランドのプロテスタントを自らの優位性の保持に向かわせた。当初より独自の議会と行政府を備えていた北アイルランドにおける自治体制は、一九七二年に英国政府の直接統治が開始されるまで、一貫してユニオニスト支配のもとに置かれてきた。これはプロテスタント住民の支配的位置の確立であり、そのために選挙権の制限、複数選挙権、党派的な選挙区割りであるゲリマンダリング、北アイルランド政府の内務大臣とアルスタ警察に強大な権限を与えた特別権限法の制定など、有利な諸制度が設けられた。さらに公営住宅の割当、雇用、教育においても日常的な差別が横行していた。[*11]
グローバリゼーションの進展とともに、世界のマイノリティの置かれた状況や状況改善に向けた抗議活動の情報が共有されていく一九六〇年代になると、北アイルランドの政治状況にも変化が見られた。選挙、雇用、住宅、教育などにおける制度化された差別に対する異議申立て運動として、米国でのそれを参照しつつ、公民権運動が展開されていった。一九六七年二月には、ナショナリストのみならずユニオニストの一部も加わり北アイルランド公民権協会が設立され、「一人一票の実現」を掲げ、デモ行進を行った。
当初は平和裡に行われていた抗議デモであったが、次第にプロテスタント過激派からの暴力に晒されるようになり、またカトリック住民もこれに暴力で応戦するようになった。一九六九年八月にデリーのボクサイド地区で起こった暴動は北アイルランド各地に拡がり、北アイルランド政府からの要請に応じて軍の増派が決定された。このことがカトリック住民を刺激し、抵抗戦術の方向性をめぐりＩＲＡおよびＳＦの分裂が引き起こされた。
緊張が高まる中、一九七二年一月、デリーで北アイルランド公民権協会がデモを行った。デモそのものは無許可であったが、平穏に進行していた。この非武装のデモ行進に対して、英国特殊部隊が発砲した。死者一三名、負傷者多数を出すいわゆる「血の日曜日」事件である。北アイルランド各地で抗議集会やデモが行われるだけでなく、ダブリンの英国大使館が焼き討ちされるなど、北アイルランドのみならず共和国も巻き込む大惨事へと発展した。英国政府は、事態収拾を図るために北アイルランド議会と自治政府の権限を停止し、直接統治を開始した。

英国政府は事態収拾に向けて、二つの概念を提案した。それがアイリッシュ・ディメンションとパワー・シェアリングである。これはこの問題が北アイルランドに限定されるものではなく、南の共和国も含むアイルランド全体の問題であること、そして、従来までのプロテスタント住民による政治ではなく、カトリック住民も含んだ権力分散のあり方を模索することという、現在へとつながる問題解決の方向性を示すものであった。[*12]

(2) ベルファスト合意に向けて

英国による北アイルランドの直接統治は短期的には事態の悪化を招いた。双方の過激派による暴力の連鎖はとどまることを知らず、またその活動の範囲も北アイルランドの領域を越え拡がっていった。

状況に変化が生じたのは、一九八五年のブリテン＝アイルランド協定の調印であった。この協定は、英国が提示していたパワー・シェアリングとアイリッシュ・ディメンションという二つの方針をより鮮明にするものであり、英国のみならずアイルランド共和国もこれを後押しすることが示された。これまで北アイルランド問題を国内問題とみなし、アイルランド共和国の干渉を拒んできた英国が、北アイルランドへのアイルランド共和国の関与を制度的に認めたのは一九二一年の北アイルランド成立以降初めてのことであった。英国とアイルランド共和国が協調して北アイルランド問題の解決にかかわることが示された。またこのことにより、残された事態収拾に向けた鍵は北アイルランドに内在することが明確になった。

次のステップが一九九三年のジョン・メジャー、アルバート・レイノルズ英愛首相の共同声明であるダウニング街宣言である。この宣言は先のブリテン＝アイルランド協定を継承するものであるが、二つの点で踏み込んだものとなっている。一つは北アイルランドに自らの将来を決める権利を認めるという民族自決権の承認、もう一点が、ナショナリスト勢力を代表する政党SFがこの協議に加わることが記された点である。パワー・シェアリングに向けて一歩前進した。アイルランド共和国そしてSFが協議に加わったことを受け、一九九四年八月にはIRAが停戦を宣言し、一〇月にはプロテスタント過激派も停戦を宣言した。[*13]

一九九七年五月に英国総選挙で労働党が圧勝し、トニー・ブレア政権が誕生した。北アイルランドでは、ユニオニスト穏健派のアルスタ・ユニオニスト党（UUP）が一〇議席、次いでナショナリスト穏健派の社会民主労働党（SDLP）が三議席、ユニオニスト過激派の民主ユニオニスト党（DUP）が二議席、ナショナリスト過激派のSFが二議席と続いた。九月にはUUPも協議のテーブルにつくことになった。和平協議に反対する勢力による暴力は断続的に続いた。しかし和平に向けての協議は進められていった。

こうして一九九八年四月一〇日、北アイルランド和平合意が成立した。この合意は、ベルファスト合意あるいは結ばれた日がイースター直前の聖金曜日にあたるため聖金曜日合意と呼ばれる。和平合意をめぐる住民投票は五月二二日に実施された。この住民投票は単に過半数を超えることがめざされていたわけではなく、七〇％の賛成が目標とされた。北アイルランドの住民比率はその当時、プロテスタント六割、カトリック四割で、カトリックはほとんど全部が賛成と見られていた。プロテスタントの過半数が賛成すれば全体で七〇％となる。そのためにも若年層から支持を集められるかが鍵となっていた。たとえば投票直前の五月一九日、アイルランド共和国のロックバンドU2がベルファストにてコンサートを開いた。コンサートの最中、U2のボーカル・ボノは壇上にUUPの党首トリンブルとSDLP党首ヒュームを招き入れた。両党首は満面の笑みで登場し、壇上で固く握手を交わした。

住民投票において、共和国では九四%、北アイルランドでも七一%の賛成票が集まった。合意は成立し、六月には北アイルランド議会の選挙が実施され、UUPとSDLPのパワー・シェアリングによる自治が開始された。*14

ベルファスト合意はその後、UUPとSDLPだけでなくDUPならびにSFも加えた体制に拡充された。その後、政党間の対立などが原因で何度か議会が停止することはあったが、その都度歩み寄りが模索され、ベルファスト合意は維持されていくこととなる。

3 ブレグジットと北アイルランド

(1) ブレグジットと英国政治

二〇一三年一月英国首相デービッド・キャメロンは「連合王国とEU」という演説を行った。この演説で彼は、二〇一五年の総選挙で保守党が勝利した場合、EU離脱を問う直接国民投票を行うと約束した。

二〇〇〇年代以降、EU拡大、欧州憲法条約の批准問題、そしてユーロ危機と、度重なる困難に直面した

EUは次第に求心力を失っていた。その結果、欧州各国では反EUを掲げるポピュリズム政党が躍進した。たとえば英国では英国独立党（UKIP）が欧州議会選挙ならびに統一地方選挙で議席を伸ばしていった。おそらく英国内の反EUという世論に反応し、UKIPの支持拡大を阻止し、保守党の基盤を固めたい、そういう意図がキャメロンにはあったのだろう。二〇一五年の総選挙は、事前の世論調査では保守党、労働党の支持は拮抗していたものの、結果としては保守党単独過半数という圧勝に終わり、選挙公約であったEU離脱に向けた国民投票が実施される運びとなった。[*15]

二〇一六年六月に国民投票は実施された。開票の結果、離脱支持は約五二％を占め、僅差の勝利となった。投票結果については、選挙管理委員会のサイトに詳細なものが公開されており、そちらを参照していただきたい。この国民投票についてはさまざまなレベルで分析が行われているが、地域間の差違ははっきりと現れた。たとえばロンドンおよびいくつかの大学街を除いたイングランド、ウェールズでは離脱派が多数を占めた。その一方でスコットランド、北アイルランドは明確に残留という意志を示した。[*16]

その後の混乱をふまえ、この国民投票直後の動きを見てみると、おそらく国民投票で勝利した離脱派はその後のビジョンを用意していなかったのではないだろうか。実際、旗振り役の一人として名を上げたUKIPの党首ファラージは選挙直後に突然党首を辞任し、責任を放棄した。保守党内部でも元ロンドン市長ボリス・ジョンソンに注目が集まるも、キャメロン後任の党首選に出馬することすら適わず、結果として、欧州懐疑派であるが、消極的な残留派として行動していたテリーザ・メイが党首に選出された。

当然のようにEUとの間での離脱交渉は難航した。議会の多数派は依然として残留支持であり、与党保守党内部でも意見は割れ、意見の集約も困難であった。その状況の二〇一七年四月、事態打開を図るべく議会は解散され、総選挙となった。この選挙でブレグジットは争点とされず、富の再配分や保険制度など社会保障が争点とされた。結果としては、どの党も明確な勝者になれなかった。労働党は三〇議席増やし勢力の回復に成功した。保守党は一三議席減らし、単独過半数を確保できなかった。議会はいわゆるハング・パーラメントと呼ばれる状況となり、ブレグジットへの見通しはさらに悪化することとなった。

(2) 北アイルランドの情勢

二〇一七年の総選挙で漁夫の利を得たのは、DUPであった。選挙翌日より保守党とDUPのあいだでの協議が始まり、北アイルランドに二年間で一〇億ポンドの予算を措置する代わりに、DUPが閣外から協力するという合意が結ばれた。北アイルランドの議席総数は一八。DUPは二議席増やして一〇議席、SFは三議席増やした七議席と二党で議席を分け合うかたちとなった。そしてわずか一〇議席の地方小政党が国政全体のキャスティングボートを握ることとなった。

DUPは国政においてキャスティングボートを握る一方で、北アイルランドの政治状況の中では窮地に追い込まれていた。主な理由は二つ。一つはブレグジットに対するスタンス、もう一つはDUP党首アーリン・フォスターがかかわったとされる再生可能エネルギー関連補助金に関するスキャンダルである。

まずはブレグジットについて見ていこう。北アイルランドの主要四政党のうち、DUPだけが離脱派であり、他の政党は残留を主張していた。投票結果を見ても、残留支持が五五・八%、離脱支持が四四・二

％と残留支持が多数を占めていた。ここでのポイントは従来までのユニオニスト／ナショナリストというカテゴライズがブレグジットについてはあまり機能しておらず、むしろ地理的な要因、共和国との国境線に近い地域ほど残留支持の割合が高くなっていることにある。これは人や商品の移動が自由であるというEUの恩恵が、北アイルランド／アイルランド共和国の国境地域の経済に多大な影響を与えていたからだと考えられている。人びとは国境を意識せずに交流し、国境を越え就労していた。つまり日常世界にはもはや国境はなかった。ブレグジットはその日常を破壊するものであり、多くの人びとは宗派や政治信条を超え、EU残留を望んでいた。

もう一つの理由は、再生可能エネルギーに関する補助金疑惑である。これは二〇一二年に導入された化石燃料から再生可能エネルギーへ転換することを目的とした補助金制度に関連する。この制度の補助金の設定に欠陥があり、補助金を得るために必要以上に燃料を使用する事例が多発したとされる。その過剰支出は五億ポンドと推定され、その責任が議会で追及されていた。この制度設計にかかわったフォスターは答弁を拒否し続けた。そのため二〇一七年一月、SFのマーティン・マクギネスが抗議のために副首相を辞任した。パワー・シェアリングの原則のもと、副首相の辞任に伴い、フォスターは首相の立場を追われた。[*17]

二〇一七年SFの政権離脱以降、北アイルランドの自治は停止する。自治が再開するのはブレグジットが成立する直前の二〇二〇年一月一一日のことである。つまり、ブレグジットの議論の最中、DUPは保守党に協力することで影響力を行使しながらも、北アイルランドの自治回復には向き合わなかった。このような姿勢は党勢に影響を与えた。ブレグジット成立をかけた二〇一九年一二月の英国総選挙において、DUPは二議席減らし八議席とした。一方SFはこれまでと変わらず七議席、しかしナショナリスト穏健派SDLPが二議席獲得したことで、ユニオニストとナショナリストの勢力バランスが崩れることになる。二〇二二年五月に実施された北アイルランド議会選挙では、DUPは三議席失い二五議席に、一方SFは現状維持の二七議席を確保し、北アイルランド議会史上初めてナショナリスト政党が第一党に躍り出た。しかし北アイルランド議定書の内容に不服なDUPは組閣を拒否し、またしても自治は停止している状態にある。

（3）ウィンザー・フレームワークと未来

では今一度、ウィンザー・フレームワークがこのタイミングで合意された意味を考えていこう。まず一つ目として、二〇二二年六月にボリス・ジョンソン政権末期にDUPの意向を受けて提出された「北アイルランド議定書法案」を廃案にする必要があった。これはブレグジットの通商協定である北アイルランド議定書の一部を破棄する内容のものであった。これに対して当然EUは即時反発した。[*18] しかし自治が停止されている北アイルランドに再び自治を機能させるためには、DUPを交渉のテーブルにつかせる必要がある。そのためには、彼らが求める北アイルランド議定書の一部修正が求められていた。

ウィンザー・フレームワークによって、北アイルランド側が求めていた北アイルランド議定書の一部修正は適った。さらなる異議申立ても「住民の日々の生活に重大な影響を及ぼす場合」であれば、北アイルランド議会を通じて行えることが確認された。EUと英国とともに北アイルランド社会もブレグジットの当事者としてかかわっていくことが確認された。

また英国もEUも、北アイルランドの和平体制の継続を望んでいることも確認された。ベルファスト合意を維持するために、EUは大幅に譲歩し、英国は「北アイルランド議定書法案」を廃案とした。このように和平をめぐる外堀は埋まった。あとは北アイルランド社会がどのように対話を再開していくのか、それだけである。

おわりに

ウィンザー・フレームワークが提示されてすぐに、DUP以外の主要政党はその受け入れを表明した。二〇二三年三月、アイルランド訪問を控えた米国大統領ジョン・バイデンは北アイルランド議会の正常化に向け、ホワイトハウスに北アイルランドの主要政党のリーダを集め「調整」を図るも、これは不調に終わった。[*19] 二〇二三年四月のベルファスト合意二五周年の式典が一つの区切りと目されていたが、DUPはそれまでに党内の意見をまとめることはできなかった。今後の先行きは不確定のままである。

北アイルランドは第一次世界大戦の終結後に、その当時の国際情勢の中で、英国の一部でありながらも自治権を有する国として成立した。その成立に至る複雑な経緯に由来し、構造的な差別や暴力が支配する地域として長らく存続してきた。幾度となく繰り返された悲劇を乗り越え、この五〇年はアイリッシュ・

ディメンションそしてパワー・シェアリングという基本線は変更されず、北アイルランド住民のみならず、英国、アイルランドそしてアメリカ、EUを巻き込みながら、暴力ではなく対話での事態解決をつねに優先させてきた。今回も、和平合意から二五年積み上げてきた信頼関係を前提に、対話が再開されていくことを願う。

〔注〕

＊1 ウィンザー・フレームワークについては以下を参照（https://www.gov.uk/government/publications/the-windsor-framework）。また日本語についてはJETROの解説が詳しい（https://www.jetro.go.jp/biznews/2023/02/0f6ccf55a461458d.html 前出とも二〇二三年四月一四日閲覧）。

＊2 森ありさ「テナント権闘争と自治運動の時代」（上野格・森ありさ・勝田俊輔編『アイルランド史（世界歴史大系）』山川出版社、二〇一八年）三〇八－三〇九頁。

＊3 男性が署名した「誓約」とは別に女性向けの「宣言」も同時に署名が集められた。ほぼ同数の二三万人強の署名が集まった。署名者についての情報は下記のサイトで検索することが可能となっている（https://www.nidirect.gov.uk/services/search-ulster-covenant 二〇二三年四月一四日閲覧）。

＊4 森ありさ『アイルランド独立運動史――シン・フェイン、IRA、農地紛争』（論創社、一九九九年）三二頁。

＊5 小関隆『アイルランド革命1913－23――第一次世界大戦と二つの国家の誕生』（岩波書店、二〇一八年）二四－二五頁。

＊6 前掲、森「テナント権闘争と自治運動の時代」三一二－三一四頁。

＊7 アイルランドにおける一九一八年の選挙については、南野泰義「1918年英国総選挙とアイルランド問題」（『立命館国際研究』一七－二、二〇〇四年）二〇一－二二九頁。

＊8　Sinn Fein, "*No Home Rule": The Czecho-Slovaks Knew the Line to Take. Why Not Do As They Did?* 1918. Sinn Fein, "*What of Ireland?*" 1918.

＊9　森ありさ「独立から現代」（前掲『アイルランド史』）三二八―三三二頁。

＊10　Donnach Ó Beacháin, *From Partition to Brexit*, Manchester: Manchester University Press, 2019, pp.11-12.

＊11　尹慧瑛「排除と包摂のはざまで」（法政大学比較経済研究所・後藤浩子編『アイルランドの経験――植民・ナショナリズム・国際統合』法政大学出版局、二〇〇九年）二四七―二四八頁。

＊12　堀越智「北アイルランド」（前掲『アイルランド史』）三八三―三八九頁。

＊13　前掲、尹「排除と包摂のはざまで」二五五頁。

＊14　前掲、堀越「北アイルランド」四〇〇頁。またＡＰ通信による当時の映像がYouTubeに公開されている（https://youtu.be/zS93Hi8bLko 二〇二三年四月一四日閲覧）。

＊15　崎山直樹「英国のＥＵ離脱と北アイルランド」（『歴史評論』八四九、二〇二一年）七四―八四頁。

＊16　国民投票のデータについては次のサイトを参照のこと（https://www.electoralcommission.org.uk/who-we-are-and-what-we-do/elections-and-referendums/past-elections-and-referendums/eu-referendum/results-and-turnout-eu-referendum 二〇二三年四月一四日閲覧）。

＊17　マクギネスの辞任については以下が詳しい（https://www.bbc.com/news/uk-northern-ireland-38561507）。問題とされた再生可能エネルギー補助金疑惑については次のニュース記事を参照のこと（https://www.bbc.com/news/uk-northern-ireland-51840287 前出とも二〇二三年四月一四日閲覧）。

＊18　「北アイルランド議定書法案」提出についての反応については以下のニュース記事を参照のこと（https://www.bbc.com/news/uk-politics-61790248 二〇二三年四月一四日閲覧）。

＊19　ホワイトハウスの工作については以下が詳しい（https://www.bbc.com/news/uk-northern-ireland-64986566 二〇二三年四月一四日閲覧）。

第Ⅱ部
地域社会内部で発動される民衆暴力

一　周防大島における明治維新の記憶
――「四境の役」の語られ方

宮間純一

はじめに

本稿では、近代日本の地域に見られる明治維新の記憶[*1]を検討する。明治維新は、日本史上でもっとも大きな社会変容をもたらした画期だと日本社会で記憶されてきた。地域の記憶としても重要視されている。分析の対象とする地域は、山口県東南部に位置する周防大島《すおうおおしま》（大島、屋代島《やしろじま》。以下「大島」という）である。大島は、瀬戸内海第三の面積（約一三〇平方キロメートル）を有する島で、近世は長州藩の領地であった。現在は、周辺の島々と合わせて大島郡周防大島町をなしている。

大島では、「四境《しきょう》の役」が島のアイデンティティの核となる歴史として記憶されてきた。「四境の役」は、一八六六年（慶応二）六月に幕府と長州藩とのあいだで起きた内戦である。「長州征討」「長州征伐」とも呼ばれるが、長州藩側では「征討」「征伐」の表現を嫌って「四境の役」や「四境戦争」と呼称することが多い[*2]。「四境」は、四つの藩境から戦闘が始まったことに由来するが、四つの戦場の一つが大島であった。大島では、幕末期から戦死者の慰霊が始まり、明治期以降「功労者」の顕彰が進められてゆく。近年では二〇一六年(平成二八)に「四境の役一五〇周年記念事業」が催された。

このような明治維新の記憶をめぐる研究は、二〇〇〇年前後から日本近代史研究の分野で活発になってきた。特に論点とされてきたのは、政府が創り出す明治維新像に地域のそれが包摂されるか否かである。[*3]

明治維新によって誕生した政府は、「王政復古」の過程で落命した「維新殉難者」を慰霊・顕彰し、自己の誕生物語を正当化しようとした。反対に、「敗者」にとって明治維新の記憶は「傷」となった。一八八九年(明治二二)の大日本帝国憲法発布に伴う大赦令によって、戊辰戦争で「朝敵」とされた地域でも明治維新を公然と語ることが可能となった。これにより、各地で旧藩の顕彰が始まった。[*4]その中で、〈わが藩〉による日本の「近代化」に対する貢献や「勤王」の功績を主張し、政府による公定の歴史に接近しようとする地域が現れる。他方で、国家とは距離をとり、固有の歴史を保持し続けようとする地域もあった。[*5]従来の研究では、国家と地域の綱引きの中で、「史実」が読み替えられたり、装飾されたりすることに注目が集まっている。

地域で共有された明治維新の記憶は、廃藩以降も地域社会に残る旧藩時代の社会的結合を維持するための柱となる。[*6]ただし、共同体の内部でも記憶は一枚岩ではなく、公共の集合的記憶が成立する過程では対立・葛藤が生じたことも指摘されている。[*7]しかしながら、共同体内部の「小さな共同体」が持つ記憶のあり方について掘り下げた成果は少なく、旧藩あるいは旧大名家という単位を担い手とする事例の研究が大部分をしめている。

本稿では、右のような先行研究の成果と課題を押さえたうえで、近代の大島で形成された明治維新の記憶を検討する。大島における「四境の役」の記憶は、旧長州藩や山口県という範囲で語られる明治維新と接点を持つ部分もあれば、趣を異にする部分もある。「四境の役」を素材に、大島の事例に則して明治維新の記憶のありさまを、暴力にかかわる言説に留意しながら追跡していきたい。大島口の戦いでは、島民は暴力の「被害者」になったと同時に、暴力を行使する側にもなった。「四境の役」の物語では、島民が幕府軍にふるわれ、島民が幕府兵にふるった暴力が戦争の象徴的な場面として語られる。

1 「四境の役」をめぐる三つの語り

「四境の役」は、一八六六年（慶応二）六月に大島口・芸州口・石州口・小倉口で開戦した。火蓋を切ったのが大島口の戦いである。六月七日、幕府軍の一翼を担う伊予松山藩が大島沿岸地域への砲撃を開始した。松山藩は、連日海上から攻撃を加える。一一日には、幕府軍が大島の中央北部にあたる久賀《くか》と同南部の安下庄《あげのしょう》に上陸した。長州藩側は、大島郡代官斉藤市郎兵衛らが抗戦したがまもなく退去し、大島は幕府軍の占領下に置かれた。これに対して長州藩は、一二日夜九ツ時頃から高杉晋作率いる丙寅丸《へいいんまる》が松山藩の船を奇襲した。高杉はその後離脱するが、一五日に第二奇兵隊（南奇兵隊）などが大島に上陸して本格的に反撃を開始する。戦闘の結果、長州藩が勝利を収め、二〇日には全島から幕府軍が退却し、大島の奪還に成功した。*8 以上が、大島口の戦いの概略である。

まず、最近の大島における「四境の役」の語られ方を確認しておこう。山口県では、「明治維新胎動の地」だという自負から二〇一八年の「明治一五〇年」関連事業に力を入れ、「明治一五〇年プロジェクト「やまぐち未来維新」」を推進した。[*9] 一方で、周防大島町では、二〇一六年に「四境の役一五〇周年記念事業」が催された。大島では、「明治一五〇年」よりも「四境の役一五〇周年」に重きが置かれたのである。記念事業の目的には、「明治維新への変革の時代に、四境の役における大島口の戦いが果たした歴史的事実を回顧することにより、改めて周防大島町の歴史的歩みを振り返り、これを契機に、先人の知恵と努力を周防大島町の町内外に発信し、歴史的資源の整備を図るとともに、あわせて、町民と町内経済の活力と活性化を呼び戻すことを目的とする」[*10] と掲げられた。地域社会の衰退が著しい今日の社会状況を背景とした、「歴史的資源」による地域振興への期待が読み取れる。[*11]

この記念事業に際していくつかのパンフレットや動画が編集されている。それらの語り口には、三つの共通点がある。

第一に、「四境の役」、中でも大島口の戦いを近代日本の端緒と位置づける点である。周防大島町の「四境の役一五〇周年記念事業実行委員会」が編集したパンフレットには、「四境の役は、武士政権を終わらせ近代日本をスタートさせるきっかけになった戦いです」と明記されている。[*12] また、周防大島町文化振興会が作成した「四境の役」関連史跡のガイドには「近代国家の曙光《しょこう》を開いた明治維新の大業は、この周防大島から始まった。旧来の因習を破り、大業を成就させた多くの先人の遺風を偲び、これを永く後世に残すことは、我々の使命である」とある。[*13] 明治維新の始まりは「四境の役」であり、日本の近代を切り拓いたのは、大島の戦いでの勝利であるとの認識が読み取れる。出版物上でのこうした語りは、一九二〇年（大正九）に刊行された『大島郡大観』に、「明治維新回天の大業、討幕の先駆をなしたる防長四境戦の一ツ」と見えるのが管見のかぎり最初である。[*14]幕府を倒し、新しい政権の中枢を薩摩藩とともに長州藩が握ることができたのは、大島口の戦いでの島民の犠牲と奮闘があったからこそだ、という歴史の解釈である。

第二に、戦闘で松山藩に島民が蹂躙されたこと、それに対して島民が果敢に戦ったというストーリーである。松山藩兵は大島に上陸すると安下庄などで略奪をはたらき、撤退する際には久賀を放火していった。この叙述は、おおよそどの文献・解説にも見られる。[*15]たとえば、二〇一八年に久賀歴史民俗資料館で開催された企画展では、「幕末の久賀の状況から四境の役、そこからの復興」がテーマとされ、幕府軍の「放火・略奪」が紹介される。それとともに、「島民たちも大声を上げて幕府側を威嚇し、武器を持って戦いました。特に島民による声の支援は緊張した戦場で相手への心理的な圧迫となりました。一五日の夜には、碇峠から石観音にかけての峯々に島民たちが大かがり火を焚いて幕府側を不安に陥れました」と戦時下の島民の動向が説明されている。[*16]

自治体誌（史）の叙述には、より生々しい〈戦う島民〉が登場する。一九五九年（昭和三四）に発行された『周防大島町誌』には次のようにある。[*17]

此の日又志佐でも松山の間者が忍び込んだので土民は「それ、ばく（幕軍のこと）が来た」と連呼しながら手に手に竹槍をもつて追いまわし、湯所の溜池に追いつめた。進退きわまつた賊は遂に池に飛び込んだ。内藤の給庄屋清水庄左衛門は熊手で賊を引き揚げ一刀の下に斬り殺した。椋野《むくの》でも一人の怪しい旅人を見付けて「何者ぞっ」と誰何すると横柄に「天下役人」と答えたので土民激昂、竹槍でこれを殺害した。こうして緒戦で三ケ所からの快報が村から村へ伝えられたので、郡民の敵がい心はいよいよ強まって行った。

松山藩兵に対する怨嗟が島民に共有されていることを前提として、非戦闘民が松山藩兵を殺害する様子が賞賛まじりに紹介される。島民を暴力で虐げたことに対する正当な戦いとして、幕府軍への島民の暴力は全面的に肯定される。このような、サムライに屈しない島民の姿は複数の文献から見てとれる。大島出身の民俗学者宮本常一《つねいち》は、『東和町誌』の中で次のように述べる。[*18]

百姓も〔戦争を経験して〕また強くなっていった。大島口の戦争のあと、人夫に狩り出された私の祖父が二、三人の仲間と田圃道をあるいていた。すると武士が二、三人向こうからやってきた。道がせまいので、一人の武士の刀の鞘に祖父の身体があたった。すると武士は無礼であるとてなじりはじめた。祖父があやまっても承知しない。それではお相手しようと刀をぬいて正眼にかまえた。果たしあいになろうとしたのである。そこへ上役の武士がきて、中へはいって事をおさめた。この話は祖父と同行していた老人から聞いた。そういう気骨のある百姓が育ってきていた。祖父は温順で強い自己主張をするような人ではなかったのだが明治人の持つ自信のある頑固さは持っていた。それは祖父だけのことではなかった。それが明治の世を支え、村を支えていったのではないかと思う（〔　〕内は引用者の注記。以下同様）。

本来は温厚な島民（宮本の祖父）が、「四境の役」の経験を通じて勇敢にもサムライに立ち向かう「気骨」を身につけた。こうした「気骨」を有する「明治人」が「明治の世」と村を支えた、という明快な物語が綴られている。

第三に、高杉晋作と第二奇兵隊への感謝と賛辞である。大島郡代官率いる藩兵は、不甲斐なく幕府軍に押されて島を退去してしまった。この危機的状況を打開できたのは、高杉晋作の海上からの幕府船奇襲や第二奇兵隊・護国団などによる反撃のおかげだ、という語りである。第二奇兵隊には、世良修蔵《せらしゅうぞう》や楢崎《ならざき》剛十郎《ごうじゅうろう》ら大島出身者が多くいた。また護国団は、大島郡久賀村覚法寺の大洲鉄然《おおずてつねん》が組織した僧侶による部隊である。[*19] 大洲が、大島の窮状を山口政事堂へ知らせようと早かごで先を急ぐ様子が、周防大島町が製作した動画などで表現されている。[*20]

郷土史家の著作物にもこうした意識がうかがえる。一例をあげれば、大島の中南部に位置する旧橘町地区の民間団体「橘郷土会」が二〇一六年に発行した会誌には、次の会長あいさつが掲載されている。

〔「四境の役」の戦跡を歩いて〕百五十年前、命をかけて山へ山へと逃れて行った女、子供、年寄り、鎌を手に家族を守ろうとした男衆の姿を想像しました。ざわめきや悲鳴や怒声、大音響の音楽をバック

図1−1　八田山維新墓地（筆者撮影）

図1−2　八田山維新墓地
（筆者撮影）

に映画でも見ているような気持ちになりました。歩きながら思いました。食べるものはあったか、飲む水はあったか、日本人同士が殺し合い、傷つき合い、帰る家もなくなって、でも梅雨明けの暑い時期でまだ良かったなあ、山頂は雲に隠れて助かったなあ、手薄になった奇兵隊なのによく来てくれたなあ、高杉晋作は、すごい男だなあと思いました。[*21]

戦時下の苦難に思いをはせながら、高杉晋作への敬慕が語られている。高杉は幕末長州藩の「英雄」として描かれてきた人物である。だが、大島口の戦いで個人として特別な功績をあげたわけではない。大島に上陸してもいない高杉をことさらに賛美する語り方には、山口県／旧長州藩による歴史像との接点がう

表1　大庄屋が届け出た死亡者

名前	所属	村	備考
周乗（秀乗，大谷八郎）	護国団	戸田村真宗照林寺	此度戦争ニ付討死仕候事
松岡茂太郎	三番小隊教導	小松村	
冨山勇記	五番小隊	久賀浦矢野長右衛門倅	
岡本新太郎	村上亀之助様農兵	屋代村	
山本与吉	六番小隊	久賀村	深手を負保養懸リニ而死去仕候事
熊蔵		椋野村	人夫とシテ罷出小銃ニ而被打即死仕候事
鹿之助		久賀村	
直吉		久賀村	
磯右衛門		安下庄証人百姓	人夫才軒とシテ罷出小銃ニ而被打保養懸リニ而死去仕候事
せん		油宇村伊勢次郎妻	賊兵大砲打懸候節則玉当リ即死仕候事

かがえる。しかし、「軍監や代官の卑怯なために一時は全島を幕軍に委ねた」という、一度はやすやすと島を明け渡した長州藩への批判的な表現も見られる。[*22]「島を見捨てようとした代官」と比べて、高杉や大島とのつながりが深い第二奇兵隊や護国団が、島を救った救世主として好意的に描かれるのである。

以下、大島におけるこうした「四境の役」の記憶を特徴づける三つの語りの淵源を求めて、幕末期以降の島内での記憶の形成を追っていきたい。

2　八田山に招かれた人びと

大島には、「四境の役」にまつわる顕彰碑・慰霊碑などのモニュメントが点在している。その中でも特別な位置をしめるのが、久賀にある八田山《はったやま》公園内の「八田山維新墓地」である。大島護国神社本殿の南側にあるこの墓地には、大島口の戦いで戦死した一八名に、

表2　八田山招魂場に祀られた人びと（1873年時点）

番号	名前	所属	行年	備考
1	竹中甚之助藤原直行	浩武隊	19	慶応弐寅六月十六日大嶋郡惣代三ツ石峠ニおゐて戦死
2	波多野五郎藤原忠正	毛利隠岐守家来司令士	不明	
3	国行雛治郎藤原寛敏	奇兵隊司令士	23	
4	泉徳太郎源純成	毛利隠岐家来	不明	同年同月十七日同郡東久賀ニ戦死
5	仲木直太朗多々良正明	浩武隊	39	
6	大谷八郎藤原秀乗	大嶋郡護国団	25	同年同月十一日同郡東久賀ニ戦死
7	松岡茂太郎盛久	大嶋郡三番小隊嚮導	20	
8	冨山勇記義直	同郡五番小隊	21	
9	久行丈之助定信	宍戸備前小隊	不明	
10	山本與吉良吉	大嶋郡六番小隊	23	同年同月十七日同郡東久賀ニ而重傷死ス
11	山脇種蔵重秋	同郡九番小隊	19	同年同月十六日同郡於笛吹峠ニ身筒発死ス
12	岡本真太郎忠良	村上亀之助小隊	不明	同年同月十五日同郡於国木峠ニ戦死
13	野村吉蔵吉衛	奇兵隊	23	同年同月十日同郡於三ツ石峠ニ蒙重傷死ス
14	楢崎隆蔵源義綱	奇兵隊書記	29	同年四月五日岩城陣中暴動之時以正拒賊而死ス
15	伊藤惣兵衛藤原祐敏	大嶋郡久賀農	52	習正義ヲ心労而慶応元丑五月十九日死ス
16	木田浅吉信高	遊撃隊第一銃隊	24	慶応弐寅八月七日於芸州大野村ニ戦死
17	末武省作西隈	第一奇兵隊六番小隊	19	慶応四辰五月十三日越後国古志郡於朝日山ニ戦死
18	宮本和七源義蔵	振武隊六番小隊半隊嚮導	35	同年七月廿九日同国同群於下乗村ニ手負、同八月十六日柏崎ニ而死ス
19	竹田軍平藤原信雪	東京近衛四番大隊	26	明治五壬申正月十八日病死
20	藤本鹿之助当義	久賀村役夫	42	慶応弐寅六月十七日大嶋郡於久賀ニ死ス
21	岩本直吉為信	25		
22	（松永）熊蔵	椋野村役夫	46	同年四月十五日同郡於国樹峠ニ死ス
23	（金谷）磯右衛門	安下庄役夫	不明	同年四月十七日於同所ニ死ス
24	（大波野）市蔵	上関才版大波野村役夫	46	同年同月十六日於笛吹峠ニ死ス

戊辰戦争で「官軍」に従軍して亡くなった島民二名と大島出身の楢崎剛十郎・伊藤惣兵衛《そうべえ》を加えた合計二三名の墓碑がある（図1－1、2参照）。

一八六六年（慶応二）六月に、大島宰判《さいばん》の大庄屋から届け出があった大島口の戦いでの死傷者は合計で二八名である。長州藩領では、宰判と呼ばれる一八の行政区分が設けられ、各宰判に代官と大庄屋が置かれた。二八名の死傷者の中には、大島の対岸の遠崎《とおざき》村（現・柳井《やない》市）から連れてこられた軍夫も含まれている。[*23] このうち、死亡者のみを抜き出したのが表1である。苗字がある人物は藩の正規軍に所属していた兵士で、それ以外は現地で徴発された百姓と、戦闘には直接関与していない女性である。

八田山維新墓地に祀られている人物は表1と完全には一致しない。一八七三年（明治六）に「諸県々ノ内御維新之際ニ当リ、死ヲ遂候者之霊魂ヲ慰ムル為ニ東京招魂社ニ倣《なら》ヒ、招魂場取設有之向、地名並場所之広狭、且結構之仕方等概略取調至急可申出」と大蔵省から山口県へ通達があった。東京招魂社（のちの靖国神社）にならって招魂場を設置する所は、地名などの必要事項を届け出るように、との指示である。これに応じて、東久賀村の戸長伊藤補助は、同年一一月に県へ届書を提出した。この文書によれば、八田山招魂場は、「四境の役」より前の一八六五年一一月一五日に久賀村八田山に造築されたという。一八七三年時点で社殿と墓地を合わせて二反五畝歩の敷地を有した。墓地にあった墓碑は表2の二四基である。[*24] 届書の頭欄には、朱筆で県による書き込みがあり、八田山招魂場に祀るべき人物を選別していた様子が読み取れる。たとえば、楢崎隆蔵（剛十郎、表2の14番）は「惣田山ヲ本トス」とあり、惣田山招魂場（のちの麻剛《おごう》護国神社）への移動が示唆されている。楢崎は、第二奇兵隊の参謀・書記を務めた人物で、一八六六年四月に同隊幹部の立石孫一郎《たていしまごいちろう》らと争って刺殺された。そのため、「四境の役」には参加していない。同じく、木田浅吉（16番）にも「宇部ヲ本トス」と宇部《うべ》の招魂場（のち宇部護国神社）に遷す意図をうかがわせる記載がある。木田は、芸州口の戦いで死亡しており、大島口の戦死者ではない。

ほかに、伊藤惣兵衛（15番）には「除キ」との注記がある。伊藤は大島で代々庄屋を務めた家の出身で、幕末期に攘夷運動に傾倒した人物である。大洲鉄然ら大島出身の「志士」たちの支援者として活動し、大島郡などの「壮士」による真武隊の結成にも一役買っている。真武隊は、一度は休止状態になるが、一八六五年に再興されて第二奇兵隊となった。このように、伊藤は第二奇兵隊とかかわりがある。とはいえ、一八六五年に病死しているからやはり「四境の役」には直接関係がない。もう一人、竹田軍平（19番）にも「除キ」とある。竹田の素性は判然としないが、大島から東京へ出て近衛兵になり、一八七二年に若くして病死したとされている。やはり、「四境の役」とは関係がないように見える。

長州藩では、幕末期から藩領の各地に招魂場が設置されていたことが知られている。明治新政府発足後、東京招魂社を頂点とした体制に全国の招魂場が取り込まれようとする中で、山口県でも祀るべき魂が官によって整理されようとしていた。大島の立場からすれば、八田山招魂場に祀らなければならないのは、長州藩や「国家」に貢献する過程で死去した大島の関係者全般であった。だが、山口県は大島口の戦いで戦死した人物と戊辰戦争で亡くなった島の関係者に対象者を限定しようとしていたことがここまでの分析からわかる。だが、結果的に除かれたのは竹田だけで、それ以外の二三名はそのまま招魂場に祀られることになった。二三名は、維新に貢献した人物として官に公認されたことになる。国家のため、大島のために尽くした人物として、地域が共有すべきなのはこの二三名だと確定したのである。一八七五年には大祭日が八月一五日と決められ[25]、二年後の一八七七年には「八田山招魂社」となり[26]、二三名を慰霊する空間が八田山に成立した。他方、表1にある油宇《ゆう》村伊勢次郎妻せんは、戦争に巻き込まれて死亡したが、大島側からも、県側からも祀られる対象としてあげられることはなく、「四境の役」の集合的記憶から忘却された。

除かれた魂があった一方で、追加されようとする魂もあった。一八八五年七月二一日に、久賀村の戸長中原維平は、秋元三郎・矢野小介・高田兼松の石碑を八田山招魂社に建立したいとの願書を山口県令原保太郎へ提出している。中原は、大洲鉄然や伊藤惣兵衛の「同志」とされる人物である。秋元ら三名は、一八六六年四月に起きた倉敷浅尾騒動の結果、藩によって処刑された。倉敷浅尾騒動は、立石孫一郎が第二奇兵隊の隊士の一部を率いて脱走し、幕府倉敷代官所と親幕派と目された浅尾藩の陣屋を襲撃した事件である。秋元三郎ら大島出身の少年隊士たちは立石と行動をともにした。

中原は、秋元ら三名は当時一四歳から一七歳の少年であり、規律を犯したとはいえ、「其精神ニ至テハ全ク勤王愛国ノ赤心ニ外ナラサル」人物たちだったと主張する。「国家ノ為ニ身ヲ死シナカラ今日迄モ汚名ヲ雪《そそ》ク能ハス」という状態では哀れなので、石碑を八田山に建てて名誉を回復したい、というのが嘆願の趣旨であった。「本年ハ右戦争〔「四境の役」〕ヨリ二十年祭ニモ相当候間偏ニ特別之御寛典」と、「四境の役」と結び付けて寛典を求める言説がここに現れる[27]。七日後の二八日には、八田山招魂社で「四境の役」二〇周年の臨時祭が控えていた[28]。この願書は、「戸長一名ノ出願ニテハ不完全」と指摘された。これを受けて、一〇月一五日付で久賀村の「平民有志者惣代」五名が連名で願書を再提出している。山口県はこれを認めて内務省へ上申したが、認可が下りたのかは不明である。少なくとも現在の八田山維新墓地に石碑は見当たらない。八田山への石碑の設置は認められず、次に紹介する顕彰碑が代替物として建てられたのかもしれない。

3 「四境の役」のモニュメント

島内でも最大の激戦地とされる久賀は、八田山維新墓地のほかにも「四境の役」に関するモニュメントが複数存在する。そうした記念碑・顕彰碑に見られる語りは、ここまで見てきた大島の記憶と親和する。いくつか具体的に紹介したい。

一九六八年（昭和四三）の「明治百年」時に久賀に記念公園が設けられた（図2）。公園内には、「四境の役」の記念碑である「精忠不朽之碑」のほか（一八九一年〔明治二四〕建設）、倉敷浅尾騒動によって処刑された秋元三郎らの顕彰碑（一八九三年建設）、伊藤惣兵衛の顕彰碑「贈従五位伊藤君碑」（一九一六年〔大正五〕建設）が建っている（図3）。これらの顕彰碑が建設された詳しい経緯を示す史料は発見できていないが、いずれの碑も大島出身者の明治維新や国家への功績を称揚する点では共通している。

元長州藩主毛利元徳《もとのり》の書になる「精忠不朽之碑」とその傍らに別個に設置された碑文を刻んだ石碑は、大島口の戦いで戦死した竹中甚之助ら一九名を顕彰する意図で設けられたものである。碑文には、兵士だけではなく、軍夫五名の名前も記されている。気になるのは、表1・2のいずれにもない河村文蒋なる人物の名前が見られることである。理由はわからないが、八田山招魂社との記憶のずれが読み取れる。碑文の撰文を担当したのは、「四境の役」当時第二奇兵隊の軍監であった白井素行（小助）である。少なくとも白井は、河村も大島口の戦いの戦死者として認識していたのであろう。

碑文では、「四境之戦勝而吾公勤王之志始伸王室中興之業終成」（四境の戦いに勝ち、わが公の勤王の志が初めて伸び、王室中興の業が終に成る）と述べられたうえで、久賀の地に戦死者の名を刻むために「有志諸子」が建碑したと語られている。ここでは、長州藩の「勤王」が伸張することになった画期として、さらには「王政復古」に向けての転換点として「四境の役」、大島口の戦いが位置づけられている。

また、現在の公園内には存在しないが、一八九二年三月、同じ久賀に「大島戦蹟碑」が、奇兵隊の参謀などを務めた林友幸の撰文により建てられた。

図2　明治百年記念公園（筆者撮影）

図3　明治百年記念公園の顕彰碑（筆者撮影）

「大島戦蹟碑」の碑文では、幕府・松山藩の兵が久賀・安下庄で略奪をはたらいたため「士民激怒」し、幕府軍に対峙して「我兵奮戦、島民亦起劇闘」と島民の奮闘も述べられている。一九二六年には、大島郡致誠会総会に臨席するため大島を訪れた毛利元昭《もとあきら》（元徳の長男）が、島内を巡回し、二つの石碑の前に立って「感慨真に無量なるものありしとは、さもあるべき所と首肯」したという。旧藩主家の名のもとに石碑に示された記憶が権威づけられてゆく。[*29]

「精忠不朽之碑」の隣に立つ第二奇兵隊の隊士秋元三郎らの顕彰碑は、「四境の役」を対象としたものではないが、秋元たちの石碑を八田山に建てようとしたのと同じ志向を持って建立された。碑の撰文は、大洲鉄然が担った。碑文では、少年らの不幸を嘆きつつも、「勇敢奮戦、報効于国家」と称え、「郷友」たちと謀って「精忠不朽之碑」の側にこれを建てたのだと建碑の趣旨を説明している。

伊藤惣兵衛の顕彰碑は、少し遅れて一九一六年の贈位を記念して建てられた。国家による顕彰と連動している。伊藤は、八田山招魂場に祀られたのち、一八八八年、靖国神社に合祀された。一八八三年に山口県から国に提出された「贈位内申書」では、「有志ノ士ニ結ヒ、勤王ヲ唱ヘ人心ヲ鼓挙シ、私財ヲ捐テ、郡内ノ壮丁ヲ奨励シ、剣槍砲術ヲ学ハシメ、以テ有事ノ日国家ノ用ニ供セン」[*30]と伊藤の真武隊結成の功績が評価されている。この時は贈位が認められなかったが、大正大礼時の申請が採用されて伊藤に従五位が贈られた。

これらの碑が、建設当初からこの場にあったのか、あるいは「明治百年記念公園」建設時にこの地に集められたのか、現状でははっきりわからない。だが、少なくとも八田山招魂社が大島における明治維新の記憶の場として成立したのち、一八九〇年代の初め頃には島内で「四境の役」の記憶化が第二奇兵隊関係者の顕彰とともに進められたことがわかる。

時を前後して、伊藤以外の大島出身者を顕彰する碑も島内に建てられている。もっとも早いものでは、一八八二年に椋野久保田山に建設された世良修蔵の招魂碑がある。世良は、第二奇兵隊の軍監として大島奪還戦を指揮した。第二奇兵隊の関係者では、楢崎剛十郎の顕彰碑が、現在の周防大島町役場の前に建っている。また、覚法寺には「贈正五位大洲鉄然師碑」が建つ。この碑は、やはり一九一六年の贈位を記念して一九一九年に建設された。

伊藤や大洲の場合がそうであるように、個人の顕彰は国や県の「功労者」の表彰の影響を受けながら進められた。一八九三年に山口県は「維新功労者」の調査を各郡の郡長に指示し、大島郡長は九月一日付で「王政維新ノ際専ラ力ヲ王事ニ致シタル者」九名を推薦している。具体的には、楢崎剛十郎、大洲鉄然、伊藤物兵衛、中原維平（「大洲鉄然、伊藤惣兵衛ト共ニ大ニ勤王ノ大義ヲ唱ヘ人心ヲ鼓舞」）、三国貫嶺《みくにかんれい》（護国団、「忠君報国ノ事ニ従事」「大島戦争ノ砌粉骨相働」）、田村探道（第二奇兵隊）、秋元三郎、高田兼助、矢野小助のほか、戊辰戦争の際に東北で暗殺された世良修蔵に殉死した松野儀助の九名である。[*31] また、一八九九年には贈位を内務省へ上申するにあたって、対象となる人物を山口県が再び調査している。名前があがったのは、伊藤と大洲であった。[*32] 伊藤と大洲が、大島の「維新功労者」の中でも特権的な地位を築いていたことがわかる。

おわりに

本稿で明らかにしたことを改めてまとめると次のとおりとなる。

今日の大島における「四境の役」の語りには、①近代化の端緒としての大島口の戦い、②幕府軍の暴力と〈戦う島民〉、③高杉や第二奇兵隊・護国団などへの感謝と賛辞が共通して読み取れた。これらの語りは、八田山招魂場の成立を基盤として一八九〇年頃から「四境の役」の記念と関係者の慰霊・顕彰が進展する中で叢生した。「維新の功労者」の慰霊・顕彰が進む中で、大島の記憶は旧藩や山口県さらには、その先にある国家の記憶と絡み合いながら形づくられてゆく。本稿では、概略ではあるが、残っている史料からその経緯をトレースできたのではないかと思う。

大島における明治維新の記憶で特徴的なのは、暴力の語られ方である。大島では、予期せぬ戦争によって暴力で虐げられたという被害者としての面が強調されながらも、旧幕府軍と対峙した時の自らの暴力は正当なものとして主張される。さらには、暴力を経験し、暴力で権力に立ち向かった島民が、近代を切り拓き「明治の世」を支えた、という成功物語へと結びつけられていく。

本稿では、紙幅の都合上扱えなかったが、大島にはこうした「四境の役」の語りと併存して浮遊している「貧しい島」の言説が存在する。農作物の生産力がない土地柄である大島は、一八八五年の第一回官約移民以降、一〇〇万人以上が出稼ぎのため海を渡ったという近代史の文脈である。[*33] 意志の強い島民が海を渡って賢明に働き、大島の生活を経済面で支えたというストーリーは、「四境の役」の経験を経て「強くなっていった」島民が「明治の世」を支えたという語りと連結する。この記憶を検討するためには、地域社会にいっそう踏み込む必要があるため機会を改めて論じたい。

【付記】 周防大島での史料調査に際しては、宮本常一記念館の高木泰伸さんに大変御世話になりました。記して感謝申し上げます。

〔注〕

＊1　先行研究の多くは、「記憶」を「歴史意識」と曖昧なまま用いており、研究者によって用法にも揺れがある。本稿では、「記憶」や「集合的記憶」という場合、ピエール・ノラの編著『記憶の場』（日本語翻訳版）の冒頭に配された「「記憶の場」から「記憶の領域」へ」（英語版序文）で述べられている「過去の想起としての記憶ではなく、現在のなかにある過去の総体的構造としての記憶に関心をよせる歴史学」、もしくはこれと類似の方向性を持つ一連の議論を念頭に置いている。ピエール・ノラ編『記憶の場──フランス国民意識の文化＝社会』一（谷川稔監訳、岩波書店、二〇〇二年）。

＊2　歴史学上の学術用語としては、「幕長戦争」と表記することが多いが、本稿では周防大島での公称に合わせて「四境の役」と括弧付きで表記する。

＊3　研究史の詳細は、宮間純一「地域における明治維新の記憶と記録」（『日本史研究』六七九、二〇一九年）にまとめたことがある。本稿では、紙幅の都合で細かな整理はできないのでご参照いただきたい。また、同誌収録の吉岡拓「戊辰内乱の記憶／記録と身分意識──京都府北桑田郡山国村を主な事例に」もあわせて参照。

＊4　高木博志「「郷土愛」と「愛国心」をつなぐもの」（『歴史評論』六五九、二〇〇五年）、同「紀念祭の時代──旧

藩と古都の顕彰」（佐々木克編『明治維新期の政治文化』思文閣出版、二〇〇五年）。

＊5　地域ごとの事例研究は多数ある。たとえば、日比野利信「維新の記憶――福岡藩を中心として」（明治維新史学会編『明治維新と歴史認識』吉川弘文館、二〇〇五年）、髙田祐介「国家と地域の歴史意識形成過程――維新殉難者顕彰をめぐって」（『歴史学研究』八六五、二〇一〇年）、前田結城「〈旧藩勤王派中心史観〉の成立と展開――姫路を事例に」（『神戸大学史学年報』二六、二〇一一年）、長南伸治「戊辰戦争朝敵藩旧領における旧藩評価――明治中後期の山形県庄内地方を例に」（『米沢史学』三二、二〇一六年）、上符達紀「郷党意識の形成と歴史顕彰――近代山口県における「防長意識」の形成」（『山口地方史研究』一二一、二〇一九年）など。旧藩領以外の都市を対象とした研究では、阿部安成「開国五十年と横浜の歴史編纂」（『一橋論叢』一一七―二、一九九七年）、同「横浜開国五十年祭の政治文化」（『歴史学研究』六九九、一九九七年）、小林丈広「都市祭典と政治――都市間競争時代の歴史意識」（『日本史研究』五二三、二〇〇六年）などがある。

＊6　宮間純一「旧藩社会と旧藩意識」（『歴史評論』八六四、二〇二二年）参照。

＊7　真辺将之「明治期「旧藩士」の意識と社会的結合――旧下総佐倉藩士を中心に」（『史学雑誌』一一四―一、二〇〇五年、同『西村茂樹研究』思文閣出版、二〇一〇年所収）、友田昌宏「明治期における旧藩君臣関係の諸相――米沢藩を事例として」（『歴史』一二六、二〇一六年）など参照。

＊8　大島口の戦いの経過については、田口由香「幕長戦争の政治的影響――大島口を視点として」（『大島商船高等専門学校紀要』三八、二〇〇五年）、三宅紹宣『幕長戦争』（吉川弘文館、二〇一三年）などを参照した。なお、文献によって日付に若干の揺れがあるが、右の田口論文の記述を主に採用した。

＊9　山口県ホームページ（https://www.pref.yamaguchi.lg.jp/soshiki/19/11550.html　二〇二三年二月二八日閲覧）。

＊10　「四境の役一五〇周年記念事業実行委員会規約」第二条。

＊11　明治改元から一五〇年にあたる二〇一八年には、政府主導の記念事業が行われたが、地域持続のため観光資源として明治維新が消費される傾向が顕著であった。姜尚中・成田龍一・須田努「光と影／光は影――明治維新一五〇

年：重層化する歴史像」（『現代思想』四六－九、二〇一八年）、真辺将之「近現代一　総論」（『史学雑誌』一二七－五〈回顧と展望〉、二〇一八年）参照。

＊12 『一五〇周年四境の役　大島口の戦い』（四境の役一五〇周年記念事業実行委員会、二〇一六年）。

＊13 『四境の役　大島口の戦い史跡めぐり』（周防大島町文化振興会、二〇一六年）。

＊14 小澤白水・村上岳陽『大島郡大観』（大島新聞社、一九二〇年）、四四頁。

＊15 本稿は記憶の問題を扱うので「史実」がどうであったかは追究しないが、幕府軍の暴力に関連する論文として、田口由香「幕長戦争後における長州藩と松山藩の交渉——史料分析を中心として」（『大島商船高等専門学校紀要』四〇、二〇〇七年）をあげておく。

＊16 久賀歴史民俗資料館企画展「久賀の明治維新」展示パネル。

＊17 大島町誌編纂委員会編『周防大島町誌』（大島町役場、一九五九年）、三〇一頁。

＊18 宮本常一・岡本定編『東和町誌』（東和町、一九八二年）、五六七頁。ほかに、永本隆道『四境の役　大島口——維新への戦い開戦の島から』（日良居タイムス、二〇一六年）が島民の奮闘ぶりを詳述している。

＊19 大洲鉄然を扱った文献は多いが、特に護国団関係では、上野大輔「幕末期長州藩における民衆動員と真宗」（『史林』九三—三、二〇一〇年）が参考になる。

＊20 「四境の役　大島口の戦い」（山口県周防大島町　周防大島チャンネル　https://www.youtube.com/watch?v=5u2nDSMRmV8&t=382s　二〇二三年二月二八日閲覧）。

＊21 滝本洋司郎「「あいさつ」　四境の役から百五十年」（『ふるさと』三八、二〇一六年）。

＊22 前掲、大島町誌編纂委員会編『周防大島町誌』。

＊23 「戦争一件諸控」（大島郡役所文書一四八、山口県文書館所蔵）。

＊24 「招魂場記録　明治六年」（庶務掛）（山口県行政文書社寺二〇三、山口県文書館所蔵）。

＊25 「招魂場記録　明治八年」（庶務課）（山口県行政文書社寺二〇五、山口県文書館所蔵）。

＊26　「招魂場事務　明治一〇年」（社寺掛）（山口県行政文書社寺二〇八、山口県文書館所蔵）。
＊27　「招魂社事務　明治一九年」（戸籍掛）（山口県行政文書社寺二一八、山口県文書館所蔵）。
＊28　「社寺ニ関スル達幷進達」（「旧久賀町役場文書」四七五、久賀歴史民俗資料館所蔵）。
＊29　吉村藤舟『大島郡戦記』（郷土史研究会、一九三六年）。碑文は、同書のほか「大島郡戦蹟碑文稿」（毛利家文庫八〇詩歌文章類八七、山口県文書館所蔵）も参照。
＊30　「贈位内申書」（贈位〇〇一九三二〇〇‐〇九六、国立公文書館所蔵）。
＊31　「維新功労者調」（知事官房）（山口県行政文書総務四〇八、山口県文書館所蔵）。
＊32　「維新功労者履歴　明治三十二年」（山口県行政文書総務四一一、山口県文書館所蔵）。
＊33　たとえば、大島西屋代上片山にある日本ハワイ移民資料館では「未知の地で生活を切り開く勇気とたくましさ」を持った移民が紹介されている。

二　近文アイヌ給与予定地事件と和人社会

檜皮瑞樹

はじめに

本稿で取り上げる近文《ちかぶみ》[*1]アイヌ給与予定地事件は、近代北海道における先住者アイヌと和人社会とのあいだに生じた土地所有をめぐる紛争事件である。旭川近文におけるアイヌ給与予定地は、北海道旧土人保護法に基づく制限つきの土地所有権すら認めないものであり、そのことが監督者である北海道庁や道庁から貸付を受けた旭川町（市）による恣意的な処分を可能にした。その結果、アイヌ給与予定地の処分をめぐって、アイヌと和人小作人や行政とのあいだで紛争が絶えなかった。もちろん、給与予定地事件に対する和人社会の対応は一様ではなく、また一九世紀末から二〇世紀初頭の第一次給与予定地事件・第二次給与予定地事件（以下、第一次事件および第二次事件と表記）と、一九二〇年代半ばから一九三〇年代の第三次給与予定地事件（以下、第三次事件と表記）とでは、その利害関係は大きく変化した。

研究史の概要

当該事件については、三次の事件全体を通じてアイヌ社会の動向を詳細に論じた『新旭川市史』[*2]や金倉義慧[*3]による研究成果がある。『新旭川市史』は、第二次事件における天川恵三郎《あまかわけいざぶろう》の移転構想とそれに反発した栗山国四郎を中心とした運動、第三次事件における荒井源次郎による東京での請願活動や、アイヌ自身による給与予定地全体の自主管理を主張した松井国三郎を中心とする財団派の動向を明らかにした。第三次事件において財団派構想を主導したアイヌ青年層と、行政との調和を企図した鹿川利助を中心としたグループとの対立を明らかにしたことは、当該事件が近文アイヌ社会に深刻な亀裂をもたらしたことを示唆する。また、一九二〇年代の解平社を中心としたアイヌの動向に関しては、竹ヶ原幸朗[*4]が旭川における労働運動とアイヌとの連携、和人小作人による旭川市近文官有地借地人組合の活動と解平社運動との関係を明らかにした。特に、解平社設立の契機が和人小作人による「縁故特売」を請願する動きへの対抗であったとする指摘は重要である。

一方、給与予定地事件に関する和人社会の動向については、前述の竹ヶ原や『新旭川市史』が、第三次事件における労働運動家（木下源吾ら）による支援を取り上げている。また、和人小作人に関しては、旭川市近文官有地借地人組合を中心に断続的に展開された請願運動の概要を整理しているものの、請願内容や和人小作人の主張の根拠、あるいは自らの権利を主張した際の暴力的言説については検討の余地が残されている。

また、竹ヶ原は和人小作人による「縁故特売」を要求する請願運動を、「旭川市の都市計画上の問題に名を借りて、利権を獲得しようとする欺瞞に満ちたものであった」[*5]と厳しく批判する。本稿でも竹ヶ原の「欺瞞性」という歴史的評価に同意しつつ、アイヌに対する暴力的言説がどのように変遷したのか、またその言説が内包したレトリックに注目する。

本書のテーマである「社会変容と民衆暴力」に沿って、二〇世紀初頭の北海道における都市開発の進行と人口の増加という社会変容による、給与予定地をめぐるアイヌと和人小作人との関係の変化という点にも留意しながら、当該事件をめぐる言説レベルを含む和人社会の暴力について検討を行う。

給与予定地とは?

本論に入る前に、旭川近文のアイヌ給与予定地が創出された経緯とその法的位置づけについて、『新旭川市史』に依拠しながら簡単に整理する。

一八九四年の北海道地券発行条令の運用方針において、殖民地選定区画地開放の際、開放地内のアイヌ居住地を「保護地」「給与予定地」(官有地第三種)として存置することが定められた。また、一八九九年の北海道旧土人保護法によって、所有権が制限された土地所有がアイヌに認められた。また、旭川を含む上川地域のアイヌ居住地は、一八八〇年代には近文や永山から愛別《あいべつ》、忠別《ちゅうべつ》川南岸(東御料地)に分散していた。一八九一年には、川村モノクテらが近文付近の土地下付の請願を行い、一八九四年五月に近文原野のアイヌへの仮割渡しが行われた。この仮割渡しは、北海道地券発行条令の運用方針に基づくものであり、四九万四四〇〇坪(三六戸)が給与予定地に設定された。[*6]

ここでの給与予定地とは北海道旧土人保護法による給与を前提に設定された土地であり、旭川近文のケースでは一九三四年一月の「旭川市旧土人保護地処分法」制定まで依然として給与予定地という位置づけであった。アイヌ給与予定地全体の面積は約五〇万坪（最終的には四三万六〇〇〇坪に減少）であったが、アイヌには約一五万坪が無償貸付され、残余地約三〇万坪は北海道庁から旭川町（市）に期限付きで貸し付けられた。給与予定地全体は官有地として北海道庁が監督したが、旭川町（市）が残余地の大部分を和人小作人に転貸したことが当該事件を複雑にした。以後、煩雑さを避けるため、約五〇万坪全体を「近文給与予定地」、アイヌへ貸し付けられた約一五万坪を「アイヌ貸付地」、旭川町（市）が管理し和人小作人に転貸した残余地約三〇万坪を「転貸地」と表記する。

また、本稿で主として取り上げる一九二〇年代から一九三〇年代の北海道は、①札幌、旭川など都市部の急速な発展と人口流入、②国有未開地処分法による不在地主の増大と小作争議の頻発、③日本社会全体のデモクラシー状況を背景とした炭鉱での労働争議、④開拓者の政治参加と地方自治の成熟、⑤開拓行政をめぐる北海道庁と市町村との対立、といった特徴を有した。本稿では紙幅の関係で詳細に論じることはできないが、当該事件がこのような政治的・社会的背景を有していたことを確認しておく。

第一次事件

1　微妙な利害の一致

本節では先行研究に依拠しながら、第一次事件および第二次事件の概要とアイヌと和人社会との関係性について整理する。

一八九九年一一月に大倉喜八郎・三浦市太郎が近文を訪問、「詐術」「慫慂」によって近文アイヌとのあいだに「近文から天塩国名寄への替地願」に関する契約を締結したことから第一次事件が始まる。翌一九〇〇年二月には、大倉喜八郎等に対する「近文給与予定地」の貸付、および近文アイヌに対する転居指令が出された。その背景には、一八九八年の上川線の開通と一八九九年の第七師団の旭川移駐を契機とした陸軍主導による近文アイヌ移転の計画があったとされる。「近文給与予定地」の移転計画に対する抗議運動は和人主導で進められた。一九〇〇年二月には鷹栖《たかす》村近文原野居住和人の中山照重《てるしげ》・小暮粂太郎が「旧土人留住請願書」を北海道庁長官に提出、また上川倶楽部を中心に新聞・政治家への積極的な働きかけが行われた。さらに、同年四月以降には天川恵三郎（アイヌ）や川上コヌサアイヌ、「旧土人留住請願書」に名を連ねた板倉才助、旭川村居住の青柳鶴治を中心とした東京での請願活動が展開された。同年五月三日、大倉喜八郎への貸付指令とアイヌへの転居指令中止が明示されたことで事態は収束へ向かった。

第一次事件に関しては、『新旭川市史』が「東京でも道内でも、反与党・反園田といった政治勢力（新聞も含め）の中に位置付けられていた」[*7]と指摘したように、和人社会の動向が反対運動を後押しした。たとえば、小樽築港汚職疑惑を中心に園田安賢《やすかた》北海道庁長官への批判的態度を強めていた『北海道毎日新聞』は、「上川土人給与地事件の真々相」（一九〇〇年四月七日、八日、一〇日、一一日）や「上川旧土人保護地割渡の顚末」（同年四月二五日、二六日）と題した連続記事や、道庁参事官横山隆起の発言に対する天川恵三郎の反論記事[*8]を掲載するなど、道庁幹部への批判と反対運動に対する支援の姿勢を維持した。

また、鷹栖村を中心とした和人社会の積極的な協力姿勢も顕著であった。『新旭川市史』[*9]は新聞記事を根拠として、その背景にアイヌ貸付地において和人小作人が存在したこと、残余地の一部が鷹栖村の共有財産であったことを指摘する一方で、事件を通じて鷹栖村を中心とした和人社会と近文アイヌとの利害関係が一致していたとする。

しかし、「旧土人留住請願書」の追記には「本村旧土人給与地ノ師団用地ニ接近セル為メ旧土人ヲシテ他ニ転住セシメザル可カラザル事情有之ニ於テハ長官閣下ノ御指揮ニ従ヒ本村ニ於テ彼等将来ノ為メ充分尽力仕度候[*10]」と記されており、鷹栖村和人が道庁主導による給与予定地移転を否定していない点は重要である。近文周辺の和人社会は大倉喜八郎への給与地予定地貸付によって自らの権益が侵害されることに反発したのであって、「近文給与予定地」の移転反対は二義的であった。金倉義慧が「近文アイヌと鷹栖村、旭川町有志との文字通りの〝共闘〟であった[*11]」と評価したような関係性は限定的かつ不安定なものであったことを確認しておく。

第二次事件

一九〇〇年から一九〇七年にかけて展開した第二次事件は、その第一段階では「近文給与予定地」の一部移転を伴う近文アイヌの近代化を構想した天川恵三郎と、天川の構想に反対した栗山国四郎（アイヌ）を中心とした運動など、近文アイヌと旭川町との折衝がその中心であった。これに対して一九〇五年一〇月の行政による「近文給与予定地」の一括管理案公表以後、反対運動におけるアイヌと和人社会双方の思惑は錯綜・複雑化した。

奥田千春《ちはる》町長が主導した給与予定地の一括管理案は、①「近文給与予定地」（四六万坪）を「旧土人保護の目的」で道庁から旭川町に貸付（三〇年期限）、②近文アイヌには各戸三〇〇〇坪（一町歩、全体では五〇戸・一五万坪）を無料貸付するという内容であった。アイヌ社会にとっては、一八九四年の仮渡地（四九万坪）が三分の一以下へと減少したのであり、栗山国四郎を中心に「近文給与予定地」全体の土地所有権付与を要求する反対運動が展開された。栗山国四郎の反対運動を、青木毛一（鷹栖村必富尋常小学校西分教場訓導）等の和人が支援したが、その背景には栗山が青木と共同して近文給与予定地のうち三〇万坪を和人小作人に転貸したこと、和人小作料を担保にしたアイヌへの資金融資が行われていたことが存在した。のちに天川恵三郎も参加する近文アイヌの反対運動は、警察権力をも動員した旭川町の強硬な姿勢によって、一括管理案への同意を余儀なくされた。

一方、和人社会の側でも一括管理案に対する反対運動が展開されたが、その中心は近文給与予定地の和人小作人と、資金融資によるアイヌへの債権者であった青木毛一や浅沼定之助らであった。一九〇六年一月には、「近文給与予定地」の残余地（三〇万坪）を一反歩二円五〇銭で和人小作人に転貸、その収益を「旧土人保護」費用に充当するという案が提示された。しかし、従来のアイヌへの小作料が低廉であったことから、青柳鶴治らを札幌や東京に派遣するなど、和人小作人は旭川町との対立姿勢を強めていった。しかし、小作料をめぐる旭川町の妥協や「説諭」もあり、旭川町との小作契約に応じる和人小作人も少なくなかった。一方、未契約小作人に対する退去命令など旭川町の強硬姿勢もあり、最終的には「今後一切の紛争の放棄」を条件にした旭川町と和人小作人との貸付契約が締結された。また、青木や浅沼らは旭川町に対して債権の弁済を要求し元本に限定した弁済が実現した。一九〇六年六月には、「近文給与予定地」（指令文面上は「旧土人保護地」）の旭川町への有償貸付、およびアイヌへの個別無償貸付と残余地の和人小作人への有償貸付という枠組みが成立した。

第二次事件における和人社会の主張は、和人小作人を中心とした「近文給与予定地」における小作権の維持と小作料の減免、およびアイヌへの債権者による債権確保にあった。また、行政主導の一括管理に対する両者の利害は表面上一致しており、反対運動における共闘を可能にした。しかし小作料をめぐっては、相場以下の小作料が設定されていたことから、アイヌに対する和人小作人の搾取が存在した可能性が先行研究でも指摘されている。第二次事件を通じてアイヌ社会と和人社会との利害対立は表面化しなかったものの、その対立の萌芽はすでに存在していたといえよう。

2　北海道庁からの直接貸付と国有地解放の請願

和人小作人の状況

「近文給与予定地」において、一九〇六年の道庁指令によって旭川町（旭川市）と貸借契約を結ぶこととなった「転貸地」小作人と近文アイヌとの関係を、一九三三年の調査書「和人ニ転貸地調」「旧土人貸与地ヲ転作セル調」[12]に基づいて整理する。

一九三三年四月の時点で、「転貸地」の和人小作人は九六戸と三社・一団体であった。[13]このうち、宅地のみ転貸借が四九戸（一社を含む）、耕作地のみ転貸借が四〇戸（一団体を含む）、宅地・耕作地の転貸借が一一戸（二社を含む）と、和人小作人の半数は宅地に限定した転貸借人であった。

また、九〇〇〇坪（三町歩）以上を転貸借する小作人が二戸（上村与次郎・一万四〇〇〇坪、小林直三郎・一万七三〇〇坪）と一社（旭川木管株式会社・四万一五〇〇坪）、九〇〇〇坪未満三〇〇〇坪（一町歩）以上が二五戸（全体で一二万五九一〇坪）であり、三〇〇〇坪（一町歩）以上の転貸借人である二七戸・一社（和人小作人の二八％）が転貸地の六八％、転貸小作地の八六％をしめていた。一方で、和人小作人の七割は一町歩未満の転貸借人（宅地を主とする）であった。

さらに、「転貸ヲ受クル和人ノ資産職業調」[14]に記された職業欄と照合すると、農業が三五戸、農業以外が会社・団体を含めて五八戸であった。また、職業欄が空白である小林直三郎は美瑛《びえい》開拓の功労者として知られ、近文でも農場（略農）を経営していたことから、小林直三郎を含む三六戸の転貸借地を合算すると一三万三〇〇〇坪となり、転貸地の四七％、転貸小作地の五八％を占める。

また、三〇〇〇坪以上の和人小作人二七戸のうち、農業従事者が二二戸（八一％）であった。東海林吉三郎や木下平七郎、小田利三郎など、三〇〇〇坪以上を転貸借した農業従事者が第三次事件における請願運動の中心的役割を担った。

一方、アイヌ貸付地にも小作権が設定されており、その総数は二六戸であった。和人小作人が一九戸

（一万七六七〇坪）、アイヌの小作人が七戸（二万一三三〇坪）であり、和人小作人のうち野崎留之助・高桑助十郎・佐々木善治・木全貫一・木下平七郎の五名は旭川市からの転貸借人でもあった。また、アイヌ小作人のうち鹿川利助と築別ニタンザシの二名は旭川市から三〇〇〇坪の無償貸付を受けていたが、他の五名はその対象外であった。[*15]「アイヌ貸付地」のうち小作地は二六％であり、その半数以上はアイヌによる小作地であった。

国有未開地処分法と請願運動

一九二二年一〇月の旧国有財産法施行によって、「近文給与予定地」は国有未開地とされ、新たに北海道庁から旭川市へ一〇か年（一九三二年まで）貸付とされたことが、和人小作人による請願運動の契機となった。

一九二三年には東海林吉三郎を中心に旭川市近文官有地借地人組合が結成され、同年一二月には「官有地特別払下ノ義ニ付キ請願」[*16]を道庁長官に提出し、旭川市の都市開発が不可避であることを理由に「茲ニ同地内ヲ貸借シアル個人ニ対シ其区域ヲ御払下相成市街地トシテ経営セシメ候様請願シタル」と、和人小作人に対する「転貸地」の払下げを請願した。一方、請願書には「最モ土人地ノ全部ヲ望ミシ義ニ無之」とアイヌ貸付地については払下げの対象外であることが強調されていた。北海道庁は「該地ハ旧土人保護法ノ目的ヲ以テ現ニ旭川市ニ貸付中ノ土地ニ有之箇人ニ払下スヘキ土地ニ無之候」と、そもそも近文給与予定地が払下げの対象ではないとして請願を却下した。

当初の請願内容が門前払いとなったことで、和人小作人は請願運動の方針を転換した。また、一九二五年一月に旭川市会で議決された旭川市有基本財産管理規程改正が、和人小作人の請願運動に大きく影響した。これ以降の請願運動の方針は、旭川市有基本財産管理規程への批判と、近文給与予定地の北海道庁による「解放」要求の二点に集約される。

当初は、「若シ然ラサル時ハ目下申請中ノ旭川市有財産管理規程ニ準拠セサル用御取計ヒ相成度[*17]」と、道庁長官に対する管理規程の不認可の請願が主たる内容であったが、同年四月の管理規程の認可後には、「某有力者ニ於テ此地の売払ヲ請願シ吾人等ノ利権ヲ掠奪セント謂ヒ（中略）既ニ其筋ノ諒解ヲ得耕作人ヲ追放セント謂ヒ[*18]」や「最近旭川市ニ於テ特売ノ予諾ヲ受ケ（中略）吾人ヲ放逐セント目下計画中ノ趣キ仄聞仕実ニ憂慮ニ不堪候[*19]」と、旭川市による近文給与予定地の恣意的処分と和人小作人の「放逐」の不当性を訴えた。

同時に、北海道庁長官に対しては、「本願地ヲ旭川市ノ管理ヲ解カレ特別ノ方法ニ依リ御庁ヨリ直接御貸付被成下度[*20]」や「就テハ本願地ヲ旭川市ノ管理ヲ御解除被成下弐月弐拾弐日付御庁令第十一号北海道地方林野貸渡規程ノ如キ特例ニ依リ直接御貸付相成度[*21]」と、近文給与予定地の旭川市への有償貸付解除と、北海道地方林野貸渡規程による道庁からの直接転貸借を請願することで小作権の維持を試みた。

さらに、一九二五年末以降には「北海道旭川市近文国有未開地（元旧土人給与地）八拾町余歩ヲ解放セラレ吾人耕作人ニ自作農維持創設ノ御趣旨ニ依リ特別ノ御詮議ヲ以テ特売相成候様御厚慮相仰度[*22]」と、当時の自作農創設という政府の方針を背景に、「転貸地」の道庁による「縁故特売」へと請願内容を変化させていった。この「縁故特売」の請願方針は一九三〇年代前半の請願運動にも継続していく。一方、和人小作人による「国有未開地特売ノ儀ニ付請願[*23]」（一九二五年一二月一〇日）には、以下の注目すべき記述がある。

時恰モ明治三十二年旧土人保護法発布セラル、ヤ此地ヲ旧土人保護地トシテ存置セント当時現住地附近並ニ石狩河畔ニ旧土人数戸居住シタルヲ好機トシ道内各地ヨリ同種族ヲ集メ爾来数年間紛糾ニ紛擾ヲ重ネ当局者ハ之カ調定ニ腐心シ醇朴ナル吾々農民ハ之ニ乗セラレ遂ニ明治三十八年旧土人及開拓者連署請願シ

ここでは、近文におけるアイヌの先住性に対する疑義が暗示されており、近文アイヌに対する暴力的言説の萌芽を見ることができる。同時に、第二次事件によって給与予定地が旭川市の管理下に置かれたこと自体が不当な処置であったとする主張も登場する。この点は、小作権の根拠を一九〇六年の道庁令とする従前の主張からの大きな転換である。この二つの主張は一九三〇年代の請願運動において先鋭化する。

3　錯綜する思惑と「旭川市旧土人保護地処分法」

第三次事件における近文アイヌの請願運動は大きく二つに分かれる。以下、紙幅の関係から先行研究に依拠しながらその経緯を簡単に整理する。一つは解平社に象徴される一九二五年から一九三一年にかけてのアイヌ青年を中心とした動向である。砂沢市太郎・門野惣太郎・松井国三郎・小林鹿造を中心として一九二五年一一月頃に結成された解平社は、竹ヶ原が指摘したように和人小作人の「縁故特売」運動への対抗であった。彼らは、労働運動家であり旭川市会議員であった木下源吾の斡旋によって日本農民党に加盟、一九二七年に木下源吾が労働農民党に加盟後も行動をともにした。同年一二月には旭川合同労働組合豊栄支部を結成、一九三一年八月の全道アイヌ青年大会には砂沢市太郎・川村才登が参加することで、近文アイヌ給与予定地問題を広範にアピールした。

もう一つの北海道庁や国会議員に対しての請願活動は、一九二八年一〇月の内務大臣宛「陳情書」に始まる。この陳情書では、「尚且市会議員中ニモ私共将来ノ為メニ旭川ノ如キ繁華ノ都市ヨリモ寧ロ樺太ノ如キ未開地ニシテ（中略）移住セシムルヲ以テ得策ナリト主張セラル、者有之候」と、近文給与予定地の移転計画を指摘・批判した。このような計画は、「旧土人部落を伊の沢へ移転せしめあの附近一帯を工業中心地としてしまひ」[*24]といった新聞記事や、前述の和人小作人の請願書の内容からも、アイヌ・和人小作人の双方にとってリアリティを持った脅威として認識されていたことがうかがえる。

さらに、一九三一年以降に活発化する請願運動における主張は、近文給与地全体の無償下付の要求[*25]と、「現住地」すなわちアイヌ貸付地に限定した無償下付の要求[*26]とに分かれる。一九三一年八月には旭川市豊栄互助組合が結成され、近文給与予定地全体の管理権要求や、豊栄互助財団による近文給与予定地全体の自主管理構想など、松井国三郎や荒井源次郎を中心とした矢継ぎ早な陳情活動が展開された。

一九三二年四月以降には、三次にわたる上京運動が松井国三郎、天川恵三郎、荒井源次郎を中心に展開された。その主張は、「近文給与予定地」全体の北海道旧土人保護法の制限を受けない所有権の獲得であった。

北海道庁の方針は、「アイヌ貸付地」の無償下付（旧土人保護法に基づく制限付きの所有権）、および残余地を全道アイヌの共有財産とするというものであった。道庁案に対して近文アイヌは反発したが、一九三二年後半以降は北海道庁案に沿った主張へとその運動方針を転換した。

先鋭化する和人小作人の請願運動

和人小作人の請願活動は、一九三〇年前後に再び活発化する。その契機が一九二〇年代後半におけるアイヌの動向にあったことは想像に難くない。一九二九年二月一一日には自作農創設速成期成同盟が発足、北海道庁のみならず地元選出議員を通じた国会への陳情活動を展開した。一方、当該期の請願運動においても「縁故特売」の対象が、「近文国有未開地八拾九町歩余ヲ速ニ解放セラレ[*27]」と「転貸地」に限定されていたことを確認しておく。

一九二九年以降の和人小作人による請願運動における主張は大きく二つの特徴を持つ。第一は、旭川市当局に対する徹底した対立姿勢である。たとえば、「不法ニモ土地所有権ヲ第三者ニ譲渡シ賃料ノ値上ケヲ行ヒ期限ヲ短縮シ或ハ退去ヲ命シ亦ハ土地立入禁止等ノ暴挙ニ出テンカ之カ為メ耕作権亦ハ利益分配等ニ関シ深刻ナル争議ヲ醸シ」[28]と、北海道における地主層全般への批判という体裁を装いながら、旭川市の給与予定地の管理方法や和人小作人への施策を批判し、「乍去徒ラニ公共団体或ハ公益事業ノ美名ニ陰レ吾等弱小農民ヲ抑圧セントスルニ於テハ断々乎トシテ反対セサルヲ得サル次第ニシテ」[29]と旭川市との対立姿勢を鮮明にした。このような和人小作人による運動の背景には、一九二〇年代後半に隆盛を迎えた北海道内における小作争議が存在した。旭川市の周辺においても、一九二〇年に始まる上川郡神楽《かぐら》村東御料地、一九二一年から一〇年以上にわたる雨竜《うりゅう》郡蜂須賀農場、一九二七年の上川郡鷹栖村岐阜農場での小作争議など、和人小作人の請願運動を支援する基盤が存在した。[30]和人小作人は自らの請願運動が小作争議ではないことを強調したが、当該期の小作争議の影響は請願書に散見される。このような旭川市当局への批判は、「旧土人保護ノ美挙ヲ楯ニ上級官庁ノ了解ヲ求メ此地ヲ開拓ノ犠牲者タル吾等耕作人及旧土人ノ文盲ナルニ乗シ遂ニ之カ特貸ヲ受ケ其利鞘ニ依リ旧土人ヲ保護シ其大部分ノ収入ハ一般会計ニ或ハ別途ニ流用シ爾来今日ニ至ル迄莫大ナル不当利得ヲナシタルコトハ明瞭ナル事実ナル」[31]と、一九〇六年の第二次事件を経て成立した近文給与予定地の旭川市による管理体制にも向けられた。このような批判は、「同二十六年同郡当麻村及東旭川村等ニ増置セラル、ニ至リ入隊者ノ移住ト共ニ自由移民ノ入地ヲ見ルニ至レリ」[32]と、和人小作人のルーツを一八八八年の永山武四郎・桂太郎の旭川視察に求める主張へと発展していく。もちろん、このような由緒の妥当性や、「近文給与予定地」との関連は明確ではない。しかし、和人小作人が自らの小作権を主張する根拠として、第七師団設置以前にさかのぼる由緒を持ち出したことは重要であり、後述する第二の点とも深く関係する。一方で、請願書には「今ニ自由移民トハ謂ヘ僅カノ土地ノ貸付モ又ハ払下モ或ハ特売ノ恩典モ与ヘラレス一坪ノ土地ヲモ所有スル事能ハサルハ誠ニ慙愧ニ堪ヘナイノデアリマス」[*33]と、和人小作人の棄民意識を象徴する文言も存在する。このことは後発開拓者への手厚い補助や、近文アイヌへの保護政策への批判と表裏一体であった。

第二には、以下の請願書の文言に象徴される近文アイヌの先住性に対する異議であった。

> 第二次探検当初二三戸ヨリナカリシ旧土人ハ明治三十六年迄ニハ十二戸トナリ同四十年迄ノ間ニ分家又ハ他ヨリ転入シタルモノ合セテ二十一戸トナリ（中略）明治四十年前後ニ転入ノ最モ多カリシ原因ハ同年九月迄ノ現住者ニ限リ土地壱町歩ヲ特貸シ救助ヲ行フ旨公布セラレタル為メ樺戸空知両龍ノ各郡ヨリ和人ノ入地ト共ニ前住地ヲ放棄シテ此地ニ集中シ亦上川平野ノ各村ヨリモ此機逸スベカラスナトシ《ママ》転住シタルモノニシテ[*34]

ここでは、一八八八年以前の近文におけるアイヌの居住がごくわずかであったこと、近文アイヌの多くが一九〇八年の第二次事件を契機とした周辺地域からの「移住者」であったことが強調される。前述のように、一九〇〇年前後における上川アイヌの近文移住は、都市開発に伴う強制的なものであったことはいうまでもない。しかし、和人小作人の主張はこのような歴史を無視したうえで、「前記ノ如ク明治三十二三年頃ハ全ク人跡未到未開ノ地ニシテ（中略）何レノ所有或ハ貸付地ニモ非ラス亦旧土人給与地ニモ非ラサルコトハ明瞭ナル事実テアリマス」[*35]と、近文における「給与予定地」の存在を否定するという暴力的言説を展開した。このような言説は、一九二五年の請願書でもほのめかされていたが、当該期に先鋭化することとなる。その背景には「翻テ旧土人保護ノ実蹟ニ徴スルニ（中略）一戸ニ対シ壱百数拾円ヲ救護ニ費シ加之壱戸ニ耕地壱町歩ヲ無償貸付スル等優遇至ラザルナク」と、アイヌへの保護政策が「過剰」であるとの不満が存在した。和人小作人の請願運動の根底には、明治二〇年代以前からの入植者であるという自意識にもかかわらず、開墾地の所有権すら認められないことへの不満や棄民意識が存在したのであり、その裏返しとして近文アイヌの先住性を否定するという暴力的な言説が存在した。

さらに、一九三二年三月の陳情書では、「仄聞スル処ニヨレバ俗ニ民間政事家或ハ利権運動家等ガ窃カニ公益其他ノ美名ニ匿レ我々ノ根拠ヲ蹂躙セント企テ居ルモノ有ルヤニ聞及ヒ候[*36]」と、「近文給与予定地」全体の自主管理を主張した豊栄互助財団によるアイヌの請願運動との対立姿勢を明確にした。このことは、第三次事件を通じて近文アイヌと和人小作人との決定的な対立構造が生じたことを意味する。『新旭川市史』が「第一次の保護地事件の経過とは異なり、小作人とアイヌとが直接連携して運動することが見られなかったのが今次事件の特徴である[*37]」と評価した第三次事件は、最終的には近文アイヌと和人小作人との利害対立へと収斂するとともに、和人小作人による近文アイヌへの暴力的言説を生み出した。その根底には、「一般土人ノ性格トシテハ勤勉事ニ当ルヲ欲セズ官憲ノ保護ニ馴レ安逸日ヲ送ルヲ是レ事トシテ僅々タル壱町歩ノ耕作尚ホ善ク耕鋤ヲナスモノ稀ニ聊カ数段ノ作付ヲナシ有ルニ過キザル[*38]」との請願書の文言に象徴される、アイヌに向けられた差別的な「眼差し」が存在した。北海道開拓におけるアイヌの不作為・貢献度の低さを強調する言説は、当時の和人社会において広く共有されたのであり、当該事件に固有のものではない。しかし、給与予定地事件をめぐる政治的主張において暴力的言説が顕れたことは、当該事件全体を通じて和人社会による暴力性の発露がつねに潜在していたことの証左といえる。

おわりに

「近文給与予定地」は、北海道庁と旭川市との調整の難航により貸付期限が一年延長されたが、一九三四年一一月に施行された「旭川市旧土人保護地処分法」によって第三次事件は一応の終息を迎えた。

その内容は、①近文アイヌに各戸三〇〇〇坪（一町歩）を無償下付し、北海道旧土人保護法による制限付所有権を附与する、②残余地を近文アイヌの共有財産とし、北海道庁が直接監督する共有地管理委員会が管理するというものであった。第三次事件において「近文給与予定地全体」の自主管理を構想した近文アイヌにとっては大きな後退であった。また、「転貸地」の「縁故特売」を請願した和人小作人にとっては、共有地管理委員会（北海道庁）との小作権は維持されたものの、引き続き不安定な状態に置かれることとなった。

しかし、和人小作人による近文アイヌ給与予定地をめぐる陳情活動は一九三四年以降も継続した。一九三九年三月には田中善吉ほか三名[*39]が、一九四〇年三月には東海林吉三郎ほか四名[*40]が「転貸地」（近文アイヌ共有財産）の「縁故特売」を、地元選出議員（坂東幸太郎）を通じて衆議院に請願した。意見書からは、「先年「アイヌ」共有財産ト為リタルハ洵ニ遺憾ニ堪ヘヌ」と旭川市旧土人保護地処分法の内容に納得していないこと、「小作人ト管理者タル北海道庁トノ間ニ紛議絶エス管理至難ナル状態ニ在リ」と転貸地（近文アイヌ共有財産）をめぐってその管理者である北海道庁との紛争が継続していたことがうかがえる。その後、戦時体制の中で和人小作人と近文アイヌ・北海道庁との紛争が実態化することはなく、第三次事件を通じて成立した秩序は敗戦後の農地解放をめぐる混乱まで続いた。

〔注〕

＊1 近文は一八九二年設置の鷹栖村内の近文原野であり、一八九〇年代に和人の入植が始まった。一九〇二年に旭川町に編入。

＊2 『新旭川市史』第二巻通史二（二〇〇二年）、および第三巻通史三（二〇〇六年）、第四巻通史四（二〇〇九年）。

＊3 金倉義慧『旭川・アイヌ民族の近現代史』（高文研、二〇〇六年）。ほかに、吉田邦彦「先住民族（アイヌ民族）問題と所有権・知的所有権」（同『多文化時代と所有・居住福祉・補償問題』有斐閣、二〇〇六年）、木戸調「旭川におけるアイヌ文化継承とアイヌ民族運動の変遷」（小内透編著『旭川市におけるアイヌ民族の現状と地域住民』北海道大学アイヌ・先住民研究センター、二〇一九年）など。

＊4 竹ヶ原幸朗「「解平社」の創立と近文アイヌ給与予定地問題」（同『近代北海道史をとらえなおす――教育史・アイヌ史からの視座』社会評論社、二〇一〇年）。

＊5 同右、二九一頁。

＊6 当初の「給与予定地」は一五〇万坪であった。また、アイヌの一部は忠別北（御料地）でも土地の「貸下」を受けており、近文への集住が完了したのは一九〇七年頃であるとされる（『新旭川市史』第二巻、九一〇頁）。

＊7 前掲『新旭川市史』第三巻通史三、七六三頁。

＊8 「土人の弁難書（相手は横山参事官）」『北海道毎日新聞』一九〇〇年三月二五日。

＊9　前掲『新旭川市史』第二巻通史二、七一六頁。
＊10　「請願書」一九三三年一月頃ヵ（『旧土人保護（一）昭和八年』北海道立文書館所蔵）。
＊11　前掲、金倉『旭川・アイヌ民族の近現代史』九七頁。
＊12　『旭川市旧土人保護地処分法案資料』（『アイヌ史資料集』第二巻、一九八一年所収）。複数人連名の場合は筆頭者を小作人（一戸）としてカウントした。
＊13　和人小作人のほかに鹿川利助（アイヌ）が二〇〇〇坪を旭川市から転貸借していた。
＊14　前掲『旭川市旧土人保護地処分法案資料』所収。
＊15　アイヌ小作人のうち、鹿川太郎八と安部三次郎は鹿川利助の甥、能登建治は能登敬三の弟と記されている（「近文旧土人保護地内在住ノ旧土人ニシテ土地ノ貸付ヲ受ケサルモノ、ノ経歴調」（同右）。
＊16　東海林吉三郎・小田利三郎ほか五名「官有地特別払下ノ義ニ付キ請願」一九二三年一二月（「旧土人保護（二ノ二）昭和八年」北海道立文書館所蔵）。
＊17　旭川市近文官有地借地人組合「国有未開地貸付願」一九二五年二月八日（右掲「旧土人保護（二ノ二）昭和八年」）。
＊18　小田利三郎・小林直三郎ほか四名「国有未開地開放ノ儀ニ付請願」一九二五年一一月二六日（右掲「旧土人保護（二ノ二）昭和八年」）。
＊19　旭川市近文官有地借地人総代「陳情書」一九二五年一二月一〇日（右掲「旧土人保護（二ノ二）昭和八年」）。
＊20　前掲、旭川市近文官有地借地人組合「国有未開地貸付願」。
＊21　東海林吉三郎・齊藤新吾ほか七名「国有未開地特貸ノ儀ニ付請願」一九二五年四月一六日（前掲「旧土人保護（二ノ二）昭和八年」）。
＊22　北海道旭川市近文国有地耕作者「陳情書」一九二六年二月一一日（右掲「旧土人保護（二ノ二）昭和八年」）。
＊23　北海道旭川市近文官有地借地人総代「国有未開地特売ノ儀ニ付請願」一九二五年一二月一〇日（右掲「旧土人保

護（二ノ二）昭和八年」）。
＊24　前掲『新旭川市史』第四巻通史四、五六八頁。
＊25　荒井ケトンジナイ・砂沢市太郎・川上コヌサほか四九名「請願書」一九三一年五月七日（小川正人・山田伸一編『アイヌ民族　近代の記録』草風館、一九九八年所収）。
＊26　鹿川利助・築別仁太郎・尾沢シーテコロ「旧土人保護ノ儀ニ付請願」一九三一年七月二日（右掲、小川・山田編『アイヌ民族　近代の記録』）。
＊27　自作農創設期成同盟会（小田利三郎・小林直三郎ほか）「国有地特売ノ儀ニ付御願」一九三〇年三月六日（前掲「旧土人保護（二ノ二）昭和八年」）。
＊28　自作農創設期成同盟会（小田利三郎・野崎留之助ほか）「自作農創設ノ儀ニ付請願」一九二九年二月一一日（右掲「旧土人保護（二ノ二）昭和八年」）。
＊29　自作農創設期成同盟会（小田利三郎・小林直三郎ほか）「自作農創設ノ儀ニ付御願」一九三〇年一月三〇日（右掲「旧土人保護（二ノ二）昭和八年」）。
＊30　社会問題資料研究会『昭和七年自一月至六月社会運動情勢――長崎・宮城・札幌控訴院管内』（東洋文化社、一九七九年）、渡辺惣蔵『北海道社会運動史』（白都書房、一九四九年）。
＊31　前掲、自作農創設期成同盟会「国有地特売ノ儀ニ付御願」。
＊32　前掲、自作農創設期成同盟会「自作農創設ノ儀ニ付御願」。
＊33　同右。
＊34　同右。
＊35　同右。
＊36　旭川近文官有地借地人組合（小田利三郎・野崎留之助ほか）「官有地売払願陳情書」一九三二年三月四日（前掲「旧土人保護（一）昭和八年」）。

＊37　前掲『新旭川市史』第四巻通史四、五七三頁。
＊38　前掲、東海林・齋藤ほか「官有地特別払下ノ義ニ付キ請願」。同様の言説は前掲、北海道旭川市近文官有地借地人総代「国有未開地特売ノ儀ニ付請願」にも見られる。
＊39　「旭川市所在旧土人地特売ニ関スル件（北海道旭川市農業田中善吉外三名呈出）」（国立公文書館所蔵）。
＊40　「旭川市内旧土人共有地払下ノ件（北海道旭川市農業東海林吉三郎外四名呈出）」（国立公文書館所蔵）。

三　コザ暴動と秩序のグラデイエーション

――基地の街の平穏と暴力をめぐって

高江洲昌哉

はじめに――問題の所在

　コザ暴動[*1]に対して示された、「沖縄人の心につもった屈辱感をいっきょに吹き飛ばしてくれた一大壮挙[*2]」という感覚は、コザ暴動直後から今日まで、多くの沖縄の人の共通見解といえる。このような「壮挙」としてのコザ暴動は、復帰を控え「アメリカ世からヤマト世」へと社会が変わっていく中で起きたものである。期待と不安の入り混じる不安定な社会状況の中で起きた〈怒りの祝祭〉は、こうした社会にどのようなインパクトを与えたのか、「社会変容と民衆暴力」の視座からコザ暴動について考えていきたい。その手がかりとして、高校教師をしつつ同人誌『琉球弧』を出していた儀間進のエッセー(「コミュニケーションとしてのコザ反米騒動」)を紹介したい。このエッセーには、「怨念を表現し伝達するとなると……その表現方法たるや良識派のひんしゅくを買い、市民的秩序がびっしりと隙なくはめ込まれていて身動きもできないような日常生活をゆり動かす反社会的な行動にならざるを得ない」、「狂気を抑えることが出来ぬとき、それは噴出する」[*3]と、反社会的、狂気の側面からコザ暴動を捉えている。暴力の発動を肯定しつつも、このエッセーには次のような付記があり、暴力に対する自警の発動を見据えている。

事件に付随して起こって来る問題の一つに、「自警団」というのがある。「村」意識や集団というものから派生してくるものだとは思うが、それ自体としてはあるいは方向性をもたない「根」みたいなものかもしれない。

しかし今度の場合などは治安維持に向かうことだけははっきりしている。ただ言えることは、人間回復への悲願とその不可能性の表現としての暴力が、出口を身内に向けていはしないか、ということである。

「自警団」の持つ意味、性格についても考えてみたいが、いつか折を見て論じることにしたい。

（一九七一年一月三日）[*4]

本稿は、儀間の「自警団」という言葉に触発されたところもある。もっとも、儀間の文章はやや抽象的で、儀間の真意が奈辺にあるか、当時の儀間の心境に即して理解することが難しい。また、コザ暴動は「市民的秩序」に反するように書いているが、儀間は追記で「コザ反米騒動には、はっきりした秩序があった。むしろそれは見事だった。付近の市民が恐怖しない暴動、それは暴動ではない。自然発生的にふくれあがった群衆……が一致した行動をとっている」[*5]と、コザ暴動が持つ「秩序」も述べられている。もっとも、コザ暴動の「秩序」は、儀間以外でも述べられており、コザ暴動を肯定的に評価する際の定型句になっている。もちろん、ここでいう秩序とは、突発的に集まった群衆が、一定のルール（略奪を起こさない、アメリカの車以外は攻撃しない）に従った行動を意味している。

秩序は暴力を考えるうえで無視できない言葉である。そうであれば、暴力と隣り合わせに存在するコザの街において、コザ市民が感じる秩序とはどのようなものであったのか。本稿では平穏と暴力が截然と区別されないところで、秩序が指し示す状態の実像を探ってみたい。こうした秩序の実像を探る必要を感じつつ、突き詰めて考えると、秩序の捉え難さも否定できない。さて、コザ暴動を考察した儀間は秩序とあわせて、コザ暴動から暴力の「アナーキー性」がないことを指摘し、コザ暴動を肯定的に評価しているが、こうした腑分けへの再考も必要であろう。

先に紹介した、沖縄県民がコザ暴動の根底にある「怒り」を共有することで、暴力を免罪する議論があったとしても、はたして共感によって暴動は自動的に免罪されるのであろうか。こうした点でコザ暴動を考えた場合、当時のコザ市長であった大山朝常《ちょうじょう》（革新系）による新聞切り抜き資料に貼られた投書の意見は興味深いものがある。コザ暴動への騒乱罪適用をめぐって書かれた投書で、ある主婦は、「私は沖縄人として同胞を愛し、そして沖縄の将来を心配する心情は誰にも負けないくらいです」と述べ、長年の米兵による犯罪と無罪判決への怒りに共感を示しつつも、「過去二十五カ年間の米軍人の人権無視を考えれば、あのコザ事件での車焼き払い事件は見のがすべきだという法律はどこにもなく、暴力は、あくまでも暴力ということです。……法律に涙や情は通用しません」[*6]と、断じている。彼女は、あらゆる暴力は犯罪であり、暴力を動機の意味づけ（他者の共感度）によって腑分けし、免罪する思考を拒否する視点から、コザ暴動を捉えている。

コザ暴動を起点に、秩序を視野に入れつつ、暴力が発する問いとして、ひとまず次の三点をあげてみたい。（1）暴力の肯定／否定という腑分けは、圧倒的な秩序の不均衡性がある中で是認できる思考法なのか、（2）暴力に対抗するため、「自警」という行為が発動されるが、「自警」は誰が誰に向けて発する行為なのか、（3）秩序はどのように設計すべきものか。こうした疑問点を列挙することで、本稿は（沖縄県民に寄り添い、コザ暴動を肯定する）暴力を是認する地平ではなく、意図せざる暴力が発露したために戸惑う地平からコザ暴動を考察をしていきたい。そして、コザ市に即して「自警」・「秩序」・「良い暴力／悪い暴力」の視座からコザ暴動を考えることで、「社会変容と民衆暴力」の歴史像を豊富化させることを本稿の目的とする。

1　事件の概要と先行研究の整理

それでは、改めてコザ暴動とは何であったのか、その概要から説明していきたい。[*7] 復帰直前に行われた最初の国政選挙（一一月）を終えた、一九七〇年の年末、一二月二〇日の午前一時過ぎから明け方にかけて（一九日［土曜］の深夜として記憶に残っている人もいよう）、多数のアメリカ軍専用車が焼き討ちされる事件が起きた。米兵の車に沖縄の人が轢かれたという交通事故の処理をめぐり、これまでの処遇への不満から激高した沖縄住民が七五台以上の車を焼き討ちし、米軍基地のゲートへの侵入をめぐり乱闘が起きるなどの騒動に発展した。こうした大規模な暴動が起きた背景として、これまでアメリカ兵が絡む交通事故での「不適切」な対応が続き住民の不満が高まっていた（コザ暴動の直近でも糸満事件と呼ばれる事故が起きていた）。また、隣の美里《みさと》村では、毒ガス輸送をめぐる県民大会の開催が日中あり反米感情を高めるような雰囲気があった（一二月一九日）。さらに、復帰が現実のタイムスケジュールに上がっていたにもかかわらず、「平穏」さは復元されず、米軍統治の矛盾が存続し、ベトナム戦争の激化に伴う緊張の高まりという社会背景も一因にあった。そして、コザのように基地に依存する地域の特色として、復帰が現実化することの副作用として、将来に対する不安が高まっていたこともある。こうした構造的な不満と不安だけでなく、土曜の夜のため「酔い」にまかせた人が多かったことも特色としてあげられる。

次に、コザ暴動の背景となるコザ市の構造に関しては、歓楽街の形成、基地依存経済の比重の高さ、性の問題と人種差別の常態化、すなわち「兵士の欲望」を満たすことに主眼を置いて形成された都市であった、とまとめることができる。

こうしたコザの特徴をふまえ、たとえば、同時代にコザの中部支所報道部に配置されていた琉球新報の記者であった高嶺朝一は、コザの街を「売春、麻薬――。当時のコザは、旧約聖書に出てくる、住民の道徳の退廃で神の怒りをかって滅ぼされた「ソドムとゴモラ」の街のようだった[*8]」、「じっさい、コザは奇妙な街だった。昼間は人通りも少なく、死んだように眠っている。ところが、夜ともなれば、繁華街のネオンサインがいっせいに花開き、……ボーイやホステスのGIを呼び込む声で活気づく。……〝疑似国際都市〟化する」[*9]と記している。二〇〇〇年代になって研究での言及も活発になり、山崎孝史はコザ市を「軍民境界都市」と概念化した[*10]。そして、加藤政洋は住民が基地に依存するという基地依存経済の関係性を再考し、「そもそも依存しているのは基地の側であった。占領／統治下の沖縄に投企された基地の外部依存性は、強力な駆動因となって、その周囲に都市的な空間は編制[*11]」されると、基地都市が形成される「空間の生産」過程を分析している。泉水英計は、コザの街を「住民が米兵と至近距離で行き交う場所であった」、「沖縄住民のなかにも米軍のなかにもそれぞれ複数の要素が存在し、それらの区別はコザの社会を理解するうえでも重要である[*12]」と述べ、「接触性」に注目している。

須田努は、日本通史のテキストにおいて、戦後日本を再考する事例としてコザ暴動を取り上げている。その中で須田は、コザ暴動を、交通事故と直接関係ないが群衆の怒りを再発させた米兵と沖縄人女性のカップルの出現、攻撃対象とされたアメ車に注目して、シンボルと民衆暴力の視点から描いている[*13]。

このように、コザ暴動（または、同時代のコザ市の特徴）に言及する諸書を整理すると、コザ暴動とは、暴力の顕在化した、あるいは潜在的な暴力と矛盾に満ち溢れた街で起きた事件として捉えることができる。また、コザ暴動は、「植民地的」都市[*14]で起きた暴動と名づけることも可能であろう。さらに、暴動を起こした人びとを「矛盾に生きた人たち」として捉え、社会を「植民地性」や「矛盾」というくくりで捉える見方もある。ただし、この捉え方には、留意が必要である。すなわち、分析する側と分析される対象とのあいだにある不均衡に無自覚なままだと、暴力の理解を深める感度も鈍くなりかねない。もう少し別の表現をすると、コザ暴動発動時とそれ以後にある溝を不可視化するように思われる[*15]。

以上、先行研究の特徴を大別すると、「怒り」に重点を置くか、「矛盾」に重点を置くかの違いがある。

さて、コザ暴動を述べる際に、米兵犯罪への不平等性を前提としているにもかかわらず、奇異なことに、コザ暴動がどのように裁かれたのか、コザ暴動の裁判について言及されることはあまりない。よって、コザ暴動がどのように裁かれたのか、裁判の概要について確認していく。[16] コザ暴動は大規模な事件であり、多くの逮捕者を出しながら、本件で起訴され判決を受けたのは四人で、会社員M（建造物等以外放火罪、沖縄市、二八歳）、テレビ修理工Y（建造物等以外放火罪、沖縄市、二八歳）、鉄工所経営M（建造物等以外放火罪、読谷村、三二歳）、コックK（兇器準備集合罪、沖縄市、三二《ママ》歳）である。

罪状を見て、少し気になったのは兇器準備集合罪で問われたKについてである。あの暴動で使われた兇器をK一人で準備したと考えることは無理であろう。にもかかわらず、凶器準備集合罪で起訴されたのは彼一人である。あれだけの被害が出たにもかかわらず、なぜ、警察・検察は彼一人を兇器準備集合罪で起訴したのであろうか。こうした細部に不明な点は残るが、一審で執行猶予付きの判決が出た。判決に対し弁護側は控訴したが、棄却され、一審判決が確定した。

このコザ暴動については、歓楽街の人も濃淡あるが参加をしていた。米兵の暴力に対して、歓楽街の従業員も〈普通〉の市民も「共闘」[17]できる立場とみなすこともできる。だが、コザ市（市民）からすれば、飲食店は犯罪の温床であり、共闘すべき対象ではないとみなすこともできる。また、歓楽街自体が街の内外にさまざまな敵を抱えており、「自警」を用意していたことを考えると、彼らの職場は危険であり、「浄化」される必要がある場所でもあった。

コザ市の社会状況を考えたとき、歓楽街の人たちは、それ以外のコザ市の人たちと一緒に共同戦線を組む仲間として意識されていたのか、それとも防波堤として外部に置かれていたのだろうか。もちろん「一概に言えない」という回答もありえるが、「一概に言えない」という言葉は、実像把握への思考を回避させるものでもある。コザでは、職業によって一人ひとりの暴力の危険度が違い、平穏と暴力が截然と区分されない状態が日常であった。本稿が秩序に注目したのは、こうした平穏と暴力が截然と区分されない状態から、基地の街が有する秩序の意味を考えたいからである。

それでは、以下、ベトナム戦争が激化し、日本復帰を目前にひかえて、基地の街として不安と動揺を抱えたコザ市の秩序のグラディエーションを、コザ暴動前後を射程に入れて確認していきたい。

2 コザ市の治安をめぐる言説

戦後沖縄の売春業は、藤井誠二が、米兵の性病対策として娼婦が設置（公設化）されていく過程を記述しているように、合法と取締りの曖昧な状態で発展してきた。[*18] そこには身体一つで生きていかねばならない彼女らなりの「生存戦略」があった。こうしたかたちで揃えられた女性たちの生活・職業場所が「性の防波堤」として沖縄の都市部に形成されていったのである。この点をふまえ、直接コザ市、コザ暴動とかかわる話ではないが、佐木隆三の『沖縄と私と娼婦』から復帰前の全軍労ストに関するあるエピソードを引用したい。

全軍労スト第二波三日目のことだった。普天間の闘争本部にAサイン業者が組織した集団が押しかけ、赤ハチマキの労組員とにらみあったのだが、その緊張がわずかにほぐれる場面がみられた。……手すりのすぐ側には一見ホステス風の女性が六〜七人立っていた。そのなかの一人が、急になにか叫んだ。方言だから、わたしにはわからない。しかし、居合わせた皆がどっと笑った。彼女はさらに、なにか叫んだ。スカートをいきなり太腿のところまで、まくりあげた。白人との混血児だろうと思われる顔だちの彼女の、その白い太腿が陽を受けて輝いた。

「なんていったんですか?」知り合いの新聞記者にたずねたが、彼は苦笑しただけで教えてくれなかった。やがて業者側が引きあげ、屋上の彼女も消えた。[*19]

この騒ぎのあと、夜になって佐木は件の記者に会い、言葉の意味を知るのだが、「舞台の上のストリッパーでもためらうような言葉である。荒廃しきった彼女の内側が覗けたような気がする。いかに鈍感なわたしでも「性を陽気にとらえる南国的な光景だった」なんて書くことはできない。売春婦になることが、すなわち人間としての堕落であり退廃であるとは考えない。しかし、すくなくとも彼女らは人間としてよりも〝性交の具〟としてしかあつかわれないのだから、その生活が続くあいだに、精神が荒廃しきってしまうのも無理はないだろう[*20]」と、昼間の行為の背景を、彼女らの置かれた状況への「同情」から理解しようとしていた。〝性交の具〟とされ、精神が荒廃したとされたホステスたちが、Aサイン業者と全軍労の中間に配置され、紛争を緩和させる構図が出現する。しかし、彼女らの登場によって対立が解決したわけではない。そもそもなぜ彼女たちが近くのビルに集ったのか、その意図も不明である。佐木の筆致はホステスへの「同情」もあり、自問自答に陥ったようである。とはいえ、このエピソードから、次のような問いが見えてくる。

彼女らがやったことは、自己犠牲によって対立を緩和させる作業であった。そして、彼女らの仕事は積極的に推奨されたわけではないが、米兵による性犯罪の防波堤としても位置づけられていた。彼女らの自己犠牲で性暴力が拡大するのを緩和させる意味も付与されていたように、市民社会から忌避されながらも必要とされていた。[*21] こうした矛盾の存在は、ストの現場で対立した業者と軍雇用員にも見られ、両者は基地に依存しながら、基地との関係では敵対している。コザ市の財政で考えると、歓楽街も大事な財源だが、歓楽街と「普通」の住民が住む居住地は、社会衛生上対立しているものの、歓楽街を完全に排除することはできない。そもそも空間的にも接近しているので、交叉しながら反発する状態になっている。このように考えると、防波堤（境界線）となるホステスのような底辺労働者を存在させることで、矛盾の苦痛を他者に移譲させ、敵である基地に依存している心理的負担を減少させる構図のなかで人びとは生きていたといえる。

コザの街には、本稿が述べる秩序のグラディエーションのように、沖縄・アメリカという対立軸の低層部において、日々の暴力を緩和させるような仕組みが内包されていたのであろう。こうした点をふまえ、ゲート通りの形成を分析した崎浜靖の議論を紹介し、本稿が提示する秩序のグラディエーションを確認していきたい。
崎浜は「復帰前コザの住民にとっては、米軍関係者による事故・犯罪は日常茶飯事であり、常に米軍による「暴力」と向き合わざるを得ない状況であった」と述べ、「Ａサインバーで働く住民にとっては、米軍と住民のトラブルは最も避けたいものだった……商店街の住民の中には、米軍による度重なる事故・犯罪に対する大多数の県民の持つ意識を共有しつつも、「復帰運動」、「反基地闘争」などの大衆運動に関れないジレンマをもつ住民も少なくなかった。それがある意味でコザの植民地性を如実に物語っている」と、その複雑な心境をまとめている。また、聞き書きをした軍雇用員のＮＺ氏に対し「ジレンマを常に抱えて葛藤して生きてきた」人物と推察している。[*22] 崎浜は分析の主語を、Ａサインバーで働く住民から軍雇用員の住民まで、その属性を丁寧に腑分けすることで、コザ市の住民の多様性を浮かび上がらせている。

次に、コザ暴動が起きた当時米軍向けの仕事をしていた者の声を聞いてみたい。コザでホテルとＡサインバーを営業していた我如古《がねこ》盛栄《せいえい》は、コザ暴動が起きたことを電話で知って「「アイエーナ、デージナトーン（これは大変なことになっている）」と急いでゲート通りに行ったら、煙が残っていて、車がひっくり返っていて、「もうコザはダメだ、コザは生きていけない」と落胆してしまった。一二月二〇日の「コザ暴動」のあとはコンディショングリーンが出て、兵隊は街への出入り禁止。ナーデージなっている。[*23] ……ホテルもみんな閉店状態。かといって、従業員を辞めさせるわけにもいかない。Ａサインも全店コンディショングリーンで経営も苦しくなった。毎日米軍当局に通って陳情して、事件から一カ月経って解除してもらったんだけど、そういうこともありました」と語っている。[*24]

もちろん、我如古がコザ暴動、米軍統治をどのように評価したのか、この発言ですべてがわかるわけではない。とはいえ、コザ暴動に起因する処置で営業が苦しくなったことに対し「デージなっている」という一言に込められた意味は理解できる。

崎浜がNZ氏の発言から嗅ぎ取った「葛藤」、我如古が述べた「デージなっている」は、米軍統治下でアメリカとかかわり合いながら生きていた人たちが、暴動によって基地依存経済が悪いほうに変容する危機を感じ取ったものであった。

コザ暴動が起きる前は、「北爆《ほくばく》開始によって、潤いの度合はググン跳ね上がる。……若い米兵たちは……酒と女とロック、そしてドラッグを求めてこの街を徘徊したのだ」[*25]、「景気が良かったのは、やはりベトナム戦争激化の時期」[*26]と、戦争による「好況」があった。もう一方で、復帰を前にした経済的な不安というものもあった。コザの住民は、戦争による「好況」と、米兵による犯罪（不満）、復帰を前にした不安を抱いた中で、コザ暴動に直面したといえる。

3　コザ暴動後の治安について

コザ暴動後、先に紹介した高嶺は、コザ信用金庫の西田文光《にしだぶんこう》理事長から「お前ら新聞記者は、ウシオーラサー（闘牛士）か。民主団体とわれわれ業者をケンカさせてよろこんでいる」と嚙みつかれたという。

そして、暴動後の殺気立った当時のコザの状況を記している。

反米騒動、全軍労ストで、基地関係業者は米軍の報復のオフリミッツに追いつめられ、殺気立っていた。その吐け口を米軍に向けることはできず、全軍労や民主団体、新聞に向けることによって、ウサ晴らしをしていた。生活がかかっている点では、全軍労の労働者も基地関係業者と同じだった。「沖縄人どうしでケンカさせて、かげで笑っているほんとのウシオーラサーはアメリカだよ」私はそのように反論したい気に駆られたが、黙っていた。[27]

こうした殺気立った状況であるがゆえに、オフリミッツの解除を早め、街の経済を回復するため、平穏を強調する言説が出てきた。もう一方には、暴力の再発が起きることを期待する／危惧する心境も存在していた。両極端の意見であるが二つの意見から見えてくるのは、「経済疲弊」を回避するため、基地依存の常態に戻りたいのか、それとも「経済疲弊」やむなしの中から新しい常態（脱基地依存社会）を模索するのか、基地と経済が絡んだ生活の論理のせめぎあいである。

ここで本稿の目的の一つである自警の問題、誰が誰に対して自警をするのかを、特飲街に注目して確認していきたい。

まず、コザ暴動が起きる前だが、一九六〇年代の新聞記事に暴力団が自警団を名目に金品を要求する記事があった。[28] また、同年に「ふしぎな存在・自警団」と題した新聞コラムでは「なぜ特飲街だけ無警察状態ではないのに、自らを暴力から守るために暴力で対決する自警団が必要なのか、良識ある市民の理解に苦しむところである。……レッキとした警察官が治安維持の任に当たっているのに特飲街にだけ必要なのが、ますますわからないことであり、この自警団がいるために、よけいに暴力がはびこっている感じであり、……暴力を追放するために自警団をおく。……それは法治国のあり方ではない[*29]」と、特飲街における独特の自警団のあり方が問題視されていた。そして、コザ暴動が起きると、「商店街が自衛手段」という見出しのもと、コザ暴動後MPの警備が解かれたあと「二十日午後九時すぎ、米兵がコザ市を襲撃するといううわさが立ってコザ署の警備本部は……警備を強化する緊張したひと幕もあった。このほかゲート通りでは自警団を組織した[*30]」という記事もあった。三つの記事は同じ「自警団」を使っているが、前二者の「自警団」と後者の「自警団」は、行動の論理が違うことが理解できよう。さらに、コザで発生する暴力には人種差別による「抗争」もあった。一九七二年四月の『沖縄タイムス』に「人種抗争は迷惑　コザ・センター通り会、自警団で対処」の見出しのもと、「白人兵と黒人兵の対立に対し、コザ市センター通り住民は、……今後の〝自衛策〟について話し合った。……これ以上、黒人と白人の対立がつづけば経済的打撃はおろか、客が近寄らず倒産の浮き《ママ》目をみるとして、今後は通りの防犯協会独自で自警団を結成し警戒に当たることを決めた[*31]」と、「人種抗争」対策の自警団設置の動きも起きていた。これらの記事から確認できるように、コザの特飲街における暴力と自警は、重層的多義的に存在していることがわかる。本稿が指摘する暴力を内包した秩序とはこういう状態を指している。

　以上、「自警」の構造を見てきたわけだが、第1節で言及したバーテンダーの位置づけと関連する興味深い記述が高嶺の本の中にある。高嶺は、コザ暴動時の大山朝常コザ市長の発言を記録しているが、そこに「風俗営業のバーテンダーなんかが米兵連中をこらしめていた。空手の達人とか、腕に自信のある連中が、米兵が横柄なことをするといじめていた。やむにやまれない気持ちをみんな持っていて、ところどころで小さな爆発があった」[*32]と、米兵の「横柄」に対する連帯の存在を示唆していた。もう一方で、コザ暴動後の大量解雇に端を発する全軍労ストに対し、「嘉手納《かでな》基地第二ゲートの全軍労のピケットラインを基地関係業者や右翼の青年グループが角材などで襲撃した。基地関係業者、右翼の青年グループ対、全軍労と支援の労働組合がゲート通りで投石で応酬、市街戦を繰り広げた。全軍労のピケの夜は、ゲート通りに業者がボーイ連中など若者を駆り集めて、かがり火を焚いて、待機したり、いまにも殺し合いの乱闘が起こるのではないか、と思われるほど物々しかった」[*33]と、対立の構図も示している。

この二つの事例は、敵は違えども暴力の前線に駆り出されるバーテンダー（ボーイなど）の姿が描かれている。前者は、第2節の崎浜が紹介したNZ氏の心境に近いものがある。もちろん、なぜバーテンダーらが米兵を懲らしめるのかというと、営業のためであって、市民社会をおびやかす米軍に抵抗する連帯とは異なるものであった。

米兵の暴力も困るが、後者のように米兵が金を落としてくれる経済に危機を与えるような暴力も困る、この街の経済が動くように暴力と併存した秩序を維持していこうというのが、少なくとも歓楽街（または基地関係業者）の求める「自警」の論理であった。

こうした歓楽街を抱える基地依存の街のため、コザ市では「昨年末のコザ騒動事件いらい相ついで行なわれている反米集会が繰り返されると市民の生命、財産が脅かされる」[*34]と、反米集会にも苦慮して、市長・一部議員が所属政党を離党して、政治対立への抗議を示す事態が起きていた。そのため、一九七一年三月にコザ市が作成した『要請書』には、「日米両政府の谷間におかれた沖縄県民の不満、不信が今回の事件の本質につながる事実を考える時、第二、第三のコザ事件が発生すれば、それこそ沖縄の返還自体にも大きく影響のあり得ることを深く憂慮する」[*35]と記され、コザ暴動への「共感」よりも再発の「憂慮」が示されている。

米兵犯罪に由来する「不満、不信」もさることながら、高嶺が活写した人種差別が街の形成に反映されたことも無視できない[*36]。白人・黒人の暴力沙汰だけでなく、黒人と地元住民による乱闘騒ぎも人種差別による緊張状態に由来するものである。このようにコザ市は暴力の温床になる米軍支配、人種差別の矛盾が「抑圧移譲」のように形成されていた。こうした暴力の構造だけでなく、「普通」の住宅、歓楽街が至近距離で存在するように街が作られたのもコザの特色である。よって、コザの秩序とは暴力と平穏が混在したものであり、そこに住む人びとの性差、職業の違いによって、異なるものであった。均一の平穏ではなく、グラディエーションがある中で、人びとがその都度、平穏さを求める、バランスボールに乗るような状況で秩序は作られていた。

おわりに

コザ暴動とは、沖縄住民の人権環境の不均衡是正をめざす実践であったのか、それとも、人権回復を求める気持ちを表出する意思表示の実践であったのかを考えた場合、「怒り」の表出だけであって、その根本の解決を必ずしもめざすものではなかったのではないだろうか（もちろん、抑圧構造が強く、めざしてもできなかったという評価もできる）。そうであるがゆえに、非日常的な「怒り」は日常に戻る力学が起きると、その痕跡を無化する方向に向かっていった。そこには、商業都市であるコザ市の一面を重視する必要がある（特に年末の「かき入れ時」は、現実的な判断として、日常に戻す必要がある）。その「怒り」に共感したとしても、日常生活に支障をきたすものであるならば、それを持続的に顕在化させることはできない。ただし、それは「怒り」の封印であって、解消ではなかった。不満・不信を過剰適応で抑え込むことで共生を演出することは、コザ市で生きる人たちの「生存戦略」ともいえる。つまり、不信や不満という「暴力の源泉」を抱え込みながら、「暴力の表出」という誘惑と「暴力の抑え込み」という禁欲を併存させることによって均衡が成り立っていた。よって、本論集のテーマである「社会変容と民衆暴力」の「変容」部分が見えにくいことが、コザ暴動の特色といえよう。さらにいえば、コザ暴動への共感が強固であり続けるのは、不満や不信を過剰適応で抑え込むことで共生を演出するコザ市の「生存戦略」が、復帰によって無効になることなく、復帰後も持続し、コザ市に限定されず沖縄全域で再生産されているからであろう。そうであるがゆえに、「第二、第三のコザ暴動」というフレーズもまた、生き続けていることを示している。

【付記】　新型コロナの影響で追加調査をする機会を失したが、本稿を仕上げるにあたって、二〇一七年の沖縄市の調査では、今郁義《こんいくよし》氏、古堅宗光《ふるげんそうこう》氏にコザ暴動時の状況についてインタビューする機会を得た。インタビューを含め資料調査でもご協力を得た沖縄市総務部総務課市史編集担当のみなさまに感謝申し上げます。また、調査から論集刊行の間の二〇二〇年はコザ暴動五〇周年にあたり、メディアを中心にさまざまな特集が組まれた。

最後に私事であるが、私の実家はコザ暴動が起きた場所の近くである。詳細は省くが、親は怖いと思って見に行かなかったそうである。平穏と暴力の偏在を示すエピソードといえる。復帰後のコザ（現・沖縄市）で生活した者として、基地の街コザの雰囲気は皮膚感覚で理解できるが、暴力とは縁遠い平穏な世界の住民という気持ちなので、身近さよりも断絶感のほうが強い。そのため、資料が発する歴史の声の「代弁者」というよりも「引用者」という立場に近いといえよう。

〔注〕

＊1　コザ暴動は、コザ事件、コザ反米騒動、コザ蜂起などさまざまな名称が付与されている。本稿では名称の考察を省いてコザ暴動を使用している。秋山道宏「基地と復帰をめぐる激動」（『沖縄県史各論編7現代』沖縄県教育委員会、二〇二二年）は、藤野裕子『民衆暴力――一揆・暴動・虐殺の日本近代』（中公新書、二〇二〇年）の議論をふまえ、コザ暴動の用語を使用している。

＊2　金城朝夫『沖縄処分――日本の呪縛から解放せよ』（三一書房、一九七三年）一四二頁。

＊3　儀間進『琉球弧――沖縄文化の探求』（群出版、一九七九年）七四－七五頁。

＊4　同右、七九－八〇頁。

＊5　同右、八〇－八一頁。

＊6　この投書は「新聞記事切り抜き集」（箱13－1－21、沖縄国際大学南島文化研究所所蔵大山朝常資料）より引用した。投書が載った新聞は『沖縄タイムス』一九七一年三月二一日である。ちなみに、大山の新聞切り抜き集には、この主婦が批判した投書は切り抜きされていないので、大山はコザ暴動を犯罪として法律で厳正に処罰せよという

意見のほうに関心を寄せたと考えられる。大山朝常資料は、南島文化研究所の特別研究員として閲覧した。

＊7　コザ暴動の解説は辞典類も含め多数ある。さしあたり、『米国の見たコザ暴動』（沖縄市役所、一九九九年）や、沖縄市が年一回刊行し、市史編集担当が編集している『KOZABUNKABOX』には当時のコザ市の状況やコザ暴動を理解するのに適した論考が多数掲載されている。

＊8　高嶺朝一『知られざる沖縄の米兵——米軍基地15年の取材メモから』（高文研、一九八四年）二〇頁。

＊9　同右、二四頁。

＊10　山崎孝史「軍民境界都市としてのコザ——暴動の記憶とアイデンティティー」（谷富夫・安藤由美・野入直美編『持続と変容の沖縄社会』ミネルヴァ書房、二〇一四年）二一八頁。

＊11　加藤政洋「基地都市コザにおける歓楽街「センター通り」の商業環境——一九七〇年「事業所基本調査」の分析から」（『KOZABUNKABOX』一三、二〇一七年）四二頁。

＊12　泉水英計「コザにおける住民と米兵の多重性——ロバーソン報告のコメントにかえて」（『歴史と民俗』三四、二〇一八年）一六八頁。

＊13　須田努「「基地の島」の現実を知り、平和の内実を考える」（須田努・清水克行『現代をいきる日本史』岩波現代文庫、二〇二二年）。

＊14　波平勇夫「戦後沖縄都市の形成と展開——コザ市にみる植民地都市の軌道」（『沖縄国際大学総合学術研究紀要』九－二、二〇〇六年）。波平論文は、「短縮修正」のうえ、前掲『持続と変容の沖縄社会』に再録されている。

＊15　確かに、「第二、第三のコザ暴動の危機」または基地被害の継続性など、連続面を重視する意見があることは承知しているが、断絶面（時代の特性）にも配慮する必要があろう。断絶面としてはベトナム戦争がもたらす社会的影響、人種差別の問題、歓楽街を中心とする圧倒的な基地依存経済などがあげられよう。

＊16　裁判資料は沖縄県祖国復帰闘争史編纂委員会編『沖縄県祖国復帰闘争史資料編』（沖縄時事出版、一九八二年）に収録されている。年齢は判決を報じる『琉球新報』一九七五年六月一七日による。ちなみに裁判にあたって、検

察側は騒乱罪の適用を考えていた。また、弁護側は「抵抗権として行なわれた行為は……それがなされるに至った背景、経過、意思等を総合的に判断」することが必要とし、「被告人らを含む幾千幾万の人民大衆による抵抗行動」（一一五八頁）と、抵抗権を訴えていた。コザ暴動を騒乱罪で理解するのか、それとも抵抗権で理解するのか、暴動の意味づけをめぐる対立の構図があった。

＊17 金子彩里香は「地図から消えた街――コザの名と共に消えたもの」（『クァドランテ』一六、二〇一四年）において、利根川裕『喜屋武マリーの青春』（ちくま文庫、一九八八年）から、コザ暴動で対照的な行動をとった喜屋武マリー・幸雄夫婦の姿を紹介している。利根川はコザ暴動に参加したAサイン従業員について述べている。そして、「ハーフ」のマリーはアメリカに向けられた投石の風景から、幼い頃自分に向けられた「ののしりの声」をよみがえらせたとも記している。反米闘争であるコザ暴動には、沖縄住民から差別された「ハーフ」の複雑な関係も浮かび上がらせている。

＊18 藤井誠二『沖縄アンダーグランド――売春街を生きた者たち』（講談社、二〇一八年）。

＊19 佐木隆三『沖縄と私と娼婦』（ちくま文庫、二〇一九年）一五六－一五七頁。本書の初版は一九七〇年である。
ここで簡単に、Aサインについて説明したい。米国民政府は軍関係者のために、一般の飲食店より衛生上、高い基準を満たしていると評価した店に営業許可証を与えていた。衛生面の選定は、飲食店だけでなく風俗店などにも行っていた。営業許可証の紙面に大きく「approved」（許可）の「A」を表記しているので、この営業許可証を「Aサイン」と呼んでいた。

＊20 同右、一五七－一五八頁。

＊21 もちろん、娼婦の存在によって民間人への性犯罪が防止されたわけではない。また、売春業に就く人も生活のために「やむを得ず」選択している部分もある。性産業については、小野沢あかね「米軍統治下沖縄における性産業と女性たち――一九六〇～七〇年代コザ市」（『年報日本現代史』一八、二〇一三年）、同「女たちにとっての性産業」（『沖縄県史各論編8女性史』沖縄県教育委員会、二〇一六年）や、田中雅一「軍隊・性暴力・売春――復帰前

後の沖縄を中心に」（田中雅一編『軍隊の文化人類学』風響社、二〇一五年）などを参照のこと。

＊22　崎浜靖「ゲート通りの形成と住民のまなざし――復帰前の状況を中心に」（『KOZABUNKABOX』一四、二〇一八年）一七－一八、二二頁。

＊23　大山朝常資料のなかに「コンデショングリーン発令中の損害とその影響について」（一九七一年、コザ商工会議所作成、箱5－3－30）がある。タクシー会社、Aサインバー、土産品店、その他を含む二二業種の「発令中（一二月二〇日から二九日間）の一日の売上高」や、「発令中の損害額」などの項目で損害が記されている。ちなみに、コンデショングリーンとは、アメリカ軍が設定した五段階の警戒レベルの一つ。下から二番目だが、この警戒発令をもって外出を禁じる根拠とした。

＊24　我如古盛栄「証言②基地の街の「復帰」と「合併」」（『KOZABUNKABOX』一一、二〇一五年）三三－三四頁。

＊25　砂守勝巳『オキナワン・シャウト――蒼海を越えたカメラ』（筑摩書房、一九九二年）五六－五七頁。

＊26　同右、八八頁。

＊27　前掲、高嶺『知られざる沖縄の米兵』八四頁。
オフリミッツとは、アメリカ軍によって出される指令で、米軍人・軍属などが民間地域へ出入りすることを禁止する内容である。表向きの理由は、反米行動に対するアメリカ人の保護だが、アメリカ軍人等の消費に依存しているところは、この措置で、経済が悪化するので、反米行動への「警告」という意味も含まれていた。

＊28　『沖縄タイムス』一九六二年五月二五日。

＊29　『琉球新報』一九六二年一二月四日。

＊30　『沖縄タイムス』一九七〇年一二月二二日。

＊31　『沖縄タイムス』一九七二年四月二五日。

＊32　前掲、高嶺『知られざる沖縄の米兵』六八－六九頁。

＊33　同右、八二－八三頁。

＊34　『沖縄タイムス』一九七一年二月二〇日。

＊35　箱4－3－3、沖縄国際大学南島文化研究所所蔵大山朝常資料。本資料の表紙に「71・3・8沖特委えの要請」とペン書きされている。

＊36　前掲、高嶺『知られざる沖縄の米兵』の「Ⅵ軍隊のなかのブラック・パワー」を参照。高嶺は、公民権運動の高まりからこの時期の人種対立を捉えて、問題の構図を描いている。また、與座隆「戦後沖縄の米軍内での人種問題と地元住民の関係について」（『沖縄史料編集紀要』四〇、二〇一七年）も参照のこと。

四　衡平社の誕生と反衡平運動の論理

趙　景達

はじめに

周知のように、日本では一八七一年にいわゆる賤民解放令が布告されると、すぐに一般民衆の反対一揆が西日本一帯に続発した。それに対して朝鮮では九四年に賤民解放が布告されても、反対民乱（一揆）が起こるということはなかった。もちろん「白丁《ペクチョン》」（白丁というのは差別語だが、以下繁を避けるためカギなしで記す）に対する暴力事件がまったくなかったわけではなく、一般民並みの服装をしたり、権利を主張したりする旧白丁に対する暴力や、地方官の不当な措置・収奪などが生じたりしたのは事実である。しかし、日本のように死者を出すほどの騒乱にまでは至らず、一君万民理念を掲げる政府も白丁保護の姿勢を示した。高宗などは積極的にさまざまな賤民と面会し、寵愛する旧白丁を高官に取り立ててもいる。その結果、旧白丁への差別や暴力は徐々に緩和されていくとともに、独立協会運動や国権回復運動に旧白丁も一部参加したし、三・一運動にも旧白丁の参加があった。白丁の民族化が進行したのである。こうした朝鮮賤民史のあり方は日本とはおよそ違っており、日本史的なアナロジーで朝鮮の白丁を捉えてはならないというのが、筆者の認識である。[*1]

旧白丁に対する差別と暴力は、植民地下においてこそ深刻さを増していく。わけても三・一運動後に社会運動が活性化する中で衡平社が誕生すると、反衡平運動が巻き起こることによって頂点に達する。衡平運動というのは、一九二三年三月に日本で水平社が誕生したことに刺激を受けて、およそ一年後に創設された衡平社の社会運動のことであるが、反衡平運動は、具体的にはいったい何ゆえに起きたのか。このことについては、偏狭な保守主義者が旧白丁の人権運動に大きな反感を持ったのはもちろん、[*2]一般民は新興の社会運動勢力が旧白丁を擁護することに対しても反感を持ったし、[*3]旧白丁は獣肉販売の特権を依然として保持していながら「二重特権」的に人権伸張も主張しているという誤解に基づく反感があった、[*4]などとする情緒論的な見解が大勢を占めている。これに対して崔保慜は、そうした情緒論は一般論的にすぎ、その情緒というものがどのような条件や脈絡で醸成されたのかを分析する必要があると批判し、農業市場や労働市場で白丁に職を奪われることに対する、農民や労働者の生存をめぐる恐怖こそが反衡平運動の動因であるとした。[*5]また小川原宏幸は、一般民衆には衡平運動が持つ近代主義的様相への反発がある一方で、地域有力者には保守主義的な身分観を持つ者だけではなく、近代主義的な実力養成論に基づく自己責任論があり、その二重性において秩序回復を志向する地域社会は複雑な葛藤を強いられていたと指摘した。[*6]一般民が旧白丁や社会運動勢力に反感を持ったのは確かにそのとおりであるが、崔保慜が批判するように、やはり一般論的にすぎ、表層的な本質論にとどまっているように思われる。しかし崔の見解も、一見踏み込んだ議論のように見えるが、旧白丁と一般民は本当に経済的に生存をかけた競合関係にあったのかといえば、はなはだ疑問といわざるをえない。旧白丁人口は、総督府が把握しているかぎりの数字では日本の部落民とは比べようもないほどに少数であり、一九二〇年代を通じてほぼ三万人台であり、せいぜい四万人に届くかどうかという程度であった。農業者や労働者の数も微々たるものでしかなかった。朝鮮人農業者や労働者にとって経済的競合者として深刻な脅威になっていたのは、むしろ中国人移民である。二五年当時、朝鮮全土で中国人は旧白丁人口を上回る四万六一九六人が在住し[*7]、朝鮮人農業者や労働者の大きな脅威となっており、彼らに対する民衆暴力が三一年七月、平壌を中心に百数十名の中国人犠牲者を出した排華事件である[*8]。他方、小川原の見解は植民地化と近代化（性）という問題を同時に射程に収め、いわば植民地近代性論への批判が含意されており、伝統と近代の連続と断絶が客観的に分析されていると評価できる。しかし伝統的な在地秩序観がどのようなものであり、それが反衡平運動とどのように切り結び、一般民の心性をどのように規定したのかという問題はなお残されている。植民地化によって農民や労働者がいっそう周縁化されていく中で培われた心性は、伝統的な在地名望家のあり方や民衆運動の政治文化などの変化を見ることなしには解明しえない。本稿はこうした観点から反衡平運動の論理を、特に運動の担い手であった農民層の心性に着目しながら解明しようとするものである。

衡平運動をめぐる史料は近年、大部な史料集である部落解放・人権研究所衡平社史料研究会編『朝鮮衡平運動史料集』（解放出版社、二〇一六年）と『朝鮮衡平運動史料集 続』（解放出版社、二〇二〇年）が刊行された。本史料集は基本的な史料をほとんどカバーしているのみならず、白丁問題一般に関する基本史料も多く収録し、しかも韓国語のものは日本語に翻訳している。実は冒頭に述べた筆者の白丁論は、この史料集を使って衡平運動に関する論文を書くようにという要請を受けて披瀝したものだが、白丁の歴史を近代移行期を中心に三・一運動までについて捉え直すという作業に終始して紙幅を使い果たし、史料集の活用がほとんどできなかった。本稿はこの課題に改めて応えようとするものであり、当該論文の続編でもある。また衡平運動に関する新聞史料の翻訳としては、つとに池川英勝・秋定嘉和訳「東亜日報(一九二三〜二八年)に見られる朝鮮衡平社運動記事」(『朝鮮学報』六〇、六二、六四、一九七一〜一九七二年)がある。本稿はほとんどこれらの史料に基づくものであるので、その史料注は紙幅の都合上、本文中に括弧をして『史料』『史料続』『東亜』などと略記し、原史料の文献タイトル名も特別なものを除き記さないことにする。

1　植民地下の白丁と衡平社の誕生

白丁は本来良民でありながらもその職役を賤視され、奴婢以下的とみなされ、過酷な差別を受けてきた特異な存在である。にもかかわらず、柳細工のほか斃牛馬を無償で入手し、その肉と皮も独占的に処理・加工・販売したうえに、それに対する納税や軍役(のち戸布税)義務も負わなかった白丁は、時に地方官から不当な収奪を受けることがあったにせよ、一般民より豊かな者が多かった。しかし解放されて以降、特権を喪失しただけではなく、地方官の不当な収奪が強化されるとともに、日本人の屠夫業・獣肉販売業への進出がなされ、個人経営がほとんど不可能な状況となる中で、旧白丁は公営やその外郭団体に隷属し、単なる屠夫に成り下がる者が増えていく。[*9] それでも韓国併合頃まではなお金満家が多く、ジャーナリストの山道襄一は一九一一年当時「白丁は一般に富有《ママ》の者多く、両班或は常民中には彼等に乞ふて密かに融通を求むるものあり」(『史料続』四三五頁)といっている。

確かに植民地化は旧白丁の零落を加速させた。一八年当時の調査で、のちに京城帝国大学教授となる高橋亨は、「現在白丁の生活状態を以て旧韓国時代の其〔れ――引用者、以下同じ〕と比較するに遙に困難の度を加へたること疑ふべからず。(中略)新政に至りて、屠牛場公設せられ、白丁等は只撲殺割宰夫として雇はれ、一頭に一円八〇銭を得るのみ」と述べている(『史料続』四三八－四三九頁)。二九年段階になると、一般民の中にも牛肉販売を行う者が漸増していき、その結果「我々の生活費が半分になってしまった」という深刻な声も上がってくる(『史料続』九二頁)。しかし高橋は続けて、農業に従事する者が増え、「相誡めて品行を慎み節制を守り、契(日本の講と類似したもの)を作りて勤勉貯蓄を躬行するに至り」、「収入は昔時に比すべからざるも、富力は寧ろ優ると謂ふを得べし」(『史料続』四三九頁)とも述べている。要は、全体的に貧窮化が進んだのは事実だが、階層分化が広がり、富める者はなお豊かであったのである。

事実、旧白丁は今や一般民と区別がつきづらい状況になっていた。牛肉販売を業とするばかりか、皮革・柳器製造に携わる一般民が出てくる一方で、旧白丁にも農業に進む者が増えていっただけではなく、移住して旧身分を悟られることなく一般民と混住することが可能になったからである。[*10] 実際の旧白丁人口は総督府に把握されない人びとを含めれば、七～八万人ほどいたのではないかと推測されるが、[*11] いずれにせよ一般朝鮮人への「同化」が進行したのである。しかし既述したように、増加したとはいえ農業者や労働者はわずかでしかない。二〇年代における階層分化については、高淑和の研究がつとに明らかにしているが、[*12]崔保慤への反論の必要から以下のことを指摘しておきたい。二四年の総督府警務局の調査では、旧白丁の総戸数七五三八戸（総人口三万三七一二人、一戸当たり四・五人）中、伝統職種（屠夫・製革・製靴・獣肉販売・柳器製造）四八三六戸（戸成員の男女合計：二万二一一五人）に対して、農業一四五六戸（七三九一人）、労働二七戸（七三人）で合わせて一四八三戸（七四六四人）である（『史料』一〇五頁）。二六年の調査では、総戸数八二一一戸（三万六八〇九人）中、伝統職種四六五八戸（二万七三〇九人）に対して、農業一〇七〇戸（一万二二五人）、労働三〇一戸（一一五三人）となる（『史料』一二二頁）。なるほど伝統職種が減って農業・労働人口は増えている。しかし、労働戸数はまだ三〇〇戸ほどでしかなく、なお一般民の脅威にはなりえていない。農業戸数に至ってはわずか二年で七三％まで激減しているのに、人口は逆に一三七％まで激増し、一戸当たり成員は五人から九・五人に増えている。これは経営者が淘汰された結果であると考えるしかないが、詳しい要因は今後検討される必要がある。ただ、移住して農地を入手した旧白丁が経済的余裕や展望が見込めるようになったことから、子世代や親世代を呼び寄せたり、あるいは住み込みのモスム（作男）を雇い入れるようになったことを示唆しているとも推測される。旧白丁は顔が知られている出身地域で小作農になることなどほとんど不可能で、その多くは旧身分と悟られることなく他地域で農地を購入して自作経営を行い、小作競争で一般民と競合することなどほとんどなかったものと思われる。

一方、旧白丁の教育熱は一般民を上回るものがあった。総督府警務局の調査によれば、一九二六年段階で旧白丁の普通学校在校生は、人口三万六八〇九人中、一五一六人であった（『史料』一二二―一二三頁）。単純に普通学校就学者の全人口比を割り出せば、四・一％である。一方、一般朝鮮人は総人口一八五四万三三二六人中、普通学校在学者は三九万六四人で、その比率は二・一％である。[*13] 旧白丁のほうが二倍の割合を誇っているのである。[*14] 先にあげた山道襄一は、韓国併合直後にすでに「〔旧白丁が〕近時学校を興し教師を聘して同族間の修学を奨励しつ、あるが故に種々なる人物の輩出を見、階級的慣習的争闘が従来の常民両班と彼等との間に惹起さる、ことは又免る能はざる所なる可しと察せらる」と述べていた（『史料続』四三五頁）が、富力の違いからくる教育格差の問題が、やがて旧白丁と一般民の間で紛争に発展することを先駆的に予見していた。

衡平社は、以上のようなことを背景にして一九二三年四月に慶尚南道の晋州で創設された。晋州は、白丁差別が深刻な一方で、白丁もいち早く覚醒した地域であった。一九〇〇年、晋州をはじめとする一六郡の旧白丁が黒笠の着冠許可を嘆願すると、慶尚南道観察使は笠のひもを生牛皮にするように命じたので、旧白丁は上訴し、内部（内務省）がそれを取り消すという措置をとった。大きな成果だが、その代償も大きく、しばらくしたのちに、晋州府民数百人が府内の白丁を襲い、家屋一〇余戸を打ち壊すという事件を起こした。[*15] これは、大韓帝国期に起きた一般民の白丁襲撃事件の中でももっとも大きなものであった。こうした歴史的背景があったればこそ、衡平社は晋州で最初に創立されえたのだと思われる。

衡平社は、旧白丁と一般民が共同で設立したものであり、その中心人物は、前者が張志弼・李学賛、後者が姜相鎬・申鉉寿・千錫九である。警務局の調査によれば、子どもの進学で差別にあった資産家の李学賛が水平社の創設に刺激され、一般民の姜相鎬・申鉉寿・千錫九に相談し、慶尚南道宜寧在住で明治大学を中退した張志弼も仲間に入って衡平社が設立されたということになっている（『史料』一一五頁）。一方、東亜日報社初代晋州支局長の姜相鎬と朝鮮日報社晋州支局長の申鉉寿が相談して水平社のような組織を作ることを決意し、張にも声をかけ、他の二人も加わることで、衡平社の設立に至ったという説もある。[*16] 確実なことはわからないが、おそらくは李学賛側と姜相鎬側の両方でほぼ同時に構想がなされ、自然と一つに結びついていったのであろう。いずれにせよ重要な点は、衡平社は旧白丁の資産家や知識人、一般民の知識人が手を結んで作った組織であるということである。しかも姜も申も晋州禁酒断煙会・晋州共存会などの社会運動団体の幹部であり、また千錫九は花山商会主人という商業経営者であった。いうなれば、一般民には徳望家や名望家が入っていたということであるが、この中で特に注目される人物は姜相鎬である。彼は晋州では名門の両班《ヤンバン》家門の出身で、父親も名望家として知られた資産家であったが、儒学を修めたのちに民族的な学校を卒業し、さらに公立の普通学校、農業学校を修了した。卒業と同時に父親が設立した学校の経営にあたるも、三・一運動に参加して懲役刑を受けた。その後東亜日報社の初代晋州支局長になり、さらに衡平社の設立を主導するのだが、その間、窮民保護のために戸税を代納したり、寄付などもしている。[*17] 文字通りの名望家、徳望家であり、農民の味方であった。朝鮮王朝は儒教国家であり、民本主義を標榜した。現実には民本主義と背馳する悪徳地方官や胥吏《しょり》などが数多くいて民衆を苦しめてきたが、理念としては儒教的民本主義は最後まで維持された。在地社会においても、どれほど私欲に満ちた士族であろうが、それを否定することはできなかった。そして、実際の地方政治が民本主義に反して民衆を苦しめた時、呈訴活動や民乱が起きるのだが、往々にしてその指導者になるのが、天下と民のために行動し、真に士たることを自負する徳望ある両班や、士たろうとする在地知識人であった。したがって、民衆運動では士族と民衆がともに立ち上がり、士族が指導するのが当然のあり方であった。そこでは富力や権勢を持っていることは有利にはたらいたが、必ずしも絶対的に求められたわけではなく、朝鮮特有の政治文化である徳望家的秩序観なるものが機能していた。[*18]姜や申などはまさにそうした伝統の上に衡平社の設立に参加していったのだと理解することができる。

水平社運動が部落民だけを会員としたのに対して、それに刺激を受けた衡平社が一般民の協力どころか、そうした人士が重要な発起人・指導者として参与したことにこそは、朝鮮の伝統的な政治文化がよく現れている。旧白丁の張志弼は、新聞記者のインタビューで、「我々は哀願的であり、反抗的ではありません。しかし社会がいつまでも人間的待遇をしない時は、仕方なく、対抗でもしてみる決心である」(『東亜』二三年五月二〇日)と述べている。朝鮮時代、一般の民衆運動からも排除された白丁は民本主義的政治文化の恩恵をまったく受けず、徳望家的秩序観の埒外にいたが、植民地期に入って初めてそうした朝鮮の伝統的政治文化を共有することができるようになったのである。実際、当初の衡平運動の方法は社会の良識と名望家に訴えようとするものであった。金徳漢という社会主義者は、衡平運動はその成否を「多くの人が同情してくれるかどうかに」かけるばかりか、「紳士を歓待し、無名人を疎んじる心理」をもって資本家的な名望家を多く招待し、「プロレタリア運動と隔たりがある」運動だと批判している(『史料続』三一九頁)。反衡平運動の主役たちも零細な農民や農業労働者で、本来なら名望家や徳望家の支援を受けるべき人びとであった。衡平運動はその初発から一般民との間で抜き差しならぬボタンの掛け違いをしていたのである。

2　慶北醴泉分社襲撃事件

衡平社は一九二三年四月二四日に晋州青年会館で発起人会が開催され、翌日正式に総会が開かれて創立の運びとなった。青年会館を貸与した晋州青年会も衡平社の創立を支援したのである。次いで五月一三日に盛大に創立祝賀式が開かれたが、各地方の旧白丁代表者一〇〇人とその他会員五〇〇人が集まったというから、一般民のほうがはるかに多かったようである（『東亜』二三年五月一七日）。翌日には会議が開催され、姜相鎬ら五人の委員のほか新役員が選任されたが、ほとんどは皮革商や精肉店を営む、各地の有力な旧白丁たちであり、張志弼は専従活動家となった。[*19] 多額の「同情金」も集まって臨時資金一万円を調達することが決議され、資産家の支援も受けられるようになった（『東亜』二三年五月一七日）。ところが、この日すぐに反衡平運動が起きることになる。「生意気な真似をする」と憤った晋州付近の村々の農庁（村の自治機関）が、約二〇〇〇人の農民を市内に動員し、牛肉不買不食同盟の結成を呼びかけ、衡平社解散の示威を行ったのである。すると衡平社の側でも四〇名の決死隊を組織し、騒然となった。二三日にも二五〇〇名が市内の学校に集結し、正式に牛肉不買同盟を結成するとともに、衡平社創立祝賀式に参加した労働共済会員を「新白丁」と呼んで絶交することなどを決議した。また一〇〇名ほどの農民が、「新白丁姜

○○《相鎬》、中○○《鉉寿》、千○○《錫九》」「新白丁姜○○《相鎬》銭に買はれて白丁となる」などと書いた旗を押し立て、農楽の演奏とともに示威行進をした。[*20] 農楽隊は中鉉寿と千錫九が経営する商店にも乱入し、大声で騒ぎ立てた（『東亜』一九二三年五月三〇日）。反衡平運動は結局、労働共済会の説得に応じ、六月中旬にようやく収まった（『東亜』一九二三年六月二七日）。労働共済会は本来、小作人の権益を伸張させるための団体であり、姜相鎬も参加していた。この運動で特徴的なのは、旧白丁への憎悪以上に激しい新白丁と名指しした姜ら徳望家、名望家への憎悪である。中でも窮民救済者で農民の味方であったはずの姜に対する憎悪はひとしおであった。

反衡平運動はその後、他の地域にも漸次拡散し、警務局の調査では一九二三～三五年に四五七件の衝突事件が確認されている（『史料』一三六頁）。ここでは紙幅の関係から、その中でももっとも過激に展開され、中央の社会運動家にも大きな影響を与えたことで有名な慶尚北道醴泉分社襲撃事件を中心に、以下議論を進めていきたい。この事件の概要は、「予審終結決定」によればおよそ次のようである。事件は一九二五年八月九日、醴泉で行われた衡平社安東支社醴泉分社創立二周年祝賀会を起点に起きた。この時、本部常務委員の張志弼や李而笑などとともに、醴泉青年会長の金碩熙が述べた祝辞が問題となった。金は今や差別が撤廃され、ことさらに衡平運動をする必要もなく、教育さえ受ければ、道知事にも郡守にもなれる、ただし老人の場合はなお差別を受けるかもしれないが、それはやむをえないという趣旨のことを述べたのである。衡平社員などはその場で「不穏当」だと反発したが、これを聞いた一般民はその夜、青年会長すら批判されるのだから、「我々ノ如キ労働者ハ今後如何ナル圧迫ヲ受クルヤモ知レヌカラ衡平社ヲ打破」しようということになり、委員たちの宿舎になっている朴元玉という人物の個人宅でもある醴泉分社に向かった。労働者とあるが、その実態はモスム（作男）であって農民と変わらない。彼らは農楽を奏でながら一〇〇名以上の人びとを動員して分社を襲撃し、朴元玉など数名に暴行を加えた。翌日夜にも分社の前で騒ぎ、張志弼・李而笑と代表者が口論となったが、警官が来て解散となった。問題は三日目の一一日夜である。警察に呼ばれていた張志弼と李而笑が戻ってくるのを待ちかまえていた群衆は、再び分社を襲撃し、張・李・金南洙（左翼団体の安東火星会員）らを引きずり出して分社前の埋め立て地で身体を縛り上げ、重傷を負わせたのである。そして、「新白丁ヲモ襲撃セヨ」ということになって新興青年会を襲撃して看板を破壊し、さらに一部の群衆は数人の衡平社員の自宅を襲って傷害に及んだ（『史料』一九九－二〇一頁）。

事態は深刻であった。一一日には数千人の農民が集まり、張志弼は一時意識不明となった。また李而笑は、「以前の白丁にもどることを強要された」という。農民とはいえ主導しているのは醴泉労農会の貧しい会員たちであり、彼らは本来社会運動団体の支援を受けてきた人びとであった。衡平社員への攻撃もまなく行われ、男女を問わず殴打したといわれる。しかも、新興青年会への襲撃に際しては、「新白丁を捉えて殺そう」と叫ぶなど興奮状態であったという（『東亜』二五年八月一六日）。襲撃群衆は五、六千名で衡平社員たちは六〇余戸、五、六百人が安東地方などに逃れたといわれる（『史料続』一七四頁）。

このような大事件になったのには、大きく二つの伏線があった。第一には、新興青年会員のことごとくが衡平社に入社しただけではなく、醴泉青年会員の中にも衡平社に入社する者が一四、五名いたことである（『史料』一八四頁）。そのことで醴泉の旧白丁は大いに勇気づけられ、「「白丁」ハ一般両班等ト全ク同一ノ地位ヲ獲得セルモノ」と宣伝するのみか、「普通民ニ対シ「君」又ハ「オ前」等ノ語ヲ以テ応酬スル」ことが各所で見られたという（『史料』一九九頁）。金碩熙の祝賀式にふさわしくない侮蔑的な発言は、まさに新興青年会に対する嫉妬から出たものであるらしい。『朝鮮日報』（二五年九月一日）は、醴泉青年会は旧白丁よりも新興青年会を嫌ってそうした愚行に及んだとする新聞投稿を紹介している（『史料続』一七七頁）。農民の憤りも、両班家門出身者が多くいたであろう若き地域エリートが旧白丁に味方することに対する驚きと落胆からであった。現に衡平運動を行う旧白丁の中に「両班になるための両班運動である」と考えていた者がいることは、衡平運動家の朴平山という人物が認めており、朴は「無知な分子だ」と慨嘆している（『史料続』九四頁）。

第二には、警察が傍観的対応をとるどころか、一般民側に肩入れするような態度をとったことである。朝鮮労農総同盟など一四団体が醴泉事件について連合協議した報告によれば、醴泉警察署は張志弼・李而笑らを呼び出して、醴泉退去を促すとともに新興青年会の衡平社入社を中止するように求めたが、彼らが警察署を退去する際には、警察署を包囲していた、罵声を浴びせる一〇〇〇人ほどの群衆の中を歩かせ、護衛の警官は彼らを解散させようともしなかったという（『史料続』一八五頁）。張志弼などとともに傷害を負った金南洙は、警察を信じていたにもかかわらず、「無警察状態テ如何ニモ残念」であったと述べている（『史料』一七八頁）。警察が農民側に立っていたのは、衡平社が設立された当初からであった。晋州警察署長は農庁の代表に、日本の「穢多」は何一つ成功したことがないが、衡平社もそれと同じだから、

「衡平社の白丁たちに誤りがあれば、私がすぐ解散させるつもりだ」と述べていた（『東亜』一九二三年五月三〇日）。また、一九二三年八月に慶尚南道金海で起きた衡平運動に際しては、警察署はやはり農民側に肩入れし、警察署長は「公共の建物をこわすことはかまわないが、個人の家を破壊することは許すことができない」とまで述べたという（『東亜』一九二三年八月二三日）。こうした対応は、治安上より注意しなければならないマジョリティの一般朝鮮人に対してガス抜き効果をねらったものであると推察される。排華事件でも、当局は傍観的な態度をとったが、当時保安課長として責任ある立場にいて、のちに総督府政務総監となる田中武雄は傍観的態度を決め込み、戦後そのことを正直に告白している。[*21] また二五年当時、田中は「常民対白丁の紛争」は「孰れかと云ふと白丁の理不尽な反抗心によつて殊更に誘発せられている」と述べており（『史料続』五六頁）、マジョリティの立場に寄り添っていた。被植民地民族を分断させるというのは、帝国主義の常套的統治手法である。

一方、醴泉事件における民衆暴力で興味深いのは伝統的な民乱の作法を踏襲している点である。農庁が農楽や旗を掲げて衡平社や「新白丁」を襲うという手法は、旧来の民乱を彷彿とさせるものがある。農庁は稲作における共同労働であるトゥレを行う際の母体となる組織だが、そこでは農楽や飲食が重要な役割を果たし、祝祭的に農作業が行われた。祝祭と鬱憤晴らしが一体化する民乱は珍しくなく、三・一運動でも広く見られた。[*22] しかし、一般農民と集落を異にする白丁はトゥレから排除されていた。しかも農庁は、かつて非公式に白丁を監督して懲罰する組織でもあった。[*23] 農楽の喧噪の中で旧白丁を襲うという手法は、かつての忌まわしい記憶を呼び覚ませる効果を発揮したに違いない。農楽とともに激しい暴力をふるうことはほかでも行われており、金海では数千名の農民が太鼓を打ち鳴らして邑内に入り、棍棒を持って青年会や教育会、衡平社幹部の家などで騒ぎ立てて旧白丁村も襲い、数千円の損害を与えている（『東亜』二三年八月二〇、二三日）。ただ窃盗や強盗・殺害などは行っていない。衝突事件での殺害は三二年までで一〇名に及ぶとされる（『史料続』三六〇頁）が、三五年までに四五七件あったという騒動の多さとその激しさからすれば一〇名というのは相当に少ない。そして、少なくとも初期の三大騒動ともいえる晋州事件・醴泉事件・金海事件では死者は出ていない。農民特有の共同体的な自律性が発揮されたのである。

3　反衡平運動の論理と人びとの分断

では、自律性を保ちつつも激しい暴力をふるった農民たちの憤りは、いったい何に起因するものなのであろうか。在地秩序観や民衆運動の政治文化などの伝統的なあり方の変化に着目しながら考察してきたこれまでの議論からいえることは、マジョリティであるはずの一般民のほうがかえって孤立感や疎外感を深めており、そこにこそ反衡平運動の深層要因があったのではないかということである。何よりもかつて農民の味方であった姜相鎬のような伝統的名望家、徳望家が旧白丁の側に与したことは、一般民にとって背信行為と認識されたことであろう。かつての民乱では、名望家や徳望家が民衆から指導者になることを要請されて断った場合、声望を失いかねず慎重に処さなければならなかった。姜も相当な苦悩を強いられたであろう。姜は衡平運動を始めて以降も、労働共済会で活動したり、統一戦線組織新幹会の晋州支部で活動するなど、一貫して社会運動家であった。

一方、マスコミや近代的知識人が多く衡平社の擁護、支援に回ったことは、一般民の孤立感・疎外感を決定的にしたものと思われる。彼らは新しい名望家、徳望家であり、やはり本来民衆の味方のはずであった。一九世紀末に朝鮮最初の近代新聞である『独立新聞』が創刊されると、同紙は悪徳大臣や悪徳地方官などを告発し、悪政に苦しむ民衆の声を紙面に載せ、告発・告訴文化を構築した。徳望家的秩序観のあり方が近代的な変容を見せたのである。しかし衡平社誕生以来、マスコミは旧白丁に同情的であり、知識人も続々と衡平社の支援に回っていった。衡平社一周年記念祝賀会には祝文や祝電が「各地方団体と個人から山のように届いた」(『史料続』一四〇頁)し、衡平社員もふくれあがり、『時代日報』(二六年一月四日)では、衡平社会員は二八万人にものぼったと報道している(『史料続』一八五頁)。後年の報告だが、三二年には社員数は三八万七〇〇〇人にものぼり、衡平社は「一般社会団体に比べ経済的に潤沢」であったともいわれる(『史料続』三五九頁)。会員数については多分に誇張された数字だと思われるが、旧白丁よりも知識人をはじめとする一般朝鮮人の会員のほうがはるかに多かったのは間違いない。しかもマスコミは、晋州での反衡平運動に際して暴力的な労農層を「がんこで無知な人びと」「無知蒙昧な輩」などと指弾した(『東亜日報』二三年五月二〇日、三一日)。醴泉事件では事後のことだが、『朝鮮日報』(二五年八月一九日)は、「罪過」は労農会員側にあると一方的に批判した(『史料続』一七〇頁)。また、各地の青年会なども農民を愚弄した。金海では、学校で開催された衡平社の趣旨説明会に「現今労働の神聖を知らない」として「農民の入場を厳禁した」うえに、ある青年会員が「農民は白丁より劣る」と語り、そのことが労農団体に伝わったことによって反衡平運動が引き起こされたという（『史料続』一三六頁）。これは総督府御用紙の『毎日申報』（二三年八月二〇日）の報道なので、割り引いて考える必要があるが、多くのマスコミは衡平社に同情的なので、かえって真相を曖昧にしている節がある。『東亜日報』（二三年八月二二日）などは「青年会幹部数名」が衡平社を援助したことに対して農民たちが反発したというばかりである。さらに醴泉事件直後、同じく慶尚北道達城郡玄風面でも反衡平的機運があったが、その契機は衡平運動を支援する二人の青年が「労働者は犬畜生のようなものだ」との暴言を吐き、ある農民にも暴行をはたらいたことにあった。面内の労働者はほとんどがモスムであったが、このことに怒りを禁じえず、ここに衡平社との関係が険悪になったという（『東亜』二五年九月六日）。

旧白丁を擁護する新興社会運動勢力に対する一般民の反感が、旧白丁に対する保守的な差別意識と相俟って反衡平運動が引き起こされるに至ったという説明は、決して誤っているわけではない。しかし歴史的射程を長くとってみた場合、それはかつて民衆運動の興起などで農民の味方であった名望家や徳望家が、近代的知識人となって身分解放を推し進めようとし、旧白丁の側に付いてしまったということを意味する。経済的には旧白丁以上に周縁化した農民や労働者は、今やマジョリティでありながら孤立感や疎外感を深めていくしかなかった。晋州で最初に反衡平運動が起きた時、農庁の代表者たちは、五つの決議事項を掲げたが、その中の一つには、「晋州青年会に対して、衡平社と絶対に関係がないようにすること」という要求があった（『東亜』二三年五月三〇日）。それはまさに、「我々農民を見捨てるな」という言葉のように聞こえる。また、金海では農民たちは「我ら農民が白丁より劣るとは何か、我々が冬の寒さを顧みずこの学校の敷地、運動場の仕事に各洞の農民数千名が食事を持参して出役し助力したのが白丁より劣るのか、どうして入場を禁じたのか、白丁であっても拝金主義を養成しようと洋服を着るので白丁だけ歓迎して入場させたのかと非難」したという（『史料続』一三七頁）。青年会は軍楽を奏しながら大々的に衡平社支援の巡回宣伝活動をしたというが、農民たちには、青年会は拝金主義的に洋服を着る旧白丁と近代的価値感を共有して連帯し、旧白丁以上に周縁化している自分たちを攻撃していると思えたのであろう。軍楽と農楽というのも、近代と伝統（民俗）を表象している。農民たちからすれば衡平運動というのは、新名望家・徳望家が旧白丁と近代の連合戦線を結んで行う反民衆的運動であったのである。植民地支配から逃れられない農民にとって、それは二重の仕打ちとして認識されたのではないかと思われる。

衡平運動と反衡平運動との対立は、民衆にとって出口を容易に探りえない植民地的アポリアを見事に表象するものであったといえよう。民衆は悲劇的に分断されたのである。それを後押ししたのは、すでに述べたように植民地の警察権力である。そして分断が生じたのは、民衆のあいだだけにとどまるものではなかった。一般民とマスコミ・知識人（新名望家・徳望家）の対立も深刻なものとなった。儒教的民本主義に基づく伝統的な徳望家的秩序観は、大きく動揺を来すことになったのである。また、地域エリート層のあいだにも大きな亀裂が生じた。醴泉青年会と醴泉新興青年会の対立は、まさにそのことを示している。醴泉青年会は、会員年齢は一七〜五〇歳までで、会員資格は多額納税者に限られていた。会の顧問には郡守をはじめ警察署長・面長・普通学校校長・日本人などが就いており、評議員も郡庁職員・面書記・財産家などが務めていたといわれる（『史料続』一七六頁）。端的にいって親日的体質を持つ組織であった。それに対して醴泉新興青年会はより若く、近代教育によりつかった、朝鮮の将来に希望を抱く志ある若者たちの組織であったようである。文化政治は植民地支配に協力的な親日勢力を扶植し、地域社会に分断をもたらそうとするものであったが、醴泉における青年会の分断はまさにそのことを典型的に示す好例である。

分断は以上にとどまらず、旧白丁内部にもあった。張志弼の組織活動は、旧白丁内においては必ずしも大成功を収めたわけではない。官憲史料は、彼が組織しようとした江原道洪川の旧白丁たちが、「未タ曽テ一般民ヨリ差別待遇ヲ受ケタルコトナク社交場何等苦痛ヲ感シタルコトナキヲ以テ今更特ニ団結スル要ナシ」として拒絶したことを伝えている（『史料』九六頁）。全羅北道の高城や華川でも、すぐに地位向上が果たせるわけではないとして、とりあえずは「成行ヲ傍観シ機ヲ見テ入会スヘシ」という者がほとんどであったという（『史料』一四六頁）。また逆に「両班」に反感を持ちながら、じっと宿命に耐えて衡平運動に関心を示さない旧白丁もいた（『史料続』一六一頁）。「両班」願望を持って猛勉強して普通学校の教師になったものの、身分が露見して排斥され、ついに発狂して「半生半死の身」になってしまった青年さえいた（『史料続』二二八―二三一頁）。彼らは旧白丁であるという宿命を内面化し、その諦念や絶望から衡平運動に背を向けた人びとである。

しかも分断は、旧白丁内部だけでなく衡平社内部にもあった。衡平社は、結成から一年ほどで革新（張志弼派）と保守（姜相鎬派）に分裂する。革新、保守というのは張側からの一方的な呼称であって、姜らはそれを認めていない。革新派最大の主張は本部を京城に移すことであったが、金仲燮によれば、張ら革新派の主張が、瓦解した白丁の共同体を再建し、本来白丁が有していた皮革産業の特権を回復することにあったのに対して、姜ら一般民指導者の目的は、人権や平等という理念を啓蒙し、朝鮮人の精神を改造することにあったという。[*24] 筆者はその評価に同意するが、ただほかにも説明が必要なのではないかと思う。張は当初、名望家主義的に名望家や社会運動家、メディアなどに期待をかけ、人びととの心性にある徳望家的秩序観に訴えようとしたが、あまりに激しい反衡平運動を目の当たりにして、名望家主義の限界を感じ取ったのではないであろうか。また、徐々に運動の主導権を旧白丁以外の知識人に奪われるという危機感を抱くようになったことが、分裂の重要な要因の一つなのではないだろうか。張は、「衡平運動は階級意識を充分にもった、徹底した分子だけで、まず事業を進めなければならない」(『東亜』二四年五月二三日)と述べている。衡平運動はのちに再統合するが、その運動の軌跡は、文化政治下の社会運動がいかに植民地的アポリアを抱え込んでいたかをよく示唆している。ちなみに衡平社は三五年四月、張の主導で名称を大同社と変え、脱社会運動化して親日的な経済利益追求団体となり、姜相鎬は一年後それとの関係を絶つ。姜は晋州でその後も声望を持ち続けたが、社会運動で蕩産して困窮のうちに五七年一一月に没した。葬儀には全国から旧白丁の人びとと旧衡平社社員が駆けつけ、多くの市民も参列し、晋州始まって以来の盛大な葬儀になったという。

おわりに

もはや紙幅が尽きたので、あえてまとめの言は述べない。筆者の言わんとすることはほぼ尽きているが、ただ一つだけいっておきたい。衡平運動と反衡平運動で露見した朝鮮社会の分断というのは、まさに「植民地性の重層性」を示唆するものであるという点である。民族や階級によってばかりではなく、知識人や民衆の中の各階層でも植民地性の表れ方は違っており、それにはジェンダーや年齢の要因なども作用している。そして植民地性というのは、被植民地民族の各人が、自身は植民地内部のどこに位置しているのかという不安な意識性の問題であると同時に、幾重にも積み重なった排除性の問題でもある。これは、単なる「植民地支配の重層性」という「上からの視点」による外面的、客体的な問題ではなく、それとは逆に「下からの視点」による被植民地民族の内面的、主体的な問題である。しかもそれは可変的で錯綜的である。一般農民と旧白丁が逆転した位相に置かれたことによって生じた心の葛藤は、植民地になったことで生じた哀しみと怒りの煩悶であり、それは地域社会に住む多くの人びとの心をも掻き乱すものとなった。[*25]

そうした悲劇は、日本とは違う身分観を持って一君万民社会に向けて進んでいった朝鮮社会が、植民地に転落さえしなかったならば、あるいはもたらされることはなかったのかもしれない。植民地主義というのは、帝国主義と植民地との関係性だけに問題があるのではなく、分断される植民地民族の狂おしいまでの心の葛藤を引き起こすに至るという点にこそ、その本質的な問題が潜んでいる。衡平運動と反衡平運動をめぐる人びとの葛藤は、まさにそのことを端的に示唆するものであった。

〔注〕

＊1　趙景達「朝鮮の被差別民「白丁」の近代」(『部落解放研究』二一五、二〇二一年)。

＊2　金仲燮『衡平運動』（解放出版社、二〇〇三年。原著は韓国語で二〇〇一年）。

＊3　金日洙「일제강점기 〝예천형평사 사건〟과 경북 예천지역 사회운동」（『安東史学』八、二〇〇三年）、「慶尚北道地域の衡平運動と社会運動団体の対応」（『部落解放研究』二〇二、二〇二〇年）、高淑和『형평운동』（独立記念館、二〇〇八年）二三四－二三五頁。

＊4　張龍経「民衆の暴力と衡平の条件」アジア民衆史研究会・歴史問題研究所編『日韓民衆史研究の最前線——新しい民衆史を求めて』（有志舎、二〇一五年）。

＊5　崔保慜「一九二五년 예천사건에 나타난 반형평운동의 함의」（『史林』五八、二〇一六年）、同「一九二五年の醴泉事件と社会主義運動勢力の認識」（『部落解放研究』二一〇、二〇一九年）。

＊6　小川原宏幸「植民地朝鮮における地域社会の秩序意識と民衆暴力——一九三〇年代前半の反衡平社運動を事例に」（伊藤俊介・小川原宏幸・愼蒼宇編『「下から」歴史像を再考する——全体性構築のための東アジア近現代史』有志舎、二〇二二年）。

＊7　『朝鮮総督府調査年報』の当該年「戸口」による。

＊8　趙景達『植民地期朝鮮の知識人と民衆——植民地近代性論批判』（有志舎、二〇〇八年）一二三－一二八頁。

＊9　金静美「十九世紀末・二十世紀初期における「白丁」」（飯沼二郎・姜在彦編『近代朝鮮の社会と思想』未来社、一九八一年）。

＊10　村山智順『朝鮮の群衆』（朝鮮総督府、一九二六年）一七〇－一七一頁。

＊11　前掲、趙「朝鮮の被差別民「白丁」の近代」。

＊12　前掲、高『형평운동』二一一－二一九頁。

＊13　『朝鮮総督府統計年報』の当該年「戸口」および「教育」による。

＊14　前掲、村山『朝鮮の群衆』では、該当年と典拠を明記せずに就学率について普通民五％、旧白丁四六％としている（一七一頁）が、これは何らかの錯誤である。また前掲、高『형평운동』は、自ら不正確と述べる一九二一年ま

での警務局資料と、衡平社自称の旧白丁人口四〇万人という数値から旧白丁の就学率の低さを強調している（五一―五二頁）が、再考を要する問題である。就学差別問題は衡平社の設立前にも後にもあったが、就学希望者と現実の就学者の多さこそが、かえって問題を数多く生み出したのだと考えたほうがよいように思われる。

＊15 『皇城新聞』一九〇〇年二月二八日、一〇月二〇日。

＊16 前掲、高『형평운동』四七―四八頁。

＊17 조규태『백촌 강상호―형평운동의 선도자』（펄북스、二〇二〇年）。

＊18 趙景達『朝鮮民衆運動の展開――士の論理と救済思想』（岩波書店、二〇〇二年）二―三章。

＊19 前掲、金『衡平運動』六七頁。

＊20 前掲、村山『朝鮮の群衆』一八五―一八九頁。

＊21 前掲、趙『植民地期朝鮮の知識人と民衆』一二四頁。

＊22 趙景達『近代朝鮮の政治文化と民衆運動――日本との比較』（有志舎、二〇二〇年）九章。

＊23 前掲、村山『朝鮮の群衆』一七〇、一八七頁。

＊24 金仲燮「衡平運動の指向と戦略」（衡平運動七〇周年記念事業会編『朝鮮の「身分」解放運動』民族教育文化センター訳、解放出版社、一九九四年）八六―八七頁。

＊25 「植民地性の重層性」という議論はかつて問題提起したこと（前掲、趙『植民地期朝鮮の知識人と民衆』第一章参照）だが、ここでの指摘はその補足である。

第Ⅲ部
民衆暴力をめぐる表象・言説

一　浄瑠璃・歌舞伎から見る暴力とジェンダー
――見える暴力から隠蔽される暴力へ

中臺希実

はじめに

本稿では、一八世紀と一九世紀の社会において民衆に娯楽として受容された浄瑠璃、歌舞伎をメディアとして分析し、当該期に民衆が暴力をどう位置づけていたか、さらに暴力とジェンダーの関係はいかなるものだったのかを提示することを目的とする。本稿における暴力は、民衆の日常生活の中で生じた暴力行為に限定する。

1　問題意識

一八世紀後半までは民衆が自ら暴力を封印した泰平の世であったが[*1]、一九世紀以降、平和が崩れ、万民の戦争状態となる暴力の世へと変化したとされる[*2]。一八世紀は、武断主義から文治政治への転換など、政策のうえでも暴力から距離をとった時代と理解できる。一方、当該期において大ヒットした近松門左衛門《ちかまつもんざえもん》脚本の時代物『本朝三国志《ほんちょうさんごくし》』では日本武者の武力によって朝鮮・朝鮮人を制圧する姿が演じられ、暴力によって朝鮮・朝鮮人を屈服させることを肯定する言説が再生産されていた。[*3] 泰平の世では、武威を示すための暴力だけが許されたのだろうか。一九世紀は、四世鶴屋南北《つるやなんぼく》の生世話《きぜわ》物に代表されるように、歌舞伎において悪、暴力が民衆世界を舞台として描かれた。人びとが娯楽として暴力を受け入れたのは、平和が崩れ、民衆の日常生活の中に暴力が浸透したからなのであろうか。

近世社会におけるジェンダーと暴力の関係については、女性が暴力を受けた原因や、被害を受けた後の女性、その周辺による行動が分析され、事件の社会的要因や女性の位置づけが提示されている。[*4] 加害者のジェンダーによって法の運用に差が生じ、男性は情状酌量により罪が軽くなる、または罪に問われない場合が多いことも示されている。[*5] 女性の被害を認識しながら、解決や救済に対し、ジェンダー差が生じることを容認する社会構造とそれを維持した社会通念を検討する必要があろう。

2 史料——江戸時代のメディア

浄瑠璃や歌舞伎は、江戸時代の民衆にとって身近な娯楽であり、観客の意向、時代全体の動向、当時の事件などが反映されたメディアとして機能した。[*6] 特に、上演時に人気を博した作品には、シンボル化された人びとの共通認識や公的史料に残りづらい価値観、ジェンダー認識、社会的立場による力関係などが表象されていた。[*7] 本稿では、一八世紀の史料として大坂道頓堀を中心に上演された浄瑠璃、一九世紀は江戸を中心に都市と地方を行き来した歌舞伎を史料として取り上げる。[*8] これらのメディアは、当時の人びとの共通認識を形成していった。[*9] 本稿では、日常における民衆暴力に着目するため、浄瑠璃と歌舞伎の演目において、民衆の生活世界を題材にした世話物や生世話物を史料として取り上げる。

一八世紀は、近松門左衛門『心中天網島《しんじゅうてんのあみしま》』[*10]（享保五／一七二〇年）を検討していく。一八世紀、近松門左衛門により、市井の事件を取り扱う世話物が浄瑠璃において確立された。[*11] 世話物は、題材を巷談に求め、町人を主人公とする当時の現代劇であり、町人社会における象徴的な事件や出来事、彼らの抱えた認識や心性を表象する演目となっている。[*13]

一九世紀については四世鶴屋南北の『東海道《とうかいどう》四谷《よつや》怪談《かいだん》』[*14]（文政八／一八二五年）を史料とする。一九世紀、文化・文政期の文化は庶民が担い手であり、それにふさわしい題材が主流となり、その中で歌舞伎では悪が賛美される作品が上演された。[*15] 四世鶴屋南北は、文化・文政という時代の本質をもっとも作品に表現した人物として評価される。[*16] 南北の作品は下層社会の生活を題材とした。[*17] そのため、彼の作品は、市井に生きる人びとの心性を表現しているとされる。[*18]

一八世紀、一九世紀それぞれを代表する作家の最高傑作は、当該期において、多くの人びとに受け入れられた作品といえる。言い換えれば、それぞれの時代の人びとの心性・共通認識がもっとも表象されている作品であり、史料として有効である。

3　一八世紀と一九世紀の社会

一八世紀の社会では、家名・家業・家産を持ち、先祖祭祀を行い、永続することを志向する「家」が民衆にも浸透した。[*19] このように社会が変容する中で、人びとに「いのち」への気配りが生じ、「家」の存続を目的として、女性や子どもの「いのち」も大切にされるようになった。[*20] 一方、「家」の存続が重視された結果、血縁優遇と「家」存続のジレンマが人びとのうちで生じたり、[*21] 入婿や養子は「家」において、次期戸主としての地位はすぐには確立されず、弱く不安定な立場に置かれた。[*22] 女性に対しては、「女大学」などの往来物による女子教育がなされ、家長、夫、息子に従い、「家」に尽くすべきとする規範が教諭された。[*23]

一九世紀の社会は、民間社会に富が蓄積され、生活水準が上昇する中で、貧富の差が拡大し、米価の高騰などによる打ちこわしが起こった。[*24] 賃労働の普及により、地方から都市に人が流入し、裏長屋などに住み着き、肉体労働などの雑業で、その日暮らしをする下層民が激増した。[*25] また公権力の権威が低下し、「悪」に対する規範が揺らぎ始め、暴力が普遍化していった。[*26] 一九世紀は「家」を持たない人びとも、「所帯」の形成が可能となったが、その維持は男性の責任とされた。[*27] 主に男性が雑業により生活費を稼ぎ、同居者を養う「所帯」では、自身で生活を維持できない女性を軽視、女性や病人などを負担とする認識も共有され、[*28] 彼ら弱者を切り捨てることにも共感する[*29]社会へと変容していった。一八世紀から一九世紀において日本では、社会構造や経済、人びとの心性、共通認識などが大きく変化する社会変容が生じたのである。

4　近松世話物に表象される暴力とジェンダー

（1）「心中天網島」における暴力

「心中天網島」は近松門左衛門世話物における最高傑作である。紙屋の入婿養子である治兵衛と恋仲にある天満屋の遊女小春の心中を、女同士の義理や兄弟のやりとりとともに描いた演目である。以下「心中天網島」における暴力の場を確認する（傍点は引用者。以下も同様）。

【史料1　曽根崎河庄の場】

此無念、口おしさ、どうもたまらぬ。今生の思ひ出。女が面一つ踏む。ご免あれと、つヽと寄つて地団駄踏み。エヽエヽしなしたり。足かけ三年、恋しゆかしも、いとしかはいも。今日という、たつたこの足一本の暇乞ひと、額際をはつたと蹴て。わつと泣き出し、兄弟づれ。帰る姿もいたいたしく、後を見送り声をあげ、嘆く小春も酷らしき。

治兵衛は無念と悔しさを我慢できず、今生の思い出にと、小春の額際を蹴りつける。この場面には、治兵衛だけでなく兄の孫右衛門もおり、人目のある場で暴力が行使されている。さらに、暴力をふるったことに関して、作中では否定的には描かれず、むしろ、帰る姿は痛々しいなど治兵衛に寄り添うような描写がされる。[*30] 治兵衛に嘘をついていた小春への怒り、言い換えれば自分の意に沿わなかった小春に対する暴力が正当化される演出となっている。

次に敵役の太兵衛と治兵衛の男性同士での暴力に関する場面を取り上げる。

【史料2　曽根崎河庄の場】

ぞめき戻りの身すがらの太兵衛。さてこそ、河庄が格子に立つたは治兵衛めな。投げてくれんと。襟かい摑んで引きかづく。あ痛たゝ。あ痛とは、卑怯者。ヤァこりや縛りつけられた。さては盗みほざいたな。ヤ生掏摸め、どう掏摸とては、はたとくらはせ。ヤ強盗め、ヤ獄門めとては、蹴飛ばかし。

太兵衛は治兵衛を見つけると、「投げてやる」といきなり摑みかかる。天満屋の格子に縛りつけられていた治兵衛は動けず、痛いと声を上げる。太兵衛は治兵衛が縛られていることに気がつき、盗みをしたのだろうと決めつけ、治兵衛に殴る蹴るの暴行を加え、「紙屋治兵衛が盗みの罪で縛られた」と往来で叫び、治兵衛の体面と社会的立場を潰そうとする。

この場面の前、太兵衛は小春に対し「塵紙屋めが漆濾しほどな薄元手で、この身すがらの太兵衛と張り合ふとは慮外千万。桜橋から中町くだりぞめいたら、どこぞでは紙屑踏みにぢつてくりよ」という言葉を投げつけており、小春を取り合う中で、太兵衛は治兵衛を見下していること、その上下関係を可視化するために暴力を行使しようとしていることがわかる。つまり、太兵衛の暴力は、自分に靡《なび》かない小春や周囲に対し、自分が治兵衛よりも男として上であることを可視化するための手段として描かれている。太兵衛はこの直後、治兵衛の兄孫右衛門の登場により立場が逆転する。

【史料3　曽根崎河庄の場】

内より侍飛んで出で、盗人呼ばりはおのれか、治兵衛が何盗んだ、サァぬかせと、太兵衛をかい摑み、土にぎやつとのめらせ、起きれば踏みつけ、踏みのめしのめし、引つ捕へて、サァ治兵衛、踏んで腹いよと、足もとに突きつくるを、縛られながら頬がまち、踏みつけ踏みつけ、踏みさがされて土まぶれ。立ち上がつて睨め回し、あたりの奴ばら、よう見物して踏ませたナァ。一々に面見覚えた、返報する、覚えてをれと、減らず口にて逃げ出す。立ち寄る人々どつと笑ひ、踏まれてもあの頤。橋から投げて水食らわせ、やるなやるなと、追いかけ行く。

孫右衛門は、治兵衛が盗人である証拠を出せと、太兵衛に摑みかかり踏み倒す。さらに、太兵衛を治兵衛の足元に突き出し、「踏んで怒りをはらせ」という。治兵衛は縛られながらも、太兵衛を何度も踏みつける。踏みつけられ、土だらけになった太兵衛は減らず口を叩きながら逃げるが、騒ぎを聞きつけて集まった人びとは太兵衛を笑い、追いかけていく。

この場面では治兵衛は孫右衛門の助けにより、太兵衛に対して暴力を行使することで、自身の体面と立場を回復させる。つまり、暴力は男性同士において上下関係を可視化させる面と、体面や社会的立場を回復させるための手段として演出されており、人目につく場所での暴力の行使が容認されるよう描かれている。

(2)「心中天網島」から読み取る一八世紀における暴力とジェンダー

「心中天網島」において暴力は、以下のように演出されていることが確認できる。①男性同士における上下関係を周囲に可視化させるための手段、②男性の体面や立場を失墜、または回復させるためのもの、③男性が自分の意に沿わなかった女性に対して行使し、問題とならないもの。

近松世話物の男性主人公は入婿や養子など、「家」において立場が低く、決定権のない弱い存在であった[*31]が、暴力という行為において、男性としての対面を失うことは、「家」のなかで弱い立場と位置づけられる以上に、受け入れがたいもののように演出されていた。また、男性から女性への暴力は、男性が自分の意に沿わない場合に行使し、それはことさら問題視されるものではなかった。暴力をふるわれた女性自身も、自身への暴力に対し被害者としての語りもしていない。

したがって一八世紀の民衆にとって、暴力は男性間の上下関係を周囲に可視化させるものとして認識されていたと考えられる。暴力により負けることは男性としての体面を失うこととして捉えられていた。いわば、男性というジェンダーは、暴力という力を人前で発揮することが許され、負けることは恥ずべきこととされたといえる。だからこそ、暴力は見えるかたちで行使する必要があり、一種の正当性を持つものであった。

一方、女性に対する暴力が批判されず、女性も被害の声をあげない点から、男性を優位とし、男性の意に沿わない女性に対して暴力を行使することは、男女ともに許容される認識が共有されていたと考えられる。言い換えれば、男性同士の暴力は、男性の体面にかかわるため問題として表面化するが、男性から女性への暴力は、その暴力を女性は受け入れるしかなく、自ら被害者として語ることも、他者から認識されることもほとんどなかった可能性を指摘できよう。

5　南北生世話物に表象される暴力とジェンダー

(1)「東海道四谷怪談」における暴力

九世紀における暴力とジェンダーを、四世鶴屋南北の最高傑作「東海道四谷怪談」から分析する。「東海道四谷怪談」のあらすじは、浪人民谷伊右衛門が自身の欲をかなえるために、産後寝込んでいる妻お岩を追い出そうとして死亡させ、その罪を他者に被せるなど、不義理と不忠義のかぎりを尽くし、最後には追い詰められていくというものである。

悪の物語と評される「東海道四谷怪談」では、暴力の場面が多く確認できる。まず、伊右衛門の元義父であり、御家断絶から浪人となった四谷左門が、浅草でしていた物乞いの真似事を乞食たちに見つかった場面から確認する。乞食たちは老人である四谷左門に「みなみなよつて、左門をこづ」き、作法を知らなかったと許しを乞う左門に次のようにふるまう。

【史料4　浅草観世音境内の場】

雲哲：見せしめのために、着ものも何もふんばいで。
泥太：すじぼねをぬいてやれい。
皆々：それがいい〳〵。
トみなみなよつて、左門をちやうちくする。

ここでは、自分たちの分け前やルールを守るためという建前から、無抵抗の老人を見せしめに、仲間で囲み殴っている。自分たちの利益を守るためであれば、老人を殴って良いとする論理が乞食たちにある設定となっている。

さらに、左門はこの後も暴力を受ける。元入婿養子である民谷伊右衛門に乞食たちから助けられた際、左門は伊右衛門からお岩との再縁を望まれる。しかし、伊右衛門が御用金を横領していたことを知る左門は、伊右衛門にそのことを告げ、再縁を拒否する。すると伊右衛門は「最前といゝ今といゝ、あくまで我らをさみするおいぼれ。女房の縁につながりやこそ、舅あつかひもこれ迄。娘返さぬ上からは他人の左門、うちはたすのが武士のいじ」と斬りかかる。横領という罪を犯した伊右衛門が、罪の隠蔽とお岩と再縁したいという欲のために、元舅を亡き者にしようと暴力を行使する。伊右衛門は左門に対して「ごうぜうぬかしたおひぼれめ。刀のさびはじがふじとく、はていゝざまだわへ」と吐き捨てており、左門を老いぼれと蔑み、さらに殺害したことをいい気味だと反省せず、暴力の行使に一種の娯楽性があるように演じられている。暴力の行使に娯楽性があるような演じ方は、他の場面でも確認できる。

【史料5　雑司谷四谷町の場】

伊右衛門：出来心であろふが、忠義であらふが、人のものをぬすまばぬす人。忠義でいたすどろぼふは、命はたすけるといふ、天下のおきてがあるか。たわけづらめ。一薬も取かへし、取かへの金子さへつぐのはゞ、たすけてやろふが、そのかわり、おのれがゆびは一本づゞ、おつて仕廻ふわ。

長兵衛：これはよひなぐさみでござろふ、しからば十本のゆびを、のこらずおつてみませふか。

伴助：命のかわりのゆびが十本。イヤ、安いものでござるナ。

官蔵：わたくしも、けいこのためにおつて見ませう。

伊右衛門：サァサァ、手伝へ〳〵。

伊右衛門は薬を盗んだ罰として小仏小平の指を折るといいだす。伊右衛門の発言に、取り巻きたちもいいおもちゃになるとし、一〇本の指をすべて折ろうと、積極的に暴力に加担していく。小仏小平が許しを乞うと、彼に猿口輪をし「ゆびの試みに、びんの毛からぬ」こうと提案し「こいつはよかろふ」と髪の毛を抜いたり、たばこをふきかけたり、「いろいろとさいなむ」。小仏小平への暴力行為を、伊右衛門と取り巻きが娯楽として楽しむ演出がされている。さらに小仏小平が、お岩殺しの罪をきせられ殺害される場面も、次のような展開となる。

【史料6　雑司谷四谷町の場】

伊右衛門：しれた事。お岩がかたきだ。殺しましたとたつた今、人ごろしになつたぞよ。殊に隣家の工ミのよふす、きひたとあればなを更に、生て置れぬ小仏小平。民谷が刀で往生しろ。

ト又切りかけ、立廻りよろしく、小平、数箇所の傷を受、伊右衛門にすがつて、

小仏小平：わづか一夜のやとひでも、仮りのゆへに手出しをすれば。

伊右衛門：主に刃むかふ道理だは。それだによつてはなぶり切。お岩が敵だ。くたばれ〳〵。

トづた〳〵に切倒し居る。

お岩の死亡理由は、伊藤喜兵衛の毒と伊右衛門たちに騙されたことを知り発狂したことである。伊右衛門は、伊藤家との婚姻のために、小仏小平に罪をなすりつけ、暴力により目的を達成しようとしている。[32]そして、わざとなぶり切るなどの記述から暴力の娯楽的側面が強調される。次の史料では、暴力の別側面が描き出される。

【史料7　雑司谷四谷町の場】

お岩：つねから邪見な伊右衛門どの。男の子を生んだといふて、さしてよろこぶようすもなふ、なんぞといふとごくつぶし、足手まとひのがきうんでと、朝夕にアノ悪口、それを耳にもかけばこそ、はりのむしろのこの家に、生疵さへもたへもせず、非道な男に添とげて、しんぼうするもとゝさんの、かたきをうつて貰ひたさ。

出産したお岩に対し、伊右衛門は喜ぶでもなく、産後のひだちが悪く寝込みがちになったお岩を「ごくつぶし」と朝晩責め立てる。お岩の「生疵さへもたへもせず」という言葉から、身体へも暴力をふるわれていることが推察できる場面となっている。お岩への暴力は、お岩が自分の負担となっていると認識する伊右衛門の不満から生じるものである[*33]。

負担と認識した者に暴力をふるう演出は、お岩を追い出そうとする場面からも確認できる。伊右衛門は伊藤家との婚姻のために金を作ろうと蚊帳を質に入れようとするが、お岩は子どものために、蚊帳だけはもっていかないでくれと、伊右衛門の持つ蚊帳にしがみつく。伊右衛門は蚊帳を「手あらくひつたく」り、無理やり奪い取る。するとお岩の爪は「蚊屋にのこり、手先は血になり、どふとたをれ」てしまう。手先が血だらけになったお岩に伊右衛門は「それ見たか。ケチくさい[*34]」といい、蚊帳を持っていってしまう。自分の目的を達成するための手段として伊右衛門が暴力を行使していること、さらには自分の利益や目的達成を邪魔する者、それが弱っている者であっても暴力を行使する場面が繰り返されている。また、暴力が貧困と結びついている演出、さらに世間には見えない「所帯」内で行使される演出[*35]であることも指摘できる。そして、お岩への暴力はお岩が負担であることに原因があると読み取れるものになっている。自身の利益を損なう、目的を邪魔する者に対する暴力、さらに貧困と暴力との結びつきに関しては、ほかの人物についても確認できる。

【史料8　深川三角屋敷の場】

孫兵衛：この孫めがばゝめは、わしがのちぞひもの、それはそれは邪見なやつ。ちつとあきなひがたるひと、としはもゆかぬこの坊主めを、ぶつたりつめたり、

小仏小平の父、孫右衛門は自身の孫の不憫さを伝える際に、自身の連れ合いからの暴力を語る。四歳から五歳の孫であるが、商売[*36]の売上が良くないと、祖母からぶたれたり、つねられたりするという。実際、祖母のお熊が孫に暴力をふるう場面は次のように描写される。

【史料9　小塩田又之丞隠家の場】

お熊：エヽ、こなさんが、そのようにあまやかすによつて、とかくあきなひに出しても、銭くすねて、買いぐらいばつかりしアがる。サァ、銭をどこへかくしてをく。出さねひか出さねひか。出しやアがらないか。

トつねる。

次郎吉：どこにもかくしはしませぬ。ばゞさま、かんにんじや〳〵。

ト次郎吉、泣く。

お熊は次郎吉が売上から買い食いをしていると、責め立て、つねる。次郎吉はどこにも隠していないと、つねられたことで泣いてしまう。孫右衛門が次郎吉をかばい、お熊を批判すると、お熊はざるで次郎吉をたたく。[*37] お熊は相手が子どもであろうが、自分の思いどおりにならないと暴力を行使する。お熊は次郎吉に対し、もう一度売りに行くようにいった際にも、孫右衛門には見えないよう隠れて次郎吉をつねる。[*38] ただし、お熊は夫である孫右衛門に対しては、悪態はつけど暴力は行使しない。お熊にとって、暴力は自分よりも絶対的に力が弱い者に対して、不満を持った時に行使するものとして演出されている。基本的にはお熊の暴力は世間から隠されるかたちで、「所帯」内で行われるものとなっている。さらに、次郎吉がお熊に暴力をふるわれるのは、彼が祖母の機嫌を損ねたからであろうと母からいわれ、暴力の原因は次郎吉にあるとされている。[*39] また、孫右衛門らの台詞で、彼らの暮らしは「かんなん」とされることから、貧困が暴力に結びつくようになっていることもわかる。

女性が暴力を行使する場面としては、怨霊となったお岩からの伊右衛門への暴力もあげられる。お岩は、伊右衛門の取り巻きの長兵衛を「えりにかけたる手のごひにて、長兵衛をくびりころ」し、さらに伊右衛門の母であるお熊を「のんどへ喰ひつき。くひ殺」している。怨霊となったお岩は伊右衛門と近しい者への恨みを晴らすために、己の手で暴力を行使している。ただし、伊右衛門に対しては、彼女自身が直接暴力をふるうことがない。伊右衛門を苦しめるのはお岩のたたりの象徴である「鼡《ねずみ》」である。[*40] 伊右衛門が最後に追い詰められる場面でも、「祟むらがり、伊右衛門くるしめる」とされ、お岩は長兵衛やお熊へ行ったように直接手を下さない。お岩は、怨霊となっても夫には直接暴力を行使しないのである。

(2)「東海道四谷怪談」から読み取る一九世紀における暴力とジェンダー

「東海道四谷怪談」において、暴力は以下のように演出されていた。①個人的な利益を守るための手段、②行使者にとって娯楽的側面を持つこと、③負担となる者に対する不満を表す手段、④「所帯」内の暴力は世間から隠蔽され日常的に行われること、⑤貧困との結びつきがあること、⑥妻は夫の身体に直接的な暴力は行使しないこと、である。

「東海道四谷怪談」において、暴力は自己の目的の達成や利益を守るという自分本位な考えから行使され、金銭や恨みを晴らすといった個人の望みの達成のための手段であった。ここには、男女の区別はないものとされている。ただし、女性は夫に対して、直接暴力を行使しない点は重要であろう。

また、暴力の行使に娯楽的側面が付与された点も多くあった。ここでの娯楽的要素は、伊右衛門や長兵衛ら取り巻きが行った「なぐさみ」としての暴力だけでなく、伊右衛門やお熊が不満のはけ口として、妻や子どもにふるうものも含まれる。被害者は声をあげたとしても無視され、むしろ被害者側に原因があるように語られた。さらに、暴力が貧困と結びつき[*41]、困窮しやすい「所帯」では日常的に暴力が発生し、世間からは見えないよう行使される場面もあった。

一九世紀の民衆にとって、暴力は娯楽的側面も含み、自分本位の欲求から発生するものとして人びとに位置づけられていた可能性を指摘したい。また、暴力は隠蔽されたかたちで発生し、妻や子どもなど「所帯」内において立場の低い者が、不満のはけ口として暴力をふるわれているとする認識が人びとに共有されていたと考えられる。それは、負担となるのだから暴力をふるわれてもやむをえないとする、被害者に原因を押しつける心性が人びとに共有されたことを示している。ジェンダーの視点からは、夫と妻という関係性は夫を優位とする認識が浸透し、どんな不満を持っていても、妻の夫に対する暴力は許容されなかった可能性を示した。また、お岩のように妊娠出産をきっかけとし、経済的に不安定な状況にあっても、夫の稼ぎに頼るしかない妻も多かった当該期において、妻は暴力をふるわれても仕方がない存在として、人びとに認識されていたといえるのではないか。

おわりに

一八世紀、一九世紀に上演された浄瑠璃、歌舞伎作品の分析を通し、社会が変容していく中で暴力がどのように位置づけられたか、ジェンダーを含めて検討した。結果、泰平の世とされた一八世紀において、暴力が男性の社会的な立場や体面にかかわる要因として認識されたことを指摘した。藤野裕子は、近代社会において暴力行為は「おとこらしさ」を示し、正統な社会規範の中で上昇が見込めない都市下層男性労働者だけが共有する価値体系であったことを明らかにしている。[*42] しかし、「心中天網島」では、「家」において立場を確立している孫右衛門、「家」の中で抑圧される入婿の治兵衛、「家」から外れて生きる太兵衛と、社会的立場や階層の異なる男性が暴力による価値体系を共有するよう演出された。一八世紀の社会では、社会的立場や階層ではなく、男性というジェンダーにおいて他者を暴力によって屈服させることを重視する認識が共有されていたと考えられる。ゆえに、暴力は一種の正当性を持ち、見えるかたちでの行使が許容されたといえよう。また、男性の意に沿わない女性への暴力の容認や、男性から暴力を受けた女性もそれを非難しない場面から、女性への暴力は問題視されなかったことを示し、女性を軽んじ、男性の意思や行動が重視される社会風潮を指摘した。

一九世紀においては、暴力という行為に娯楽性が付与され、反抗できない人間を虐げることを「なぐさみ」や不満の発散としたことを指摘した。[*43] また、その暴力は「所帯」内で、稼げないことや誰かに頼らざるをえない立場にある女性や子どもに行使された。生産性がないことを理由に、暴力行為の原因を被害者側に押し付けていたこと、さらに、貧富の差が拡大していった一九世紀に、利益を生み出せない者や他者の稼ぎで生きる者に対する蔑みともいえるまなざしが、歌舞伎というメディアを通じて人びとに浸透していった可能性を読み取った。

一八世紀と一九世紀を比較し、民衆の生活世界において、暴力が一種の正当性を持ち、見えるかたちでの行使を許容する認識から、人に隠蔽しなければならないものとする認識への変化を指摘した。正当性がなく、隠さねばならないものと暴力を位置づけながらも、人びとが暴力を捨てられず、さらには娯楽としての側面を見出していたことの意味を考える必要がある。

また、女性は暴力を受けても黙っている存在から、暴力を受けても仕方がない存在へ位置づけが変化したことを明らかにした。女性を男性と対等な存在として扱わない心性は一八、一九世紀に共通していた。そこに一九世紀には、暴力を受けても仕方がない存在とする蔑みに近い認識が加わり、女性蔑視の心性が強化された可能性を指摘した。江戸時代は、男性を優位とし、経済的に自立が困難な立場に陥りやすい女性に不満のはけ口を押し付けることで、社会構造の根本的な問題に目をそらし続けた時代といえるのではないだろうか。

今後は歌舞伎や浄瑠璃などの視覚メディアだけでなく、貧困を支え合うことを称賛する孝子顕彰や孝行録など公権力側が教諭のために流布しようとした出版メディアも含め、江戸時代における暴力とジェンダー、貧困、家族の関係とその変化を検討する必要があると考える。

〔注〕

＊1　須田努「近世的悪党」（大橋幸泰・深谷克己編『身分論をひろげる〈江戸〉の人と身分　6〉』吉川弘文館、二〇一一年）。

＊2　同右。

＊3　須田努「イコンの崩壊から――「現代歴史学」のなかの民衆史研究」（『史潮』新七三号、二〇一三年）。

＊4　長島淳子『幕藩制社会のジェンダー構造』（校倉書房、二〇〇六年）。

＊5　真島芳恵「近世の配偶者間暴力に関する一考察」（『女性歴史文化研究所紀要』二〇、二〇一二年）。

＊6　前掲、須田「イコンの崩壊から」。中臺希実「浄瑠璃・歌舞伎から読み取るジェンダー」（総合女性史学会編『ジェンダー分析で学ぶ女性史入門』岩波書店、二〇二一年）。

＊7　前掲、中臺「浄瑠璃・歌舞伎から読み取るジェンダー」。

＊8　諏訪春雄『鶴屋南北――滑稽を好みて、人を笑わすことを業とす』（ミネルヴァ書房、二〇〇五年）。
＊9　津川安男『江戸のヒットメーカー――歌舞伎作者鶴屋南北の足跡』（ゆまに書房、二〇一二年）。
＊10　「心中天網島」（近松全集刊行会編『近松全集　一一巻』岩波書店、一九八九年）。以後、特に表記のないかぎり、「心中天網島」の史料引用はこれを用いる。
＊11　渡辺保『江戸演劇史　上』（講談社、二〇〇九年）。
＊12　髙野敏夫『恋の手本　曽根崎心中論』（河出書房新社、一九九四年）。
＊13　前掲、中臺「浄瑠璃・歌舞伎から読み取るジェンダー」。
＊14　「東海道四谷怪談」（藤尾真一編『鶴屋南北全集　一一巻』三一書房、一九七二年）。以後、特に表記のないかぎり、「東海道四谷怪談」の史料引用はこれに準ずる。
＊15　青木美智男『文化文政期の民衆と文化』（文化書房博文社、一九八五年）。
＊16　諏訪春雄『鶴屋南北――笑いを武器に秩序を転換する道化師』（山川出版、二〇一〇年）。
＊17　前掲、青木『文化文政期の民衆と文化』。
＊18　深谷克己『江戸時代（日本の歴史6）』（岩波ジュニア新書、二〇〇〇年）。
＊19　大藤修『近世農民と家・村・国家――生活史・社会史の視座から』（吉川弘文館、一九九六年）。
＊20　倉地克直『徳川社会のゆらぎ（全集日本の歴史十一　江戸時代／十八世紀）』（小学館、二〇〇八年）。
＊21　中臺希実「近松世話物から読み解く「家」存続と血縁優遇のジレンマ」（『比較家族史研究』二九、二〇一五年）。
＊22　前掲、中臺「浄瑠璃・歌舞伎から読み取るジェンダー」。
＊23　藪田貫「『女大学』のなかの「中国」」（趙景達・須田努編『比較史的にみた近世日本――「東アジア化」をめぐって』東京堂出版、二〇一一年）。
＊24　前掲、深谷『江戸時代』。
＊25　前掲、青木『文化文政期の民衆と文化』。

＊26　須田努『「悪党」の一九世紀──民衆運動の変質と〝近代以降期〟』（青木書店、二〇〇二年）。
＊27　前掲、深谷『江戸時代』。
＊28　中臺希実「一九世紀、歌舞伎から読み取る「所帯」イメージと生存」（『人民の歴史学』二一八、二〇一八年）。
＊29　前掲、中臺「浄瑠璃・歌舞伎から読み取るジェンダー」。
＊30　この場面の前に、兄の孫右衛門から「心底見つぬうろたへ者。小春を踏む足で、うろたへおのれが根性をなぜ踏まぬ」と小春への暴力に触れる場面がある。しかし、ここでは治兵衛の小春への暴力そのものは否定されない。
＊31　前掲、中臺「浄瑠璃・歌舞伎から読み取るジェンダー」。
＊32　暴力が自分の利益を守る、自身の目的をために行使される演出としては、お岩の妹であるお袖が夫である与茂七と敵討ちを頼んだ直助に殺害される場面があげられる。直助は、お袖を自分の妻とするために与茂七を、与茂七は廻文を取り戻すために直助を殺害しようとする。
＊33　伊右衛門自身、「このなけなしのその中でがき迄うむとは気のきかねい。」と、暮らしが厳しい中で、お岩と子どもの存在が負担となっており、不満に思っていることを吐露している。
＊34　ここではお岩に「それ見たか。いけあたじけなひ」と吐き捨てている。
＊35　お岩の死亡は、お岩の嫉妬などによる行動が原因と周囲には浸透しており、伊右衛門のお岩に対する暴力は表面化しないよう作中では描かれている。
＊36　作中では、蜆《しじみ》売りや卵売りなどの雑業を行わされている。
＊37　「トざるで叩く」（前掲「東海道四谷怪談」）。
＊38　「両人に見へなぬようふにつめる」（前掲、「東海道四谷怪談」）。
＊39　次郎吉は母に「何そなたは、ばゞさんのきげんをそむひたのじや」と叱られる。
＊40　伊右衛門も、鼡の仕業を「お岩が死霊の業」としている（前掲「東海道四谷怪談」）。
＊41　中臺希実「東海道四谷怪談に表象される「家」と婚姻、身上りと暴力」（『千葉大学大学院人文科学研究所研究プ

ロジェクト報告書』三〇一、二〇一六年）でも触れている。

＊42 藤野裕子『都市と暴動の民衆史――東京・１９０５－１９２３年』（有志舎、二〇一五年）。

＊43 芸能、演劇作品における暴力と娯楽については、須田努と伊藤俊介も触れている。須田努『三遊亭円朝と民衆暴力』（有志舎、二〇一七年）、伊藤俊介「川上音二郎の描いた日清戦争――『川上音二郎戦地見聞日記』をもとに」（伊藤俊介・小川原宏幸・愼蒼宇編『「下から」歴史像を再考する――全体性構築のための東アジア近現代史』有志舎、二〇二二年）。

二 「惨殺」という演出
——芝居に描かれた真土村事件

伊藤俊介

はじめに

一八七八年（明治一一）一〇月二六日の夜、神奈川県大隅《おおすみ》郡真土《しんど》村（現・平塚市）の農民二六人が元戸長松木長右衛門の屋敷を襲撃し、彼とその家族、雇人ら合わせて一一人を殺傷するという陰惨な事件が起こった。世にいう真土村事件（真土事件・松木騒動とも）である。この時期は明治政府が進める「上から」の改革と、それへの対抗として負債農民騒擾や自由民権運動が発生するなど、日本社会が大きく変容していく時期であった。この事件もまた一八七三年（明治六）より始まった地租改正に乗じて農民らの質地を取り上げようともくろむ松木長右衛門と、それに反発した農民らの対立が発端であり、松木家襲撃は新政によって旧来の共同体秩序が改変を強いられる中で追い詰められた農民らがとりえた最後の抵抗手段であった。事件後、冠弥右衛門ら首謀者四人に斬罪の極刑が言い渡されたが、近隣三郡をはじめ広範な減刑嘆願運動が展開された結果、一八八〇年（明治一三）六月一日、彼らは罪一等を減じられて無期懲役となった。

文明開化に邁進する明治の世に起こったこの驚愕たる事件と、農民らの情状を酌量した異例の減刑判決は当時の社会に大きな衝撃を与え、その後の民衆運動に少なからぬ影響を与えたと評されている。[*1] 同時に、新聞報道はもとより絵草紙や小説、さらには芝居や講談などの大衆娯楽までもがこの事件を題材とした作品を手がけたことで、事件は多くの人びとの知るところとなった。[*2] 阿部安成は、それらの分析をもとに真土村事件が――虚像・実像をあわせて――どのように表象され、またどのように後世に伝えられたかについて検討している。[*3]

本稿では数ある真土村事件の表象の中から芝居を取り上げる。大衆娯楽をもとにその時代の民衆の心性に迫るという方法論は、三遊亭円朝の落語をもとに民衆暴力の考察を試みた須田努の研究が先駆的である。[*4] 筆者もまた新派劇俳優川上音二郎の芝居に描かれた歴史的事象や他者像から当時の人びとの心性を読み解こうと試みてきた。[*5] こうした方法論に基づき芝居を媒体として、筆者に与えられた課題である真土村事件に内包される民衆暴力の問題にアプローチを試みるものである。減刑判決が下った一八八〇年（明治一三）に興行された真土村事件を扱った芝居には『深山松木間月影《みやまのまつこまのつきかげ》』（港座、六月一三日開場）、『噂酒松蛟《うわさのまつか》鎗夜話《やりのよばなし》』（下田座さの松、六月一六日開場）、『真土松庭木植換《しんどのまつにわきのうえかえ》』（同、七月一四日開場）などがあげられるが、それらの台本の所在はこれまで明らかになっていなかった。しかし、筆者は調査を進める中で公益財団法人松竹大谷図書館に『噂酒松蛟鎗夜話』の台本全五冊（和装本）が所蔵されていることを確認し、[*6] 同台本をもとに芝居の粗筋と史実との相違点、関係人物と暴力の描かれ方などについて概観した。[*7] これらの成果を踏まえたうえで本稿では、実際に興行が行われた横浜という地における芝居文化のあり方を背景に、当時の人びとが事件をどのように認識し、また芝居に何を求めたのかという視点からこの問題を掘り下げて検討したい。

1　坂東彦十郎と横浜の芝居

『噂酒松蚊鎗夜話』の台本には同芝居の作者に関する情報が何も書かれていない。しかし当時の史料を見ると、この芝居には坂東彦十郎、中村伝五郎、市川寿美之丞などの役者が出演したとある。[*8] このうち坂東彦十郎（初代：一八四二～一八九三年）は当時横浜の劇場に頻繁に出演しており、その多くは座頭として活躍した人物である。[*9] さらに『噂酒松蚊鎗夜話』の続編として同年七月一四日から下田座さの松で興行された『真土松庭木植換』で彼が主役の田守嘉右衛門を演じていることから考えて、[*10] この『噂酒松蚊鎗夜話』もまた坂東彦十郎の手による芝居と見てよいだろう。板東彦十郎と当時の横浜の芝居については佐藤かつらをはじめ多くの先行研究があるので、[*11] それらに依拠しつつ『噂酒松蚊鎗夜話』が横浜で興行されるに至る背景を見ていこう。

もともと板東彦十郎は中村座や守田座といった大芝居（政府の認可を得た大劇場）の舞台に上がっていたが（当時の名跡は鶴蔵）、一八七三年（明治六）には小芝居（大劇場ではない小規模な劇場）の喜昇座に活躍の場を移し、一八七五年（明治八）頃からは同座で座頭も務めるようになった。彼が活動の拠点を移した理由について佐藤かつらは「十分に腕を発揮できる場所として喜昇座を選んだのではないか」と述べているが[*12]、その背景には近代移行期における大衆娯楽を取り巻く環境の変化があったと筆者は考える。一八七二年（明治五）、文明開化の推進を掲げる明治政府は歌舞伎を民衆教化の手段として動員すべく「演劇ノ類、専ラ勧善懲悪ヲ主トスベシ……弊習ヲ洗除シ、漸々風化ノ一助ニ相成候様、可心掛事」との基本方針を打ち立て[*13]、教部省の管轄下で台本の事前検閲など芝居の統制に着手した。その後、統制の管轄は警察に移され芝居に対する権力の介入はさらに強まりを見せる[*14]。しかし「情愛深い老け役や所作事」を得意とし、観客の受けを重視して「場当り」的な演技で愛嬌を売ることに長けた坂東彦十郎にとって[*15]、こうした明治政府の統制は窮屈なものだったに違いない。彼が大芝居から小芝居に活躍の場を移したのも至極当然の流れであったといえる。

一八七六年（明治九）、横浜の下田座さの松に出演したのを機に坂東彦十郎は横浜を活動の拠点としていく[*16]。そこには横浜の劇場が抱える事情に基因した彼の理想とする芝居の姿があった。すなわち東京の大芝居に上がるクラスの役者をわざわざ横浜に呼ぶには資本がかかり、またそういう芝居を好む上級志向の芝居好きは東京まで観劇に赴く。そのため多くの横浜の劇場では基本的に小芝居系統の役者による芝居の興行が主流であった[*17]。のちに「ハマッ子芝居」（横浜を舞台にした任俠物の芝居）や「ハンケチ芝居」（ハンカチ工場の女工に人気があった美男子が登場する芝居）といった地元庶民が好む芝居が流行する下地がすでにこの時期には形成されていた[*18]。以後、坂東彦十郎は頻繁に横浜の舞台に上がり座頭も多く務めている。観客を喜ばせる芝居を追求する彼にとって横浜という地はまさに「自分が主体となり力を発揮できる場所」だったのである[*19]。

2　芝居化された真土村事件

坂東彦十郎が横浜での興行に際して地元の観客の興味を惹こうと試みた新しい工夫が「新聞の報道記事や続き物などから脚色した新作狂言」の上演であった。[*20] 新聞の報道記事や続き物を題材にした芝居の上演は世間に新聞が浸透していく中で芝居にもそれらを組み込むかたちで試みられた。佐藤かつらは明治一〇年代の大阪や横浜では「その数は東京以上と思われる」と指摘している。[*21] 事実、坂東彦十郎は神奈川県下で起こった事件や出来事を題材にした新作狂言を何本も手がけており、こうした試みは横浜における彼の芝居の特色と評されている。[*22] その彼が当時世間をにぎわせていた真土村事件を恰好の芝居の題材として取り上げたのはいうまでもない。

かくして『噂迺松蚊鎗夜話』は一八八〇年（明治一三）六月一六日に下田座さの松で開場を迎える。場割は、

序幕　　横浜郷宿玉崎の場／同奥座敷の場
二幕目　田村丸屋の場／同奥座敷の場
三幕目　田守内子別れの場
四幕目　相州諏訪の森勢揃の場
大詰　　甚土村増木邸門前の場／同玄関前の場／同奥庭丈右衛門殺しの場

の全五幕九場からなる。筋書はすでに他書で触れているので、[*23]ここではその概略を簡単に述べておこう（特に主要な地名・人名には括弧書きで補足を付す）。田守嘉右衛門（冠弥右衛門）ら甚土村（真土村）の農民五人は質地の処分をめぐり対立する元戸長増木丈右衛門（松木長右衛門）との二審裁判で敗訴となる。横浜の郷宿玉崎屋に戻った彼らは、丈右衛門はじめ増木家一族を殺害のうえ切腹しようとの田守嘉右衛門の提案に賛同し、早まってはならないと忠告する玉崎屋の主人高野与七を背に甚土村に向けて出立する。その頃、甚土村の隣村田村の旅籠丸屋に増木丈右衛門を呼び出した田村戸長奥嶋小兵衛と戸田戸長越山半三郎は、二審裁判における丈右衛門の証拠偽造を糾弾する。二人は彼に農民への温情を懇願するが丈右衛門は断固として拒否をする。一方、甚土村に戻った田守嘉右衛門は妻子と最後の時を過ごしたのち、農民らの集まる諏訪の森神社に赴く。彼は増木邸を火攻めにすることを提案し、花火職人の田守専治郎にその任を託す。丈右衛門が床に着いたとの偵察役の報告を受けた嘉右衛門以下六四人の農民は増木邸の屋根目がけて火薬を打ち込み、番人五郎兵衛（山明権六）と勘蔵（山明源次郎）親子を大勢で殺害する。そこへ丈右衛門の父良助（松木良輔）が鎗を手に現れるが、立ち回りのすえ四人がかりで仕留める。その後、逃亡を図った丈右衛門をみなで囲み、田守嘉右衛門ら五人で彼を討ち取り遺体を火中に投じる。本懐を遂げた彼らは再び諏訪の森神社に集まり、潔く最期を遂げることを約束して幕となる。

この新作狂言の創作にあたって坂東彦十郎が念頭に置いたのは何よりも横浜の観客の嗜好に応えられるような演出を工夫することであっただろう。『噂廼松蚊鎗夜話』からは次のような二つの特徴があげられる。一つは事件のあらましの簡略化である。史実では質地の取り上げをめぐり農民らと松木長右衛門とのあいだで争われた裁判は、代弁人塩谷俊雄の尽力もあって一審で農民側が勝訴したものの、二審では松木長右衛門が法律に無知な農民らに押印させた質地の名義書換を認めさせる証文が物的証拠となって松木側の逆転勝訴となった。上告したくても訴訟費用がなく、小田原裁判所からは松木長右衛門に小作料の未払い分と訴訟入費を支払うよう命じられる。最後の望みと農民らが試みた司法省への駆け込み訴も「筋違い」と追い返されてしまう。真土村事件の背景には地租改正や近代的法秩序の整備といった明治政府の進める新政のもとで追い詰められた農民の姿があった。[*24] だが、そうした新政の本質や法律の知識といった情報は芝居を小難しいものにさせ、単純明快な筋書を好む観客に嫌われてしまう。また直接的な表現は明治政府への批判と捉えられて取り締まりの対象にもなりかねない。[*25] そこで坂東彦十郎はそうした難解な情報をいっさい排除し、田守嘉右衛門をはじめ「善」たる農民と「悪」の限りをつくす増木丈右衛門の単純な二項対立という構図のもとに芝居を組み立てたのである。

3　描かれた暴力①——増木良助・丈右衛門親子の殺害

そしてもう一つは暴力の描写である。ここではまず演劇における「死」の役割について見てみよう。「死」は観客の感情——グロテスクな欲望や義憤、涙など——を掻き立てる重要なモチーフであり、歌舞伎でも古くから「物語構成上不可欠な要素」として組み込まれてきた。もともとは「様式美」に基づく演出であったが、江戸時代中期以降には視覚的な演出効果として血糊を用いるなどの「グロテスク」化が進んだ。これに刺激された観客も「死」の演出に沸き立ち、演目によっては「死」が集客力に直接影響するほどであったという。[*26] 当然演じる側もどのように「死」を表現すれば観客が喜ぶのかを意識しなければならない。こと仇討や復讐といった勧善懲悪の物語の場合、殺す側は「美しく」、殺される側は「キタナラシク、イヤラシク」役者は演じることが求められる。そして悪役の殺され方が上手ければ上手いほど観客は拍手喝采をする。[*27] ところで『噂洒松蚊鎗夜話』において殺す側は田守嘉右衛門ら農民、殺される側は増木丈右衛門ら四人である。はたして芝居で丈右衛門ら四人を惨たらしく死なせることで坂東彦十郎は横浜の観客にどのような感情を掻きたてたかったのだろうか。

真土村事件が当時多くの人びとの注目を集めたのは、何よりも明治政府の進める新政に対する鬱憤と、その新政のために松木家襲撃という選択肢をとるまでに追い詰められた冠弥右衛門ら農民に対する共感ゆえであった。文明開化を掲げて明治政府が矢継ぎ早に展開した改革は、末端の民衆にとっては従来の共同体秩序に改変を強い、慣れ親しんだ生活空間に破壊をもたらす「悪」以外の何ものでもなかった。そうした改変と破壊を末端で担ったのが松木長右衛門のような地域の有力者だったのである。事実、彼は断髪や神社統合、学校建設、国旗掲揚塔の建立など新政を率先する開化政策の忠実・果敢な実行者であった。それゆえに農民らとの対立は根深く、彼は「開化の権化」として殺されてしまう。[*28] 当時同じような境遇に喘いでいた民衆はだからこそ事件後農民らに同情して減刑嘆願運動に協力し、二年後の減刑判決を熱烈に支持したのである。坂東彦十郎は事件を芝居化することで、そうした人びとの鬱積した感情を晴らそうとしたのではないだろうか。

とはいえ、農民らの行為は近代的法秩序のもとでは犯罪であり、あからさまな称賛は新政への批判にもなりかねない。そこで坂東彦十郎は、佐倉惣五郎や赤穂義士の討入に事件を重ね合わせるという当時の新聞やメディアの手法に倣うことでこの矛盾を解消しようとしたのである。[*29]すなわち、序幕で高野与七が田守嘉右衛門らに早まった行動をとらぬよう忠告する場面では、重税に苦しむ農民を救うため将軍に直訴し処刑された佐倉惣五郎を引き合いに出し「おふぜいの人をたすけた身のいさおしトサ、夫ハ昔しの旧弊」と弁じさせる。[*30]そのうえで三幕目「田守内子別れの場」を一八五一年（嘉永四）作の『佐倉義民伝』の三幕目で惣五郎が妻子に別れを告げる「木内宗吾住居の場」と酷似した演出にすることで、田守嘉右衛門は「義民」佐倉惣五郎に重ね合わされる。[*31]さらに四幕目から大詰にかけては総勢六四人の農民と増木丈右衛門ら四人との大立ち回りはもちろん、諏訪の森神社における農民らの「六十四名の吉凶ハ天にまかせて今宵の本望」「敵とミなすハ只た壱人」といった台詞、逃亡を図る丈右衛門を農民全員で取り囲むくだりなどは『仮名手本忠臣蔵』の十一段目を彷彿とさせる演出になっている。[*32]もちろん劇中でも高野与七が「世界いまハ開化の代世にいたり人の事にて大切な命を捨る抔といふなア、いまの世界じやアはやらねへ」と襲撃に否定的な発言はしている。[*33]また田守嘉右衛門も「旧弊世界と事替り、いまハ開化の御治世」と明治政府の進める新政を称賛してもいる。[*34]しかし観客にとって重要なのは明治の治世下において何が「正しい」かではない。佐倉惣五郎や赤穂義士を芝居から想起した彼らの中で何が「善」で何が「悪」かは彼ら自身の判断に委ねられるのである。[*35]

こうして増木家襲撃は観客の中で「義民」田守嘉右衛門をはじめ六四人の「義士」によって「仇敵」増

木丈右衛門を討つ「義挙」として正当化される。後は芝居の中で増木丈右衛門――および父親の良助[*36]――がいかに悪役として「痛快」に殺されるかだけである。劇中では思慮に長け責任感の強い田守嘉右衛門と対をなすかたちで、増木丈右衛門は非道で強欲な権力者に描かれる。「小袖ぐるミ、うとくなこしらへ、羽織着流し、散髪かつら、西洋傘をつき」という開化人然たるいでたちで登場した彼は[*37]、農民からだまし取った質地について「其の条理がけつ白なれバこそ、東京お上に願て直者と成つた」と法の支配下における自らの正当性を主張する[*38]。また人力車代を渋って徒歩で寄合に赴き、夜中まで金勘定にふけるなど守銭奴ぶりを発揮する[*39]。大詰で農民らに囲まれ「覚期極めておふじやいたせ」と田守嘉右衛門に迫られても「上を偽り訴証なし到当のくじに負たるを意恨に思つて乱入なし、法にそむいた根強キ工ミ」とあくまで自らの主張を曲げない。そして農民六四人を相手に大立ち回りのすえ「一村の恨ミ、天命思ひしつたるか」と田守嘉右衛門にとどめを刺され絶命する[*40]。父良助もまた「胡摩塩のザンバツかつら」で鎗を手に農民の前に現れ「年をとつても増木良助、おのれらの如きやせうで、増木が家をたやさんとハ及ばぬ事だ」と農民らに襲いかかるも返り討ちにされる[*41]。権力を笠にきて農民らを虐げ続けた増木親子は、まさに「開化の権化」として農民らの手にかけられるのである。

はたして坂東彦十郎の思惑は功を奏し、『噂廼松蚊鎗夜話』は開場以来連日の大盛況となった。観客は新政によって募った鬱憤を舞台上に重ね合わせ、農民らの活躍に熱狂した。それは興行期間中に「焼打の幕になると弥次馬数十名が、長右衛門の役者を追廻すなどの騒ぎ」が起こったというエピソードからもうかがわれる[*42]。

4　描かれた暴力②――番人五郎兵衛・勘蔵親子の殺害

　しかしながら、この芝居の中で描かれる暴力は増木良助・丈右衛門親子の殺害だけでは終わらない。もう一組、番人五郎兵衛・勘蔵親子の殺害といううくだりが用意されている。この五郎兵衛と勘蔵は、実際の事件当時に松木家の番人であった山明権六・源次郎という実在の親子をモデルとしている。[*43]すでに述べたように、坂東彦十郎は観客を喜ばせるべく演出にさまざまな趣向を凝らすのが得意であった。それでは彼が増木親子のみならず番人親子の殺害までこの芝居のクライマックスに盛り込んだ演出上のねらいは何だったのか。

　この疑問を検討するにあたり次のような興味深い指摘がある。歌舞伎における残酷な演出は文化・文政期を経て天保期に至り頂点に達するが、その背景には時の権力の政治的圧力に対する民衆の反発があった。すなわち「政治的な弾圧、迫害、干渉が厳しければ厳しいほど、封建道徳である勧善懲悪の押しつけが激しければ激しいほど」民衆は「極端な官能的刺激を欲し、デカダンな気分にひたりたいという願望」にそそられ、その結果として「〈悪所〉において、その裏をかき、体制に反撥する姿勢を示した」のであり、それらが「凄惨な、血みどろな殺し」といった演出の残酷化をもたらしたのだという。[*44]この指摘は大詰での番人親子の殺害という演出、さらには明治政府の進める新政に鬱憤を募らせていた当時の横浜の観客の芝居に求める嗜好を考えるうえで重要である。観客は増木親子の殺害に飽きたらず、番人親子の殺害に非道徳的な快楽を求めたのではないか。
　五郎兵衛・勘蔵親子の殺害という演出を考える際に重要なポイントは、彼ら――およびそのモデルとなった山明権六・源次郎親子――が被差別民であるという点にある。明治政府は一八七一年（明治四）に「解放令」を公布して「穢多非人」身分を平民と同等としたが、従来の共同体の崩壊を恐れた民衆がその維持を掲げて被差別部落を襲撃するなど、被差別民への差別意識が強まりを見せたことは周知のとおりである。[*45]しかし、そうした全国的な傾向に加えて、「開港地」という特殊な条件のもとに形成された差別意識もまた神奈川県下に存在していたことを看過してはならない。一八五九年（安政六）の開港後、横浜には外国人居留地や遊歩地区が整備されていくが、同地の遊郭や屠場で仕事をしていたのはいずれも被差別部落の人びとであった。さらに外国人の身辺保護のために関東取締出役は見張番屋を設置したが、そこで治安業務を担ったのも非人階級の人びとであった。[*46]彼らは剣術や棒術などの武術を身につけ、外国人と日本人とのあいだにトラブルがあれば外国人の側に立ちこれを取り締まった。[*47]その結果、彼らは幕末の排外主義の高まりの中で外国人と同様に「異人」とみなされたのである。[*48]その彼らが「解放令」によって平民身分となり、さらには松木長右衛門のような開化知識人のもとで雇われることに対する民衆の憎悪の念は想像に難くない。事実、事件後に提出された農民らの減刑を嘆願する上申書には、二審勝訴後に松木長右衛門が山明権六・源次郎親子を雇用して警備にあたらせたことが農民の怒りを助長したとあり、また殺害された山明権六の遺体は「不忍言之残酷ニ及居候」という惨たらしい有様だったという。[*49]
　こうした被差別民への憎悪の念が観客にも共有されるものであったなら、当然彼らが劇中に求めるのも史実と同様に被差別民の「惨殺」となろう。まずは五郎兵衛が殺害されるくだりを見てみよう。六尺棒を手に増木家の警備にあたる五郎兵衛のもとに農民飯倉弥兵衛が駈けつけ、次のような掛け合いが始まる。

飯　コりや五郎兵衛、貴さまたちにハ恨ミハねへ、そこをのいて通してしまへ。

五　イ、や、通さぬ、ふだんい朝夕お世話に成るおらが旦那場、おぬらを通しておれの役が済ものか。

飯　エ、、じやまだていたして怪我いたすな。

五　べら棒め、びんぼう百性の党徒なし、三方よりとりまこふとも、此増木の夜廻りに於てさる坊ありと呼れたる、八方に九年坊のねへ此親じ、寝坊をミすまし、どろ坊にかくれん坊で来やうとも、此六尺棒がありさへすりやア、弘坊来ぬやう一チ〳〵に、しんばり棒で突出すからハ、とゝのつまりハ赤んぼう、ながく辛坊したあげく、ざつとの坊かつんぼと、ふくうのからだハしれた事、永くミじめをミやうより、早く此場を真くら三方に逃て行。

飯　しやらくせへ、其一言、おのれも恨ミのかたわれ、覚期しろ。

五　何をこしやくナ。

　ト是より好ミ通り面白き立廻り、たつぷりあつて、よろしき見得にて、上下より平の百性大せい出て来る。

飯　やア、皆の衆、かせいじや〳〵。

ミな〳〵　合点じや〳〵。
　　トミな〳〵、よつて五郎兵衛をふち殺す。*50

「ふだん朝夕お世話に成る」雇い主の増木家を守るために得意の棒術——台詞に「ぼう」の発音が多いのは「棒」の意——で立ちはだかる五郎兵衛に飯倉嘉兵衛は「おのれも恨ミのかたわれ」と切りかかる。そこへ現れた大勢の農民らが「よつて五郎兵衛をふち殺す」という残酷なシーンが舞台上で展開される。

続く勘蔵殺害のくだりでは被差別民に対する露骨な侮蔑意識が台詞に描かれる。舞台上手から勘蔵と農民井戸賢良が立ち回りをしながら登場し中央で対峙した後、両者の掛け合いは次のように展開する。

賢　おのれハ勘蔵、何にゆへ邪魔だていたすのだ。
勘　ヲ、、おらが大事の旦那場へ、何んの恨ミか知らねへか、夜中におよんで党徒なし、善悪正さすおぬらをハ、捕縄なすから覚期しろ。
賢　新平民のぶんざいで、邪正も知らでさばいだて、おのれもめいどの道連に、田畑のこやしになりやアがれ。
勘　エ、、水呑百性め、覚期しろ。
両人　何を。
　　ト一寸立廻つて、誂らへの鳴物に成り、ドン、賢良、勘蔵に手疵を追ハせる、勘蔵、死にものくるいにて乱妨にきつて掛る、賢良、たまりかね跡つさりに成る、此時、いぜんの百性大せい出て来て身かまへをする。

賢　各々、加勢。

ミな〳〵　合点じや。トミな〳〵、よつてかゝつてかゝつて勘蔵に掛る、ドン〳〵、勘蔵をぶち殺す。[*51]

「おらが大事」と慕う増木家を襲撃した農民らを「捕縄なすから覚期しろ」と啖呵を切る勘蔵。井戸賢良は「新平民のぶんざい」で自分たちを「善悪正さす」などと悪者呼ばわりする勘蔵に「田畑のこやしになりやアがれ」と吐き捨てる。そして立ち回りのすえ、勘蔵もまた五郎兵衛と同様に大勢の農民から「よってかゝつて」なぶり殺しにされるのである。

五郎兵衛・勘蔵親子の殺害後、井戸賢良は「せつしよ乍、五郎兵衛親子、助ケてやりたき者なれど、手向ひなせし拠義なくも、討果せしが不便千万」と詫び言を口にして二人を不憫がる。[*52] しかし、このくだりもまた観客には大きな意味を持たない。彼らにとって重要なのは、いかにこの被差別民の親子が惨たらしく殺されるかである。そして、そうした彼らの欲求を積極的に取り入れた坂東彦十郎の舞台に、観客は喝采を送ったのである。

おわりに

新作狂言『噂酒松蚊鎗夜話』はさまざまな条件が複合的に重なり合った結果生まれた産物であった。観客を喜ばせる芝居を徹底した坂東彦十郎が新たな活躍の場として選んだのは庶民的な芝居を好む観客が集う横浜であった。その横浜と同じ神奈川県下で起こった真土村事件は観客の興味を掻き立てるのに十分すぎるほどの題材であった。さらに横浜には開港以降形成された被差別民に対する特殊な差別意識も存在した。この芝居が成立しえたのは、ひとえに横浜という地に備わった諸条件がそれを可能たらしめたからにほかならない。加えて、当時横浜の芸能に対する取り締まりが東京ほどには厳しくなかったであろうこともその要因としてあげられる。あからさまではないにしろ政府批判的な要素が内包されたこの芝居は東京ではおそらく認可が下りなかったであろう。横浜が「政府の御膝元からやや離れた土地」であったからこそ興行が可能だったといえる。[*53]

観客が芝居に求めたのは日頃の鬱憤を晴らしてくれるような「痛快」な物語であった。そこで彼らの欲求を満たしたものこそは残酷なまでの暴力だったのである。彼らは田守嘉右衛門ら農民に自らを投影し「開化の権化」たる増木良助・丈右衛門が「成敗」されるクライマックスに熱狂するとともに、被差別民の番人五郎兵衛・勘蔵親子がよってたかって「惨殺」されるシーンに喝采を送った。これらの演出はいずれも観客の嗜好を取り入れて彼らの期待に応えようと努めた坂東彦十郎の工夫のなせる業であった。それは裏を返せば、芝居というかたちで可視化された、新政によって生じた既存秩序の崩壊や生活の息苦しさに対する横浜の民衆の率直なまでの不満と反発の現れにほかならない。

民衆が暴力を欲する心性については須田努も、明治政府によって社会の規律化が深められていく中で「人びとは、この逼塞する空気を〝切り裂く〟エネルギーの具現化として、（三遊亭――引用者）円朝の噺に登場する暴力に熱狂した、と言えまいか」と考察しているが、[*54] 史料的な制約もあり明らかにされていない点はなお多い。今後もさらなる具体的な検討が求められるが、引き続き課題としていきたい。

【付記】 本章の執筆にあたっては、千葉県文書館の児玉憲治氏に多大なご協力とご助言をいただいた。末尾ながらお礼を申し上げる。

〔注〕

＊1 大野誌編纂委員会編『大野誌』（平塚市教育委員会、一九五八年）、神奈川県企画調査部編集室編『神奈川県史』資料編一三 近代・現代三（神奈川県、一九七七年）、平塚市博物館市史編さん担当編『平塚市史』五 資料編近代一（平塚市、一九八七年）、新田貞章「明治初期における一農民運動の研究――神奈川県真土村騒動の場合」（『明治大学農学部研究報告』六九、一九八五年）など参照。

＊2 白柳秀湖は「児童走卒といへども口にせぬ者はない程に有名な事件であつた」と当時を回顧している。「真土村戸長屋敷焼打事件――明治十二年六月二十七日夜」（『明治大正実話全集』一〇、一九三〇年）二二五頁。

＊3 阿部安成「一八七八年真土村事件の終幕――事件後をひとびとはいかに生きたか」（『民衆史研究』五四、一九九七年）、同「事件誌の書誌学のために――一八七八年真土村事件についての（上）（下）」（『自由民権』一一・一二、

一九九八年・一九九九年）、同「ピカレスクの誘惑――真土村事件の想起と再審（上）（下）」（『自由民権』一三・一四、二〇〇〇年・二〇〇一年）など参照。

＊4 須田努『三遊亭円朝と民衆世界』（有志舎、二〇一七年）。

＊5 伊藤俊介「戦争芝居と川上音二郎――『壮絶快絶日清戦争』の分析をもとに」（『日本歴史』八〇五、二〇一五年）、伊藤俊介「川上音二郎の描いた日清戦争――『川上音二郎戦地見聞日記』をもとに」（伊藤俊介・小川原宏幸・愼蒼宇編『「下から」歴史像を再考する――全体性構築のための東アジア近現代史』有志舎、二〇二二年）などを参照されたい。

＊6 松竹大谷図書館所蔵『噂廼松蚊鎗夜話』五幕（一八八〇年、書誌番号：〇〇二〇八九四）。

＊7 伊藤俊介「芝居に描かれた真土村事件――『噂廼松蚊鎗夜話』をもとに」（『アジア民衆史研究』二五、二〇二〇年）。

＊8 「相州地主の焼打」（伊東市太郎編『相州奇談真土廼月畳之松蔭』の抄録。安丸良夫・深谷克己『民衆運動（日本近代思想大系二一）』岩波書店、一九八九年）一七〇頁。『読売新聞』一八八〇年六月一五日付雑報。

＊9 佐藤かつら「明治前期の歌舞伎における東京と横浜――役者の出演を中心に」（『歌舞伎 研究と批評』四六「特集―横浜の芸能」二〇一一年）五六頁。

＊10 早稲田大学演劇博物館所蔵『甲斐源氏桜幕張／真土松庭木植換／隈取安宅松』（一八八〇年、登録番号：ロ二二―〇〇〇七二―〇〇三）。

＊11 前掲『歌舞伎 研究と批評』四六、佐藤かつら「初代坂東彦十郎と横浜の芝居」（『国文学叢録――論考と資料』笠間書院、二〇一四年）、横浜開港資料館編『横浜の芝居と劇場――幕末・明治・大正』（横浜開港資料普及協会、一九九二年）などを参照。

＊12 右掲、佐藤「初代坂東彦十郎と横浜の芝居」一五二頁。

＊13 「教部省 芸能を管轄（明治五年）」（倉田喜弘『芸能（日本近代思想大系一八）』岩波書店、一九八八年）二四一

頁。

＊14 大日方純夫『日本近代国家の成立と警察』（校倉書房、一九九二年）第Ⅱ篇第五章参照。

＊15 前掲、佐藤「初代坂東彦十郎と横浜の芝居」一五九－一六六頁。

＊16 同右、一五二－一五三頁。

＊17 安冨順「随想・革命家と国民作家――寒村・英治とハンケチ芝居（一）」（前掲『歌舞伎 研究と批評』四六）一〇頁。今岡謙太郎「瀬川如皐「近世開港魁」を巡って」（同）三二頁。

＊18 斎藤多喜夫「横浜の劇場」（前掲、横浜開港資料館編『横浜の芝居と劇場』）参照。

＊19 前掲、佐藤「初代坂東彦十郎と横浜の芝居」一五六頁。

＊20 同右、一五七頁。

＊21 佐藤かつら「明治初期における新聞と歌舞伎――「保護喜視当活字」を中心に」（『文学』四－一、二〇〇三年）八四－八七頁。

＊22 前掲、佐藤「初代坂東彦十郎と横浜の芝居」一五七－一五九頁。新聞記事の芝居化については当時の新聞社と劇場の相互連関性も指摘されている。右掲、佐藤「明治初期における新聞と歌舞伎」八五頁。前掲、阿部「事件誌の書誌学のために（上）」一八－一九頁。

＊23 前掲、伊藤「芝居に描かれた真土村事件」五二－五四頁を参照されたい。

＊24 植本展弘「暴民哭々――近代成立期民衆の〈公怨〉について」（『悍』三、二〇〇九年）四五－四八頁。

＊25 なお筆者は、同じく真土村事件を題材に同年の六月一三日から横浜の港座で興行された『深山松木間月影』では明治政府の進める新政に対する人びとの困惑や不満といったものが芝居の中に直接的に表現された可能性があり、そのことが原因で真土村民による興行差止の申請や出演俳優の警察署拘引といった問題が生じたのではないかと推察する。前掲、伊藤「芝居に描かれた真土村事件」五六頁。

＊26 畑中小百合「演じられた〈死〉――明治期の歌舞伎と新派劇をめぐって」（『大阪大学日本学報』二六、二〇〇七

年）六九―七一頁。
＊27　坂東三津五郎「殺しの芸」（服部幸雄構成・解説『残酷の美――日本の伝統演劇における：歌舞伎・文楽・能』芳賀書店、一九七〇年）二〇―二一頁。
＊28　牧原憲夫「文明開化論」（『岩波講座日本通史』一六　近代一、岩波書店、一九九四年）二七〇―二七一頁。
＊29　松原真『自由民権運動と戯作者――明治一〇年代の仮名垣魯文とその門弟』（和泉書院、二〇一三年）六四―六五頁。
＊30　『噂酒松蚊鎗夜話』第一冊二三丁。
＊31　前掲、伊藤「芝居に描かれた真土村事件」五七―五八頁。
＊32　『噂酒松蚊鎗夜話』第四冊・第五冊。『仮名手本忠臣蔵』十一段目については戸板康二ほか監修『名作歌舞伎全集』二（東京創元社、一九六八年）一二九―一三三頁を参照した。
＊33　『噂酒松蚊鎗夜話』第一冊二三丁。
＊34　『噂酒松蚊鎗夜話』第三冊二一丁。
＊35　佐藤かつらは、坂東彦十郎も舞台に上がっていた喜昇座で明治の近代演劇にほかの作品が挿入される手法がとられていたことについて「当時の小芝居的な歌舞伎のあり方を示しているとも言える」と述べている。前掲、佐藤「明治初期における新聞と歌舞伎」九四―九六頁。
＊36　当時の新聞連載には、第一審での敗訴を受けて農民らに質地を返還する意を示した松木長右衛門に対し、これを不服とした父良輔が弟道次郎とともに「是まで巧みし事を今さら改める事や有る何処までも請け戻させぬと云張るべし」と控訴を主張したとある。『読売新聞』一八八〇年六月八日付「神奈川県下真土村騒動の始末　第四回」。
＊37　『噂酒松蚊鎗夜話』第二冊八丁。
＊38　『噂酒松蚊鎗夜話』第二冊一三丁。
＊39　『噂酒松蚊鎗夜話』第二冊九丁、第四冊一四―一五丁。

＊40 『噂酒松蚊鎗夜話』第五冊一二－一五丁。
＊41 『噂酒松蚊鎗夜話』第五冊一一丁。
＊42 前掲、白柳「真土村戸長屋敷焼打事件」二四三頁。
＊43 実際には松木家襲撃の際に山明権六とともに殺害されたのは小宮政吉という別の雇人であり、息子の源次郎は辛くも難を逃れている。『読売新聞』一八八〇年六月一九日付「神奈川県下真土村騒動の始末 第十一回」。
＊44 「悪と血の美学――残忍と紅葉」（前掲、服部『残酷の美』）六五頁。
＊45 今西一『近代日本の差別と村落』（雄山閣出版、一九九三年）一八頁。
＊46 「神奈川の部落史」編集委員会編著『神奈川の部落史』（不二出版、二〇〇七年）一一七－一一九頁。
＊47 荒井貢次郎・藤野豊編『近世神奈川の被差別部落』（明石書店、一九八五年）三一五－三一七頁。
＊48 前掲、今西『近代日本の差別と村落』一九頁。
＊49 「真土事件顛末上申書」（『神奈川県史』資料編一三）一－三頁。
＊50 『噂酒松蚊鎗夜話』第五冊八－九丁。
＊51 『噂酒松蚊鎗夜話』第五冊九－一〇丁。
＊52 『噂酒松蚊鎗夜話』第五冊一〇丁。
＊53 前掲、今岡「瀬川如皐「近世開港魁」を巡って」三五頁。
＊54 前掲、須田『三遊亭円朝と民衆世界』二〇五頁。

三　戦後日本における家庭内暴力

——新聞メディアに見出される家庭内暴力表象を通して

石田沙織

はじめに

家族成員間で発生する暴力は「家庭内暴力」という言葉に包摂される。配偶者間暴力（ドメスティック・バイオレンス：ＤＶ）や児童虐待、同居する高齢者に対する虐待（高齢者虐待）、そして子どもから親への暴力が該当する。

日本では家庭内暴力問題に対して、従来民事紛争への不介入の立場から警察権力の介入は積極的には行われてこなかった。[*1]だが、二〇〇〇年「児童虐待の防止等に関する法律」、二〇〇一年「配偶者からの暴力の防止及び被害者の保護に関する法律」（二〇一四年の法改正後は「配偶者からの暴力の防止及び被害者の保護等に関する法律」）、二〇〇六年「高齢者虐待の防止、高齢者の擁護者に対する支援等に関する法律」がそれぞれ施行された。こうした立法により、妻や子ども、高齢者といった家庭内でも弱い立場に置かれ、ふるわれる暴力が不可視化されてきた人びとの権利保障・保護のために公的機関が介入しうるようになった。

本稿で注目するのは、冒頭で列挙した家庭内暴力のうち、最後に示した「子から親への暴力」そのものが単に「家庭内暴力」と称されている点である。ほかの家庭内暴力の問題については、それぞれ暴力の主体ないし客体や、暴力の方向性を示す用語で明示されることがあるが、子から親への暴力についてはそうした用語を使用することはない。冒頭で示したドメスティック・バイオレンス（domestic violence）という語も、直訳すれば「家庭内（の）暴力」となるが、一九七〇年代のアメリカで起きたバタードウーマン（battered woman：ぶたれ妻）運動の中から生まれた語であり、「夫や恋人による（妻・女性への）暴力」を表現する用語、暴力の主体と方向性が意識されて使われていた。[*2] だが日本の配偶者暴力防止法（通称DV防止法）は被害者を女性に限定しておらず、[*3] また一九八一年『青少年白書』[*4] での初出にも見られるように、国内で使用される家庭内暴力という語が「子から親への暴力」を表すものでもある以上、暴力の主体と方向性にはつねに留意する必要がある。

かつての日本では、戦前から続いていた明治刑法のもとで自己および配偶者より親等が上の親族を殺害することを「尊属殺」と呼び重罰を定めていたほか、傷害罪や監禁罪等でも通常より重罰が科されていた。一九七三年の最高裁判所判決以降は実質この加重規定は死文化の状態にあったものの、[*5] 法律上でも厳しく取り締まられていた「子（卑属《ひぞく》）から親（尊属）」への暴力が、現在では「家庭内」という暴力の場を示すかたちでのみ表されているのである。

家庭内暴力を子から親への暴力を示す語として用いることは、特にメディアや行政上における特別な利用というわけではない。一般的に家庭内暴力という語がどのように捉えられているのか、二〇万語以上を収録した中型の国語辞書である『広辞苑　第七版』[*6]、『大辞泉（デジタル大辞泉）』[*7]、『大辞林　第四版』[*8]の三種内での記述の有無と語釈の変還を確かめると、共通しているのは「家庭内暴力」は大意としては家庭内における暴力全般を指しているが、限定的に子どもが家庭内でふるう暴力を指す、としている点である。広辞苑では一九九八年刊行の第五版まで「家庭内暴力」の語の掲載はなかったが、二〇〇八年第六版に初出し、語釈は二〇一八年第七版でも変化はない。大辞泉では一九九五年刊行の第一版と比較しても語釈に変化はないが、二〇一二年第二版以降は索引に「ディー　ブイ（DV）」が追加されている。大辞林では二〇〇六年刊行の第三版から最新版である二〇一九年刊行の第四版の間に語釈に変化はないが、第三版の同項には、索引にドメスティック・バイオレンスが追加されている。さらに下ること一九九五年に刊行された第二版では、より限定的に「家庭内で子供が親に向けてとる、暴力的な言動や行為などの問題行動。」と説明されており、家庭内暴力という語が含む暴力の範囲が時代の変遷とともに広がったことが確認できる。

そこで、まず家庭内暴力という語が使われるようになったとされる一九七〇年代前後の社会状況を概観し、日本の家族がどのような状態にあったのかを確認する。次いで、当時の代表的なメディアであった新聞紙面上で、子から親への暴力を意味する語として「家庭内暴力」が定着・認識されていく過程と、その過程で顕在化されたものは何だったのかを明らかにする。また、家庭内暴力という語で表象される以前の当該現象について、新聞ではどのように表象し、位置づけてきたのかを追う。

1　変化する家族

第二次世界大戦後、日本は社会、政治、法制度、市場経済、市民生活など、あらゆる面で大きく変動した。

政治は「五五年体制」、すなわち一九五五年には自由民主党が与党として盤石の安定支配の体制を確立し、市場経済は復興・回復の中で成長を続け、「もはや「戦後」ではない」と謳われた。[*9]経済成長率が年平均一〇％を超える年が一九年続いた、いわゆる高度経済成長期（一九五五〜一九七三年）には第一次産業ではなく第二次・第三次産業就業者が増加した。[*10]

この産業構造の変化と定着の過程で、生活環境・生活様式も同様に変化していき、近代家族概念を背景に、女性の主婦化、再生産平等主義、人口学的移行期世代が経済活動の担い手であるという三つの特徴を持った「家族の戦後体制」[*11]が確立していくことになる。

近代家族とは何か、その定義が明確にされることは少ないが、ショーターは①男女関係におけるロマンティック・ラブ、②母子関係における母性愛、③情緒的関係の場としての家庭性、の三つの感情規範が近代家族の成立にかかわったことを指摘する。[*12]家族史研究の観点から落合恵美子[*13]は①家内領域と公共領域との分離、②家族構成員相互の強い情緒的関係、③子ども中心主義、④男は公共領域、女は家内領域という性別分業、⑤家族の集団性の強化、⑥社交の衰退とプライバシーの成立、⑦非親族の排除、⑧核家族の八つをあげている。なお⑧は日本などの拡大家族を作る社会の場合には括弧に入れておいたほうがいいとし、「(⑧核家族)」としている。第二次世界大戦敗戦後の日本は近代家族の特性、特に核家族であることを家族一般の普遍的本質と思い違え、それまでの日本的特殊性であるとされた「家」からの脱却を価値的に望ましいものと捉えたが、[*14]当時の日本国内における「近代化」は戦前までの制度や慣行からの脱却と同義であったことが推察される。

企業勤めの夫と専業主婦の妻、二人きょうだいの核家族が都市郊外の公営団地に暮らす家族像に象徴される「家族の戦後体制」は、近代家族の大衆化を意味していた。[*15]

父を中心とするのではなく、子を中心とした母子関係に重点が置かれたこの家族関係に、一八九八年制定の旧民法(明治民法)に規定されていた「戸主《こしゅ》」は存在していない。戸主は原則として嫡出子の長男がなり、もし嫡出子に男子がいない場合、嫡出子の女子より非嫡出子の男子が優先された。戸主は家督相続において独占的権利を有しており、また家族の婚姻への同意、家族の離籍等、戸籍の移動にかかわる事項について全面的な権利を有していた。しかし戦後、一九四七年に改正された民法で戸主権が廃止され、家父長に保証されていた家族成員を対象とした支配的な権力が制度上は消失した。また、親が子に対して行使できる法に規定された権利として懲戒権があるが、戦前、明治民法上における親の懲戒権の位置づけは子に対して支配的であり、親子関係の秩序維持のためのものであった。この親から子どもへの一方的な懲戒権は、戦後は子どもの利益を保護するために行使されるべきと解釈が変化した。[*16]このような理解の変化、伝統的な家制度の廃止が、期待される家庭内役割を遂行するうえでの葛藤を父親にもたらし、[*17]父親は権威的に実力行使して子を支配するのではなく、子に対して理解あるようにふるまうことが是とされた。

企業勤めで家に不在がちとなり、威厳を発揮することもかなわない父親の家庭内での役割が子との関係とともに希薄化する一方で、母親の役割・子との関係は強まっていった。家産・家業を持たない都市の新中間層が、社会的地位獲得のために必要としたのは学歴であり、母親は子により良い学校教育を受けさせることで、自身に求められた教育的な家庭内役割を遂行しようとした。[*18] だが、父親の不干渉と母親の過干渉という、家庭内で子に向けられる期待と重圧の不均衡は、徐々に歪みを生じさせ、一九七〇年代、子どもが日常生活を過ごす学校と家庭という二つの空間における暴力が顕現していく。前者は学校内暴力あるいは校内暴力と呼ばれた主に対教師への暴力、後者は家庭内暴力と呼ばれた対親への暴力であった。校内暴力・家庭内暴力は少年非行問題の一つとされ、『警察白書』[*19]によると、非行少年の補導件数の推移としては一九五一年の第一の波、一九六四年に第二の波、一九八三年には第三の波を迎えている。学校と家庭、それぞれの場における子どもを教育・指導する立場の者に対してふるわれる暴力には密接な関連性があるとし、当時より「校内暴力・家庭内暴力」とくくられ、教育心理学や児童心理学の分野を中心に研究が行われてきた。[*20]

2　事件化する家庭内暴力

一九六五年代初頭より警察等の少年相談や病院に子どもが家庭内で異常な暴力をふるうケースが持ち込

まれ始めたといわれ[*21]、相談所ではこの類の事件を起こす子どもたちを表すのにふさわしい用語もなかったために「家庭内乱暴児」と呼んでいた[*22]。一方で、暴力の理由が明らかにできなかったことから子どもの統合失調症（当時は精神分裂病）、精神疾患であるかのように考えられていた[*23]。

家庭内で子が親に向けて暴力をふるう現象を示す用語として、「家庭内暴力」という言葉が広く使用される契機となった事件として臨床の現場であげられるのが[*24]、一九七七年一〇月の開成高等学校に通う息子を父が殺害した事件（開成高校生殺人事件）である。有名な進学校として知られた私立高校に通う当時一六歳だった子を、彼の家庭内暴力を原因として父が殺害するに至ったこの事件は、当時の日本社会に大きな動揺を与えた。非行少年とはいえない、むしろ進学校に通い優秀だと思われていた子が、家庭の中では両親や祖母にやまぬ暴力の雨を降らし、そのうち家庭の外でも事件を起こすかもしれないと将来を悲観した父親に殺害され、のちに母親も自殺するに至ったのである。その後、一九七九年一月には早稲田大学高等学院に通う孫が同居する祖母を殺害する事件、一九八〇年一一月には二浪中の当時二〇歳だった青年が両親を金属バットで殺害する事件が発生し、家庭内で起きる重大事件への興味関心が高まっていった。

これらの事件は家庭内暴力、学歴偏重教育の歪みを示すものとして共通項を持つが、一方で相違点もあげられる。学歴偏重主義からくる受験戦争の中で、恵まれた家庭環境・教育環境にある子、優秀であると思われていた子が暴力の主体である点は同様だが、一方で一九七七年の事件では暴力をふるわれていた親により殺人が行われ、他方、一九七九年、一九八〇年の事件では、その子自身が暴力の極致といえる殺人を犯している。一九七九年の事件では祖父が大学教授、父（事件当時は離婚で家を出ている）も大学の助教授、母も有名大学を卒業した著名な脚本家という高学歴で社会的地位もある家庭だった。教育面においては事件の被害者となった祖母が一手に引き受け、子どもの好きなように学んでほしいと望んでいた母とは異なり、大学教授であった祖父のようになってほしいと教育に力を注いでいたという。[*25] 一九八〇年の事件についても、父と兄が優秀である一方で、望まれていた学歴コースから外れてしまったことで、青年の精神的な負担が増大する中で発生したと指摘される。[*26] これらの事件は、親ではなく社会の問題であり、教育における子への不適切な扱いとしての「教育虐待（Educational Maltreatment）」[*27]の一つであるともいえる。

3　メディアに見る家庭内暴力

家庭内暴力という用語がマスメディア上に見られるようになったのは一九七七年の開成高校生の事件以後とされるが、[*28] この当時の主要なメディアとして新聞とテレビがあげられる。国勢調査の時系列データ（世帯の種類別世帯数及び世帯人員―全国、都道府県［大正九年～令和二年］）、[*29] ならびに総合統計書（日本の長期統計系列・第二六章　文化・レジャー）の新聞発行部数データ[*30]から、新聞の総発行部数は一九六〇年代に三〇〇〇万部超で安定し、一九七〇年代には一世帯あたりの部数は一・二部、当時の日本国民にとっての重要な情報源であったと考えられる。今回、戦後日本において子から親への暴力が「家庭内暴力」と呼ばれ定着していく過程を追うにあたって、起点は一九四五年とし、一九八〇年『犯罪白書』、一九八一年『青少年白書』において「家庭内暴力」の語の初出が確かめられることから、終点を一九八〇年に設定し

表1　新聞紙上に見る家庭内の暴力

記事掲載日	発行	見出し	子の年齢，性格	家庭内での子の扱い（記事中の語句）
1950/5/25	読売	母と弟妹３人で絞殺　もてあましの不良息子	27歳：無職，ヒロポン中毒，酒乱，金銭要求，家族への暴力	もてあましもの
1950/8/9	読売	不良息子滅多打ち　死魔につかれた老父	39歳：近所への借金，親への暴力	
1950/9/6	読売	日本一の親不孝者	19歳：無職，放蕩，金銭要求，親への暴力	
1951/8/2	読売	酒乱息子を絞殺　更生の親心空し元警官	19歳：無職，酒乱，窃盗癖，親への暴力	
1951/10/20	読売	不良息子を絞殺す　思い余った靴直し夫婦	29歳：ヒロポン中毒，酒乱，家族への暴力，博打	極道息子
1951/12/15	読売	息子を捕まえて下さい	19歳：非行少年，博打，金銭要求，家族への暴力	
1952/1/15	読売	不良息子を絞殺　律儀な父，半年ぶりに会って立腹	29歳：無職，金銭要求，親への暴力，女性問題	
1952/3/26	朝日	ふえる不良息子殺し		
1952/4/15	読売	主犯の長男検挙　大森の不良息子謀殺？	28歳：モルヒネ中毒，酒乱，家族への暴力	邪魔者扱い
1952/8/15	読売	不良息子殺し	24歳：無職，癲癇，酒乱，家族への暴力	
1952/9/16	読売	少年，兄を殺す	23歳：ヒロポン中毒，酒乱，金銭要求	
1953/1/6	朝日	乱暴息子を殺し自主	17歳：無職，親への暴力	
1953/4/12	読売	ポン中の息子を殴殺　大森で思い余った父親	23歳：ヒロポン中毒，素行不良，親への暴力	もてあまし者
1953/6/22	朝日	不良息子の顔，頭に　母，怒りの薪割り	21歳：ヒロポン中毒，放蕩，金銭要求，家族への暴力，素行不良	もてあましもの
1955/4/9	読売	息子を殺し埋める　ポン中に愛想尽き	24歳：ヒロポン中毒，窃盗癖，素行不良	
1955/7/5	朝日	母を眠らせ首絞める	23歳：無職，浪費癖，金銭要求，素行不良	札つきの不良娘
1956/5/9	読売	母親，三男を絞め殺す　酔って暴行，家人が取押え中	25歳：無職，ヒロポン中毒，酒乱，金銭要求，家族への暴力	
1957/10/14	読売	勘当息子を逮捕　両親にケガ	27歳：無職，親への暴力	札つきの乱暴者
1958/3/19	朝日	息子殺しに執行猶予	36歳：酒乱，家族への暴力	酒乱の息子
1958/9/4	読売	教授の妻子が殺人　暴れる長男絞める	22歳：無職，浪費，金銭要求，家族への暴力	やっかい者

1958/9/4	読売	なんとかならないか　思い余った肉親殺人ふえる		
1958/10/9	読売	また不良息子殺し　老父自首	29歳：無職，博打，金銭要求，家族への暴力	
1958/10/9	朝日	不良息子を殺す　父親が自首	29歳：無職，博打，金銭要求，家族への暴力	なまけもの
1958/10/20	読売	“肉親殺し”ふえる傾向　都内，夏から12件　当局は“寛大な処置”にジレンマ		
1959/11/17	朝日	息子殺しに執行猶予	24歳：酒乱，金銭要求，素行不良	厄介者
1960/1/6	朝日	猟銃で母親をおどし　警官隊にも発砲　不良息子が大立ち回り	26歳：金銭要求，家族への暴力	不良息子
1961/8/11	読売	思いあまった老父　酒乱の子なぐり殺す	35歳：無職，酒乱，金銭要求，家族への暴力	酒乱
1965/1/20	朝日	［身上相談］暴力ふるう高校生の弟	高校２年生：家族への暴言・暴力	反抗期
1966/5/28	読売	家庭と非行少年⑲　乱暴に泣く母　行過ぎる甘やかし　盲目的な甘やかし　愛情知らぬ青年に育つ		非行少年
1966/9/22	朝日	［身上相談］親に反抗　あばれる息子	16歳：高校生，家族への暴言・暴力	
1966/12/12	読売	母と娘で長男殺す	21歳：無職，博打，浪費，金銭要求，家族への暴力	
1967/2/2	朝日	［身上相談］父をののしる姉	20歳：会社員，家族への暴言・暴力	
1967/5/14	朝日	［身上相談］急に反抗した長男	年齢不明：予備校生，家族への反抗	
1967/9/9	朝日	わが子がこわい　警視庁の少年相談に急増　母親をなぐる，ける　外ではよい子なのに		「アンファン・テリブル（おそるべき子ども）」「親不孝族」
1967/9/15	朝日	乱暴少年の三つのタイプ　「よい子」にもある反抗		「乱暴少年」「乱暴児」
1967/10/17	朝日	［身上相談］親に乱暴する浪人息子	年齢不明：金銭要求，家族への暴力	
1967/12/6	読売	［人生案内］乱暴になったむすこ　高校2年から，服装もはでに	高校２年生：家族への暴言	
1968/3/14	読売	［人生案内］乱暴な一人むすこ　勉強せず，家族なぐり金せびる	高校３年生：金銭要求，家族への暴力	
1969/1/31	読売	「ふえる乱暴な子」		「家庭内乱暴」
1969/5/26	読売	金を無心，あばれる長男絞殺	28歳：無職，酒乱，金銭要求	

1970/3/24	朝日	[身上相談] 親に反抗する息子	高校２年生：家族への暴言	
1971/9/30	読売	ダメな“30むすこ”殺す　思いあまった老会社員	33歳：酒乱，家族への暴力，暴力団との関係	
1973/1/31	読売	受験地獄，母が殺人　暴れる子「家庭がダメに」	21歳：予備校生，家族への暴力	
1973/2/8	読売	この家庭に平和はなかった　狂う息子を絞殺　悩みの父「殺す」と乱暴され	23歳：無職，家族への暴言・暴力	
1973/2/9	読売	痛ましい，東京の分裂症長男殺し	23歳：無職，家族への暴言・暴力	
1973/6/28	読売	母は過保護　父は無責任　裁判長，親を痛烈批判　乱暴予備校生殺し判決　刑は温情	21歳：予備校生，家族への暴力	
1975/1/27	朝日	大金せびる酒乱息子　父がなぐり殺す	33歳：酒乱，金銭要求	酒乱息子
1975/7/1	読売	長崎で母，悲しい殺人　乱暴息子を悲観		
1975/12/11	読売	[社説]「家庭暴力」の悲劇に救いを	※夫からの妻子への暴力	
1976/6/20	読売	[ジュニア相談室] 家で私に当たり散らす長男	中学１年生：中学生，家族へ暴力	「家庭内乱暴」
1976/8/29	読売	[ジュニア相談室] 家では大変乱暴な中二の娘	中学２年生：中学生，家族への暴力	「家庭内乱暴」
1977/2/22	朝日	ゆとりからユーモアと勇気　わが子の暴力抑えるには		「家庭内暴力少年」
1977/3/15	朝日	家で暴力を振るう少年		「家庭内暴力少年」「家庭内暴力」
1977/10/31	読売	毎夜乱暴，エリート高校生　悲観の父が絞殺　後追い果たせず	16歳：家族への暴力，家財破壊	
1977/12/15	読売	初公判を待つ息子殺しの父	16歳：家族への暴力，家財破壊	
1978/1/5	朝日	（４）乱暴少女　妥協の父と甘い母　不機嫌時代４」		「乱暴少女」「家庭内乱暴少年」
1978/2/16	読売	「名門高校生の息子」殺し　恩情の猶予判決	16歳：家族への暴力，家財破壊	
1978/2/16	朝日	父親に執行猶予　開成高生殺し温情判決	16歳：家族への暴力，家財破壊	
1978/3/14	朝日	暴力考 「開成高生」事件①	16歳：家族への暴力，家財破壊	家庭内暴力
1978/3/26	読売	[ジュニア相談室] 兄の乱暴に泣き暮らす母		「家庭内暴力」
1978/4/9	朝日	天声人語		
1978/4/13	朝日	暴力考番外編「家庭内暴力と私」		

1978/7/4	朝日	天声人語		
1978/8/9	朝日	「家庭内暴力」を考える		
1978/9/6	朝日	「犯情重い」と趣意書　開成高校生事件　検察側控訴審で提出		
1978/9/19	読売	［そうだん室］横暴で弟妹に多いやりがない長男		
1978/11/22	読売	［人生案内］したい放題，中1の弟		
1979/2/8	朝日	少年の家庭内暴力が急増　警視庁が白書		
1979/2/14	朝日	「家庭内暴力」で入院中　高校生，看護婦切る		登校拒否
1979/7/30	読売	［そうだん室］すなおだった子が急に反抗的に		
1979/12/27	読売	何かが変わった？　70年代⑤		登校拒否，家庭内暴力
1980/3/22	朝日	増える家庭内暴力・登校拒否　病根深く教育ママの影？　中央大学が調査		
1980/11/26	朝日	家庭内暴力の息子殺害　父親に執行猶予	17差：高校生，家族への暴力	

た。対象としたのは『朝日新聞』と『読売新聞』（全国版・朝夕刊）であり、それぞれ「聞蔵Ⅱビジュアル」「ヨミダス歴史館」のデータベースを使用し、家庭内における子から親への暴力を含む記事、また「家庭内暴力」が表象する現象の揺れを確認するため「家庭内暴力」および類似した語を使用している記事を抽出した（表1）。

『読売新聞』

『読売新聞』内で子から親への暴力を称する際に特定の語が使用され始めたのは一九六九年の「婦人と生活」欄である。「家庭内乱暴」と称され、主に母親からの相談として警察の少年相談に持ち込まれた事例に家庭内暴力の兆候が見られ、同様の語は一九七六年の読者投稿への回答にも再出している。ここでは都立教育研究所に籍を置く人物から回答され、実務に近い場面で「家庭内乱暴」という語が「子から親への一方的な暴力」を示すものとして使用されていたことが確かめられる。

一九七八年三月二六日、これも読者投稿への回答の中で、『読売新聞』では初めて「家庭内暴力」の語の使用が認められた（「ジュニア相談室　兄の乱暴に泣き暮らす母」）。この時の語の説明として、未成年の子を暴力の主体とした親への暴力とされ、以降、家庭内で起こる同様の事例・事件には「家庭内暴力」の語が使用されている。

ただし、『読売新聞』では「家庭暴力」という語も散見され、一九七五年の記事では夫ないし父親を暴力の主体として使用していたり、米国における配偶者間暴力を家庭暴力と称していたり（一九七七年一〇月二七日）と、開成高校生の事件以前は子から親への暴力のみに限定せずに「家庭」という暴力の場を捉えていたこともうかがえる。

『朝日新聞』

『朝日新聞』では一九六七年に「乱暴少年」と称したのが、子から親への暴力への言及の始まりであった。ここでは良い子にも見られる暴力であるとされ、警視庁の少年相談所による一応の三分類として示されている。地方欄ではあるが、東京版ではこの六日前に「わが子がこわい　警視庁の少年相談に急増」として家の中でのみ母親を殴る蹴るする子を「アンファン・テリブル（おそるべき子ども）」と称し、相談事例の増加を指摘している（一九六七年九月九日）。この段階では実際の相談を受ける現場においても名称が定まっていなかったことが推察されるが、『読売新聞』と同時期の一九七七年二月二二日掲載の記事では「家庭内暴力少年」の語が、やはり警視庁少年相談室にて使用されていることがわかる。ここで特に重要であると思われるのが、一九七〇年代後半の家庭内における暴力の問題に先がけて社会問題となっていた校内暴力や非行と区別するかたちで「家庭内暴力」と呼称しているという点である。この二月の記事を受けた同年三月一五日の記事内で、初めて「家庭内暴力」が明記されている。

以降「家庭内暴力」が定着するかと思いきや、一九七八年一月では「家庭内乱暴少年」と呼称され、その後一九七八年四月に天声人語欄で「家庭内暴力」として再び言及されて以後は一貫している。例外として、一九七九年八月二一日の記事でアメリカの家庭内暴力に関する調査報告書の夫婦間暴力に言及した際に「家庭内暴力」の語が使用されているが、一九八三年九月二七日のアメリカでの「家庭内暴力」に関する書籍紹介の際には、日本における「家庭内暴力」の示す範囲との違いが明示されている。

新聞紙面での掲載傾向

新聞紙面上では、一九六五年前後、事件化する以前の問題としてまず読者投稿で「子から親への暴力」の事例が掲載され始め、一九六七年頃から警察の少年相談といった公的機関に持ち込まれるようになったことから、問題が可視化されていった。未成年の子が親に理不尽な暴力をふるう現象に社会が気づき始めた時期ともいえるが、家庭という私的領域に限定されていた分、社会が問題意識を共有するには至らず、また警察などの対応部署もこの現象を言い表すような語を持たず、関係機関での連携もなかった。そのため、「家庭内乱暴（少年）」「乱暴少年／少女」「乱暴児」のように、暴力の主体が未成年であることは共通しているものの、名称が定まらず、共有されにくい状況であった。[*31] 子自身のパーソナリティに暴力と逸脱の原因を見出し、親きょうだいに暴力をふるう子のことを「乱暴息子」「不良息子」等と呼んでいた一九五〇・六〇年代と共通した捉え方であり、社会問題として扱われにくかったことを反映している。

ただし一九七〇年以前に問題視された、家庭内での暴力に端を発した事件で暴力の主体となっているのは未成年ではない。家族と同居する二〇代、三〇代の成人した子であり、時に親であった。一九五〇・六〇年代にはそれぞれ一回ずつ少年非行のピークがあり、[*32] それを受けてだろう、非行少年については少年法で対応できる部分があるとしながらも、成人した同居家族の暴力について規制・介入するような法制度の整備が追いついていない点が強調され、解決の糸口を家庭裁判所に求める傾向が見られる。[*33] 家庭内で起きた暴力は、その原因や社会背景ではなく「家庭内でも解決できない問題（人物）を社会がどう引き受けうるか」という対処の観点から語られているのである。

その後、校内暴力とは区別される、「教育環境的に恵まれた家庭の未成年の子が、家庭内でのみで親きょうだいにふるう暴力」、すなわち場、主体、そして方向性が限定された暴力を契機とする殺人事件が発生した一九七七年を経て、衝撃的な事件のイメージとともにより鮮明なかたちで新聞紙上に定着し、社会に可視化されたのが「家庭内暴力」であった。

おわりに

社会情勢が一変した二〇二〇年以降、解雇や在宅就業の増加を背景に、DVや児童虐待が増加しているというニュースが報じられた（『朝日新聞』二〇二〇年四月一四日）。同年一〇月には、内閣府が従来の暴力対策推進室を格上げして男女間暴力対策課を新設するなどし、国内で増加するDVへの対策強化を図っているが、その件数は二〇二〇年四月から二〇二一年二月の期間で一七万五六九三件となっており、前年度同期の約一・五倍にもなっている。同様に、親から子どもへの暴力についても、二〇二〇年三月から二〇二一年二月までの児童相談所における相談対応件数が一九万八七八七件にのぼっており[*34]、家庭内で発生する暴力の問題は減少することなく続いている。警察へのDV相談件数は過去一〇年連続で増加、また児童虐待として通告された人数も年々増加を見せ、二〇二二年度には過去最多の一一万五七三〇件となった[*35]。この背景の一つとして、これまでの家庭内暴力が家庭の内外に対応策を持たず刑事事件化、すなわち重大な事件となることで可視化され、当事者家族が「問題家族」としてのスティグマを負わされてきた時代から[*36]、二〇〇〇年以降に家庭内における暴力の問題を取り扱う法律の整備が始まり、公的機関の扱う対象であるという認識に変化していったことが関係していると推察される[*37]。

そして「家庭内で見られる子から親への暴力」としての「家庭内暴力」の語も、その暴力の主体に未成年者を想定していた一九七〇年代当時とは異なっている。

近代家族概念を背景にした、親と未成年子を成員とした家族体制が、子が成人しても解消されることなく続き、今では老父母と同居している中高年になった子が引き起こすものも含まれるようになっている。二〇一九年六月一日に発生した元農林水産省官僚による四四歳の息子の殺害事件も、ひきこもりであった息子による、高齢者虐待としての側面も持つ家庭内暴力を発端とした事件であった。

家族という私的領域に取り込まれることで不可視化されるものは多い。家庭内暴力もその一つであり、「家庭内暴力」という語を得ることで初めて共有されうる現象となった。今後も、家族のあり方は大きく変化していくだろう。婚姻関係によらないもの、血縁関係に依存しないもの、恋愛関係・性愛関係を必要としないもの、金銭が介在するようなもの、さまざまなかたちで家族が成り立ち、成員同士の関係性も一様ではない。

この新たな家族のかたちの中に暴力が発生する時、社会は、法は、人の意識はどのようにその暴力を可視化していくのか。その変化を今後も注視する必要があるだろう。

〔注〕

＊1　二二歳の息子が五〇歳の母ならびに交番の巡査に暴行を加えた事件で、家庭内の暴行事件は罪に問えるかどうかの判決が一九六三年三月一九日東京高裁で出された。結果は有罪（執行猶予付き）であり、法律は家庭内に及ばないという慣例を覆し、家庭内紛争に対して厳しい態度を示した新判例として注目された（『毎日新聞』朝刊、一九六三年三月二〇日）。

＊2　松島京「ドメスティック・バイオレンス（Domestic Violences）という用語がもつ意味」（『立命館産業社会論

集』三六、二〇〇〇年）。

＊3　内閣府　男女共同参画局「ドメスティック・バイオレンス（ＤＶ）とは」（https://www.gender.go.jp/policy/no_violence/e-vaw/dv/ 二〇二三年一月一四日閲覧）。ドメスティック・バイオレンスは日本では配偶者または親密な関係にある・あった者のあいだでの暴力を表す用語である。

＊4　総理府青少年対策本部編『昭和五十六年度版　青少年白書　青少年問題の現状と対策』（一九八一年）。

＊5　尊属殺人罪は普通殺人罪の加重罪であり、法定刑は死刑または無期懲役のみという、普通殺人罪が定める法定刑よりも重いものであった。一九九五年の法改正に伴い、他尊属加重刑罰とともに廃止となったが、それより以前、一九七三年最高裁判所により尊属殺人を規定する刑法二〇〇条違憲判決を受けて以降は運用されることはなかった。

＊6　新村出編『広辞苑』（岩波書店、二〇一八年）。

＊7　松村昭・監修『大辞泉（デジタル大辞泉）』（小学館、二〇一九年）。

＊8　松村昭・編『大辞林』（三省堂、二〇一九年）。

＊9　経済企画庁『昭和三一年度　年次経済報告書』（一九五六年）。

＊10　総務省統計局『国勢調査　時系列データ』（https://www.e-stat.go.jp/ 二〇二三年一月一四日閲覧）。

＊11　落合恵美子『二十一世紀家族へ――家族の戦後体制の見かた・超えかた［新版］』（有斐閣、一九九七年、初版：一九九四年）。

＊12　エドワード・ショーター『近代家族の形成』（田中俊宏ほか訳、昭和堂、一九八七年、原著：一九七五年）。

＊13　落合恵美子『近代家族とフェミニズム』（勁草書房、一九八九年）。

＊14　前掲、落合『二十一世紀家族へ』。

＊15　同右。

＊16　田辺俊治「親の懲戒権に関する一考察――戦後家族法の分析を通して」（『日本教育行政学会年報』七、一九八一年）。

＊17　高橋均「現代親子論――現代社会における親の座とその役割」（『児童心理』三六、一九八二年）。
＊18　沢山美果子「教育家族の成立」（〈産む・育てる・教える〉編集委員会編『教育――誕生と終焉』藤原書店、一九九〇年）。
＊19　警察庁編『昭和五十七年度　警察白書』（一九八二年）、警察庁編『昭和六十一年度　警察白書』（一九八六年）。
＊20　たとえば一九七八年三月『児童心理』「特集　反抗する子」、一九七九年七月『教育と医学』「特集　家庭内暴力」、一九七九年一二月『教育心理』「特集　家庭内暴力」など。
＊21　前掲、総理府青少年対策本部編『昭和五十六年度版　青少年白書　青少年問題の現状と対策』。
＊22　門脇厚司「家庭内暴力の社会学的考察」（『教育心理』二七－一二、一九七九年）。
＊23　稲村博『家庭内暴力――日本型親子関係の病理』（新曜社、一九八〇年）。
＊24　山田順子「「家庭内暴力」と「家庭内暴力児」――用法への提言」（『教育心理』二七－一〇、一九七九年）。
＊25　本多勝一『子どもたちの復讐』（朝日新聞社、一九九六年）。
＊26　佐瀬稔『金属バット殺人事件』（草思社、一九八四年）。
＊27　武田信子「教育虐待（Educational Maltreatment）」二〇一九年（https://note.com/nobukot/n/n6e61aa5b71c 二〇二三年一月一四日閲覧）。
＊28　前掲、山田「「家庭内暴力」と「家庭内暴力児」」。
＊29　総務省統計局『国勢調査　時系列データ』（https://www.e-stat.go.jp/ 二〇二三年一月一四日閲覧）。
＊30　総務省統計局『総合統計書　日本の長期統計系列』（https://warp.da.ndl.go.jp/info:ndljp/pid/11423429/www.stat.go.jp/data/chouki/index.html 二〇二三年一月一四日閲覧）。
＊31　たとえば「乱暴少年の三つのタイプ　「よい子」にもある反抗」『朝日新聞』一九六七年九月一五日、「家で私に当たり散らす長男」『読売新聞』一九七六年六月二〇日。
＊32　前掲、警察庁『昭和六十一年度　警察白書』。

＊33　「なんとかならないか　思い余った肉親殺人ふえる」『読売新聞』一九五八年九月四日。
＊34　厚生労働省「児童虐待相談対応件数の動向（令和二年三月～令和三年二月）（速報値）」（https://www.mhlw.go.jp/content/000769810.pdf 二〇二一年七月二一日閲覧）。
＊35　警察庁編『令和四年の犯罪情勢【暫定】』（https://www.npa.go.jp/news/release/2023/r4_report.pdf 二〇二三年一月一四日閲覧）。
＊36　アーヴィング・ゴッフマン『スティグマの社会学――烙印を押されたアイデンティティ』（石黒毅訳、せりか書房、二〇〇一年、原著：一九七〇年）
＊37　熊谷文枝「家庭内暴力の理論的考察」（『社会学評論』三一‐二、一九八〇年）。

四　現代日本における朝鮮人への差別・暴力と歴史認識

加藤圭木

はじめに

二〇二一年八月三〇日、在日朝鮮人[*1]が多く暮らす京都のウトロ地区で空き家が放火されるという事件が起きた。ウトロ地区はアジア・太平洋戦争の時期に日本政府が進めた京都飛行場の建設にあたって集められた朝鮮人労働者たちの飯場があった場所で、その後、朝鮮人の集住地域となった。[*2]犯人は在日朝鮮人に対して敵対感情を抱いており、ウトロ地区の歴史を伝えるために開館予定であったウトロ平和祈念館（二〇二二年四月開館）をねらって犯行に及んだ。[*3]本事件は民族差別を原因として引き起こされた犯罪、すなわち、ヘイトクライムというべきものである。二〇二二年八月三〇日、京都地裁は犯人に懲役四年の有罪判決を下した。[*4]

このような在日朝鮮人に対する差別や暴力は枚挙にいとまがないが、さしあたり、この一五年ほどの事例をいくつか示してみよう。

二〇〇九年には京都朝鮮第一初級学校に排外主義団体が押しかけ、ヘイトスピーチを放つという事件があった。[*5]

二〇一三年には、日本各地で朝鮮人に対する排外主義的なデモが繰り広げられた。「韓国人を殺せ」、「朝鮮人首吊れ」、「良い韓国人も悪い韓国人も殺せ」[*6]などという暴力的な言葉が公然と路上で叫ばれた。

二〇一八年二月には在日本朝鮮人総連合会中央本部に銃弾が撃ち込まれた。[*7]

同じく二〇一八年一〇月に韓国の大法院は、朝鮮人強制連行・強制労働（徴用工）問題の加害者である日本企業に対して賠償を命じる判決を下した。[*8]これに対して、日本では「国際法違反だ」などという批判が巻き起こり、韓国に対するバッシングが繰り広げられた。こうした中で、韓国人に対するヘイトスピーチや差別が拡大していった。

以上のような民族差別やそれに基づく暴力については、大部分の人が「とんでもないことである」、「決して許されないことである」と感じるに違いない。

その一方で「そのような過激な人たちはごく一部であり、それ以外の大部分の日本人は決して差別主義者などではない」という思いを持つ人が少なくないのではないだろうか。

このように朝鮮人への差別や暴力をごく一部の人たちの問題としてのみ考えることは適切なのだろうか。ところで、日本において広がる排外主義やヘイトクライムについては、世界的な広がりの中で考えることができる。経済格差に伴う閉塞感が強まり、社会の分断が可視化され、反知性主義が広がっているという社会変容の中で、他者を排斥する感情が増幅されているのである。

一方、日本においては長らく朝鮮人に対する排外主義や差別が継続してきた。近年、それが右のような世界的な状況下でさらに増幅されているわけであるが、根の深い問題ともいえる。それでは、こうした日本における排外主義や差別はどのようなかたちで継続してきたのだろうか。日韓関係を見てみると、一九六五年には日韓国交正常化がなされ、両国の関係は大きく変化した。また、日本では二〇〇〇年前後から「韓流ブーム」が巻き起こり、日韓関係は大きく変化し、社会も大きく変容したと考えられる。これらが朝鮮人に対する差別や排外主義に対して与えた影響はなかったのだろうか。このような点についても本稿では考えてみたい。

以上をふまえ、本稿では、朝鮮人への差別や暴力が引き起こされる背景や構造について考察を深め、そうした差別構造を乗り越えていくために何ができるのかを検討する。

1 日韓関係は「新しい段階」へ？

毎日新聞が運営する「政治プレミア」というサイトに、二〇二三年一月一五日付で政治部記者・大貫智子の署名記事「韓国文化を楽しむなら加害の歴史に向き合うべきか」が掲載された（同年二月一一日にこの記事は「取材に不十分な点があった」として削除された）[*9]。大貫の主張は、現在の日本社会において広く見られる主張であるので検討してみたい[*10]。大貫はこの記事の結論部分で次のように主張した。

65年の国交正常化後最悪と言われた日韓関係は、コロナ禍における交流の断絶を経て、政治的にも文化的にも新たな段階に入りつつある。両国とも過去の歴史にとらわれすぎず、対等なパートナーとして接することが重要ではないかと思う。

この大貫の文章を読んで、どのように感じるだろうか?「過去にとらわれすぎず」といったところからわかるように未来志向の文章として良い印象を持つ人がいるかもしれない。「対等なパートナー」として、日韓関係を構築していくことは肯定的に考えるべきだという人もいるだろう。先に述べたヘイトスピーチやヘイトクライムに心を痛めている人の中には、日韓両国の関係が「新しい段階」に入り改善されることは望ましいと思う人もいるのではないだろうか。

その一方で、「過去の歴史」を軽視する姿勢に違和感を持つ人もいるかもしれない。私自身も、この大貫の意見には反対である。それどころか、大貫の上記の問題提起と在日朝鮮人に対する差別や暴力は地続きであると考える。

大貫の議論の問題点を述べる前に、この記事に関してもう少し説明しておきたい。大貫は、この記事の中で、上記の主張を述べるために、私が監修を担当した一橋大学社会学部加藤圭木ゼミナール編『「日韓」のモヤモヤと大学生のわたし』を批判的に取り上げている。『「日韓」のモヤモヤと大学生のわたし』は現役大学生が作った日朝関係史入門書であり、K－POPや韓国ドラマなどの韓国文化ファンを主要な読者層として想定して作られた本である。『「日韓」のモヤモヤと大学生のわたし』は、日本の朝鮮植民地支配の歴史に対する批判的認識を確立し、植民地支配の責任を果たすことの必要性を訴えている。[*11] その責任とはどのようなものだろうか。

日本は一九世紀後半から朝鮮侵略を開始し、朝鮮民族の抵抗を武力によって押さえて、強制的に朝鮮を植民地化した。そして朝鮮民族の自主決定権を否定し、重大な人権侵害を引き起こした。朝鮮人は当時からこの日本の行為を強く批判していた。現在、世界では「人道に対する罪」という観点から植民地支配の不法性を問おうとする動きがある。以上をふまえれば日本の朝鮮植民地支配は不法であったというべきである。[*12] しかし、日本政府は現在に至るまで、朝鮮侵略・植民地支配に関して、その不法性を認めず、賠償などの措置を実施していない（日韓国交正常化の過程で、この点がどのように扱われたのかはのちに触れる）。

さらに、植民地支配の中で遂行された朝鮮人強制連行・強制労働（徴用工問題）や、日本軍「慰安婦」制度（日本軍性奴隷制度）などについても、日本政府は法的責任を認めておらず、賠償などの措置を実施していない。[*13]

大貫は、『「日韓」のモヤモヤと大学生のわたし』について、「この本に対しては、日韓関係の専門家から「学生の問題意識は良いが、結論がバランスを欠いている」という指摘が出ていた。参考文献が日韓の左派系識者の著書に偏っており、韓国全体を正確に理解するには不十分なためだ」と述べた。「日韓関係の専門家」が問題を指摘していたというが、匿名での批判はアンフェアである。しかも、その指摘の内容もまた「左派系識者」などというレッテル貼りでしかなく、とても学問的とはいえない。

このように『「日韓」のモヤモヤと大学生のわたし』に対してレッテルを貼ったうえで、大貫は、韓国の文学研究者朴裕河のインタビューの内容を次のように紹介している。

〔前略〕22年8月に掲載した韓国・世宗大の朴裕河（パク・ユハ）教授のインタビューを思い出した。1990年代以降、日韓のリベラルが連帯して日本の戦争責任を法的に問うことにこだわるあまり、「元宗主国と元植民地という関係にとらわれすぎていたのではないか。これでは前進しない」と朴氏は訴えた。

この朴裕河のインタビューを根拠の一つとして、上述の大貫の「過去にとらわれすぎず」云々と主張がなされることになるわけである。『「日韓」のモヤモヤと大学生のわたし』に不当なレッテルを貼ったのは、前述のとおり同書が、戦争や植民地支配の責任を日本政府や日本人が果たすべきと主張していたからであろう。

要するに大貫は、侵略戦争・植民地支配の被害を告発する被害者やそれを支援する人びと、また、日本で自国の加害責任を批判する人びとこそが、日韓関係改善の障害となっていると考えているのであろう。仮に大貫の主張どおり日本が加害責任を果たすことなく、日韓の国家間で関係を改善したとして、はたして何が解決されたことになるのだろうか。植民地支配によって引き起こされた人権侵害は放置されたままである。植民地支配の結果として日本で暮らさざるをえなくなった在日朝鮮人に対する差別や暴力もまた十分に解消されることはない。詳しくは後述するが、日本の侵略戦争と植民地支配こそが朝鮮人への差別や暴力を強化したのであるから、これらに対する反省なくして現在の差別や暴力の根本的な解決はありえない。

大貫の主張は先に見たヘイトスピーチなどと比べて穏健に見えるかもしれないが、これは植民地支配が作り出した差別や暴力を温存していくものにほかならない。私が大貫の主張と在日朝鮮人への差別・暴力が地続きだと述べたのは以上のような考えからである。

2　韓国文化が好きならばだいじょうぶ？

大貫は、先の記事で、日韓関係は「政治的にも文化的にも新たな段階に入りつつある」と述べていた。まず、「政治的」というのは、日米韓の軍事的連携を重視する尹錫悦政権の誕生に伴って、日韓政府間による歴史問題の政治的な決着がつけられる（被害者の意思を無視したかたちで問題を終わらせる）可能性が高まっていたことを指しているのであろう（実際に、二〇二三年三月七日、尹大統領は徴用工問題に関する「解決策」を発表したが、これは被害者の立場を無視したものであり、真の解決とはいえない妥協的なものである）。そして、「文化的」とは、Ｋ－ＰＯＰや韓国ドラマなどの韓国文化の人気、それに伴う交流の拡大を念頭に置いているのだろう。文化交流に対する期待感が見て取れる。

韓国文化が好きな人は、「韓国人を殺せ！」などという暴力的な言葉を叫ぶことはないだろうし、そうしたヘイトに対しては嫌悪感を持つのかもしれない。そうだとすれば、文化交流がますます拡大し、韓国に対して好感を持つ人が増えれば、ヘイトや差別はなくなるのだろうか。

その答えを探るために、ここで考えてみたいのが一九九〇年代後半から二〇〇〇年代にかけて起こった「韓流ブーム」である。まず、「韓流ブーム」の歴史的位置を確認するために、戦後の日韓関係の歩みを簡単に振り返っておきたい。

日本現代史研究者の吉田裕によれば、日本の戦後処理には特殊性があったという。[*14] 第一に、連合軍による対日占領は事実上アメリカによる単独占領であったため、アメリカの国益が優先されたという点である。対日占領政策の遂行のために天皇制の意識的な利用が図られて、昭和天皇の戦争責任が免罪された。第二に、冷戦の論理が優越したことである。一九五一年に調印されたサンフランシスコ講和条約は、アメリカの対ソ戦略上の政治的配慮が優先されたために「寛大な講和」という側面を持っていた。アメリカを中心とした主要交戦国が賠償請求権を放棄したことなどがその具体例である。第三に、侵略戦争の最大の犠牲者であったアジア諸国が脱植民地化過程にあり、アジア諸国が日本の戦後処理のあり方に影響力を及ぼすことができなかったということである。

以上から、吉田は「日本は戦争責任問題を事実上棚上げしたうえで、巨額な賠償支払いの経済的負担に悩まされることなく、経済成長することが可能になった」と指摘する。

その後、韓国とは個別に国交正常化を進め、日本の加害責任を不問に付したうえで、一九六五年に日韓基本条約と日韓請求権協定など四つの協定が結ばれた。[*15] これらに基づく現在の日韓関係の出発点となる体制を、韓国の歴史研究者・権赫泰は「六五年体制」と呼んでいる。これは、米国を頂点とする垂直的系列化を基盤とする日米韓疑似三角軍事同盟体制（日米同盟と韓米同盟）のことである。この同盟体制に基づき、ロシア・中国・朝鮮民主主義人民共和国を牽制するという。そして、その同盟体制を維持・安定化するために歴史問題の噴出を物理的暴力で抑圧するか、コントロール可能な範囲に置こうとするものであると指摘されている。「歴史認識より安全保障を優先した体制」である。[*16]

ところが、一九八〇年代後半に冷戦が終結し、韓国の民主化が進むと、「六五年体制」は変容する。ソ連・中国・朝鮮民主主義人民共和国を仮想敵とする日米韓の同盟は変化を迫られるとともに、韓国において軍事独裁政権が封じ込めていた歴史認識問題が一気に噴出したというのである。一九九一年に金学順が被害を告発したことで日本軍「慰安婦」問題が大きく取り上げられるに至ったことはその代表例である。歴史問題を押さえ込むことはこれ以上不可能になったのである。

こうして新たに誕生したのが「九五年体制」だとする。[*17] たとえば、日本軍「慰安婦」問題に対する日本国家の関与を認めて「おわび」した「河野談話」（一九九三年）や、植民地支配と侵略に対して「おわび」を述べた村山談話（一九九五年）が出されたが、これらに基づいて日韓両国の関係が形作られていったことをいう。

しかし、これらは日本軍「慰安婦」問題についても植民地支配についても、国家の法的責任を認めず、賠償等の措置を実施するものではなかった。したがって、この「九五年体制」は「六五年体制」を延命させるものにすぎなかった。

「九五年体制」は、「韓流ブーム」の前提であった。一九九八年日韓パートナーシップ宣言（小渕・金大中）が結ばれ、二〇〇二年にはサッカー日韓ワールドカップが開催された。二〇〇三年には「冬のソナタ」（冬ソナ）ブームが巻き起こり、以後、韓国文化は日本社会において普及していった。

確かにそれまできわめて限定的であった日韓の民間交流が一気に活性化し、日韓両国を多くの人たちが行き来するようになったこと、たくさんの友人関係が形成され、お互いの顔が見える関係が作り出されたことには大きなインパクトがあった。私もそうした中で朝鮮語を学び、韓国に留学し、朝鮮史を学んだわけである。

だが、そうした交流は、戦争や植民地支配における日本の加害責任を無視したうえで成り立っていた面がないとはいえない。そして、交流の活性化は全体として見れば日本人側の歴史認識の深化にはつながらなかった。植民地支配の歴史をふまえた民間交流も数多くあったが、日本人側の大部分は歴史を忘却する方向へと進んでしまったといえるだろう。

この時代は、日本軍「慰安婦」問題をはじめとした日本の加害に関する歴史否定論（歴史修正主義）が大きく伸張した時代でもあった。[*18] 歴史否定論は、日本軍「慰安婦」制度の被害者について「自発的だった」とか、「強制連行はなかった」などと主張し、日本側の責任を否定するものである。歴史否定論が日本において拡大することになったのは、前述の「河野談話」で「慰安婦」問題に対する日本軍の「関与」を認定したことに加え、中学校の歴史教科書に一九九七年から日本軍「慰安婦」問題が記載されることになったことへの反発があった。一九九〇年代には「自由主義史観研究会」（藤岡信勝ら）や「新しい歴史教科書をつくる会」（同）や「日本の前途を考える若手議員の会」（安倍晋三ら）などの歴史否定論の立場に立つ団体が次々に結成され、日本軍「慰安婦」問題など加害の歴史を教えることは「自虐史観」であると主張するに至った。その後、二〇〇〇年前後からインターネットが普及するにつれて、歴史否定論は大きく広がっていった。インターネット発の「嫌韓流」が漫画として刊行され、その後数多くの「嫌韓本」が刊行されるに至った。このように「韓流ブーム」の時代は歴史否定論が力を増していく時代だったが、韓国との交流が深まる中でも社会の大勢としては歴史否定論を批判する動きが大きなものとはならなかった。

そして忘れてはならないのは、「韓流ブーム」の真っ只中に朝鮮民主主義人民共和国に対するバッシングが強化されたことである。そのきっかけとなったのは、二〇〇二年九月の小泉純一郎首相（当時）と金正日総書記（当時）の首脳会談であった。在日朝鮮人に対するバッシングも強化された。朝鮮学校には脅迫電話がかかり民族衣装を着用しての登校ができなくなった。[*19]

朝鮮民主主義人民共和国とのあいだで日本は植民地支配に関して何ら責任を果たしておらず、国交も回復されていない。それどころか準軍事的措置である経済制裁を長年継続している。[*20] また、日米韓三国がワシントンで開いた二〇二一年一〇月の高官会議において、韓国側が休戦状態にある朝鮮戦争の終戦宣言を望んだのに対して、日本側が「時期尚早」と難色を示したことが報じられている。[*21]

「韓流ブーム」は歴史問題を隠蔽し、表面的な「日韓友好」を作り上げた。その「日韓友好」は、朝鮮民主主義人民共和国や在日朝鮮人に対する敵対視と表裏一体であった。

韓国の文化を知り、学び、尊重することは大切なことである。そのことは前提であるが、「韓流ブーム」や「日韓友好」が以上のような政治的な性格を有していたことは否定できない事実である。

現代日本におけるヘイトスピーチの拡大や日韓関係の「悪化」の過程について、よくなされる説明は次のようなものである。二〇〇〇年代に「韓流ブーム」が起こり日韓関係は「改善」されていったが、その後両国関係にヒビが少しずつ入り、二〇一二年八月の李明博大統領（当時）による「竹島」（独島）上陸を一つの契機として、日韓関係が「悪化」し、ヘイトの時代が本格化したという見方である。[*22] さらに、それに追い打ちをかけたとされるのが、前述の二〇一八年の韓国大法院の強制連行・強制労働（徴用工）判決であろう。

「韓流ブーム」の時代から、ヘイトの時代へと暗転していったというような図式は、はたして適切なのだろうか。「韓流ブーム」の時代にも侵略戦争や植民地支配の被害者たちは無視されていたばかりか、歴史否定論も影響力を増していたし、朝鮮民主主義人民共和国や在日朝鮮人に対するバッシングは強化されていたのである。

以上からわかるのは、韓国文化を楽しんだり、民間交流を重ねるだけでは、決して根本的な問題は解決されないということである。[*23] 現在の日本社会においては、「わたしは韓国文化が好きだから、嫌韓の人たちとは違う」と、韓国文化ファンであることを歴史問題と向き合わないことの免罪符にしてしまう人も少なくない。また、「日韓の民間交流で日韓関係を改善しよう」という呼びかけがなされることもある。その際に重要なのは、どのような質の交流を行い、どのような東アジアや日本社会のあり方をめざしていくのかということである。日本が植民地支配の歴史を真摯に認識し、国家責任を認めたうえで、公式謝罪や賠償を実施していくことをめざすという姿勢がないのであれば、民間交流は歴史問題を隠蔽する役割を果たしかねない。

韓国文化がきっかけとなって韓国に関心を持つことは重要であるし、それがきっかけとなって歴史問題を考え始める人もいるだろう。私はそうした動きは重要であると考える。だが、現状では圧倒的多数は歴史を無視し、日本社会にある歴史を忘却しようとする動きに飲み込まれてしまっている。このことを直視することなくしては、真の意味での日本と朝鮮（韓国・朝鮮民主主義人民共和国）の友好関係を作り出すことはできないだろう。

3　朝鮮人差別を克服するために

法務省のウェブサイトには「ヘイトスピーチはなぜ生まれるか」という文章が掲載されている。[*24] そこには次のような一文がある。

現在の日本においても、外国人を自分と異なる他者と考え、「異質なもの」として排除しようとヘイトスピーチが行われることがありますが、私たちが目指すのは、多様性のある社会、外国の人の文化の「違い」を認め合う社会であるとの議論がありました。

「異質なもの」として排除するのではなく、「違い」を認め、分かり合える社会を目指し、「ヘイトスピーチ、許さない。」という意識を持つことが必要なのではないでしょうか。

「自分と異なる他者」を認めることの大切さはいうまでもないが、ことに朝鮮人に対するヘイトスピーチや差別の問題を考える際にはそれだけでは十分とはいえない。朝鮮人差別の背景には、多様性が認められないことだけではなく、そもそも朝鮮人の民族としての自主決定権を暴力的に否定してきた歴史、朝鮮人を抑圧した歴史があり、そうした問題についてはいまだに克服されたとはいえないからである。

まず、一九世紀後半から朝鮮は自主的な近代的民族国家の形成に向けて歩みを進めていたが、それを暴力的に阻止したのは日本の侵略戦争と植民地支配であった。そして、現在に至るまで、朝鮮は分断され、統一的な民族国家を形成することはできていない。分断の直接的要因は冷戦構造であるが、日本が自主的な民族国家建設を阻止したことの影響はきわめて大きく、日本は朝鮮分断について重大な責任を有する。

また、特に在日朝鮮人の民族としての自己決定権は十分に認められていない。たとえば、在日朝鮮人が、子どもたちに民族教育を行うことは当然の権利であるし、その教育内容を朝鮮人が自らの手で決めることは当然のことである。ここには、朝鮮民主主義人民共和国を「祖国」とした朝鮮学校での民族教育も含まれる。植民地支配の加害国であり、植民地支配のもとで民族教育を抑圧してきた日本側は、そうした民族教育の権利を保障するべきである。しかし、現在、日本政府は「高校無償化」から朝鮮学校を排除するなど、さまざまな差別的措置をとり、朝鮮学校で民族教育を受ける権利を社会的・経済的に圧迫している。*25

また、「韓国人を殺せ！」と叫ぶことはそれ自体が問題であるが、このような言動がなされる背景には、朝鮮学校に対して社会的にバッシングがなされるのは、このような政府の姿勢に大きな原因がある。

日本の朝鮮侵略・植民地支配に対する反省が十分に確立されていないことがある。侵略と植民地支配のもとで朝鮮人を殺害してきたことに対する批判的な認識が日本政府や日本社会の中で明確に確立されていないからこそ、そのような暴力的な言動が路上に立ち現れたのである。[*26]

以上のように、現在の朝鮮人差別やヘイトスピーチは、単に「自分と異なる他者」に対して不寛容であるというよりは、日本による暴力の歴史に対する反省の欠如、歴史の否定によって支えられているといえるだろう。朝鮮人差別の克服は、多様性の尊重だけではなされることができず、加害の歴史と真摯に向き合い、植民地支配が引き起こした矛盾を克服しようとする営為によってしか果たされないだろう。

4 加害の歴史を学び考える

朝鮮人に対する差別や暴力を乗り越えていくためには何が必要だろうか。特効薬があるわけではないが、第一歩としては日本が引き起こした侵略戦争と植民地支配の歴史を真摯に学ぶことが大切である。繰り返しになるが、朝鮮人に対する差別や暴力は歴史に対する無知、無理解によって支えられているからである。とはいえ、加害の歴史を学ぶことについては、ハードルが高いと感じる人も少なくないだろう。そのような人びとに向けてつくられた本が、前述の『「日韓」のモヤモヤと大学生のわたし』であった。この本では現役大学生が日朝関係史を平易に解説しつつ、加害の歴史を学ぶことの意味を訴えている。

この本をヒントに、日本の現状を変えていくための道筋について考えてみよう。[*27]同書は、日本人が感じる「日韓」にかかわる「モヤモヤ」を取り上げる。たとえば、自分が好きなK－POPアイドルが「反日」であるという情報をネットで見かけてしまい「モヤモヤ」したとか、日本と韓国のあいだで過去に何があったのか調べてみたけれどインターネット上に情報が多すぎて何が本当のことかわからなかった、というような経験を切り口に歴史の問題を解説していくスタイルをとっている。

率直にいえば、このような疑問や「モヤモヤ」が生じること自体が日本人の歴史忘却を示しており問題だといえる。このような疑問の存在が被害を受けてきた当事者にとって堪え難いものであることは認識すべきである。『「日韓」のモヤモヤと大学生のわたし』は日本の加害責任を明確にしたうえで、そうした厳しい現実に対してアプローチを試みたのである。

『「日韓」のモヤモヤと大学生のわたし』は学生自身の体験をエッセイ風に綴っている。たとえば、韓国人との交流の過程で歴史問題に関連して相手を傷つけてしまった経験から、学生自身がどのように歴史と向き合い学ぼうとしたのかを書いた文章が掲載されている。読者は学生の体験を追体験しながら、加害の歴史に向き合うためのヒントを得られるように工夫されている。

日本社会では、侵略戦争や植民地支配に関する歴史問題について公然と議論されることは少なく、タブー視されてしまっている。その中で、多くの人びとが韓国文化を受容しながらも、心の奥底には歴史問題に対する疑問や違和感を抱えていたようである。そうした人びとの「モヤモヤ」にアプローチしようとしたのが『「日韓」のモヤモヤと大学生のわたし』だったのである。

この本は親しみやすい文体や装丁を意識したこともあってか、韓国文化ファンの一部に受け入れられ、日朝関係史の書籍としては異例の六刷一万一〇〇〇部を達成した。

『「日韓」のモヤモヤと大学生のわたし』が刊行された直後から、SNS上には同書の感想が次々に投稿された。中には感想という枠に収まらないものもあった。学生たちが自分の経験をエッセイ風に綴ったことは前述したが、それに呼応するかのように読者が自らの体験を次々に語り出したのである。読者自身がいかに加害の歴史を無視してきたのか、真摯に問い直そうとする実践がそこには見られた。そうした文章を読んだ別の読者がまた自らの感想を語るという連鎖が続いていった。

このような動きは日本社会の全体からすると小さな動きにすぎず、過大評価することはできない。しかし、それでも、このような動きが拡がったことは、日本社会が加害の歴史と向き合っていくための道筋を考えていくうえで、重要な示唆を与えてくれるだろう。

おわりに

朝鮮人に対する差別・暴力は決して一部の突出した人たちによって担われているのではない。日本政府や日本人が朝鮮に対する侵略戦争と植民地支配の歴史と向き合わず、朝鮮人の民族としての自主決定権を認めていないことに大きな原因があるのである。朝鮮人に対する差別と暴力を支えているのは、この日本人全体なのである。

こうした状況に抗していくためには、加害の歴史について真摯に学び、侵略戦争と植民地支配の責任を果たしていくための実践を積み重ねるしかない。

〔注〕

＊1　在日朝鮮人とは、日本の植民地支配の結果としてやむをえず日本に渡ってきて、一九四五年以後も日本に暮らし続けた人びととその子孫を指す。なお、本稿において、「朝鮮」は大韓民国・朝鮮民主主義人民共和国のいずれかを指すのではなく、民族名・地域名として用いる。「朝鮮人」についても民族全体を示す名称として用いる。

＊2　板垣竜太「ウトロ放火事件公判への意見書」（『評論・社会科学』一四二、二〇二二年）。

＊3　「22歳被告、起訴内容を認める　在日コリアン多い京都・ウトロ地区放火」『朝日新聞』二〇二二年五月一六日（デジタル版）。

＊4　判決では、本件について「差別」と明言することはなかったが、犯人の動機について「在日韓国朝鮮人という特定の出自を持つ人々への偏見や嫌悪感などに基づく独善的かつ身勝手なもの」と認定された点は重要である（「ウトロ放火、懲役4年　在日コリアンに偏見「身勝手」京都地裁判決」『朝日新聞』二〇二二年八月三一日、デジタル版）。前掲、板垣「ウトロ放火事件公判への意見書」など参照。中村一成『ウトロ　ここで生き　ここで死ぬ』（三一書房、二〇二二年）。

＊5　中村一成『ルポ　京都朝鮮学校襲撃事件――〈ヘイトクライム〉に抗して』（岩波書店、二〇一四年）。

＊6　「「殺せ」連呼するデモ横行　言論の自由か、規制の対象か」『朝日新聞』二〇一三年三月一六日（デジタル版）。

＊7　「「差別と人権蹂躙反対」　銃撃事件、朝鮮総連が抗議集会」『朝日新聞』二〇一八年二月二八日（デジタル版）。

＊8　岡本有佳・加藤圭木編『だれが日韓「対立」をつくったのか――徴用工、「慰安婦」、そしてメディア』（大月書店、二〇一九年）。

＊9　大貫智子の記事では、後述するように私が監修を担当した一橋大学社会学部加藤圭木ゼミナール編『「日韓」のモヤモヤと大学生のわたし』（大月書店、二〇二一年）や、同書に関する一橋大学学園祭のイベント（主催者は加

藤ゼミ）の様子が取り上げられている。しかし、大貫は私やゼミ側に一度も連絡をとらず、直接の取材をしないまま、上記のコラムを執筆した。この点について、同書の著者やゼミの学生と相談のうえで、私が抗議したところ、毎日新聞社は本記事の取材に不十分な点があったことを認めて削除し、政治部長と社長室広報担当が来校して当事者の学生・院生に直接謝罪した。詳しい経緯は、加藤圭木・吉田裕「大貫智子「韓国文化を楽しむなら加害の歴史に向き合うべきか」（毎日新聞）の記事削除について」二〇二三年二月一六日、reserchmap 加藤圭木研究ブログ（https://researchmap.jp/blogs/blog_entries/view/92532/73276bdf391f27675960406be5f8d4f?frame_id=694329）。なお、本稿における同記事の引用は、記事の削除以前の段階で私が保存しておいたPDFファイルに基づく。

＊10 後述するように大貫は朴裕河の日韓歴史問題に対する立場を支持し、この記事を執筆している。朴裕河が日韓の歴史問題を論じた『和解のために――教科書・慰安婦・靖国・独島』（平凡社、二〇〇六年）は二〇〇七年に大佛次郎論壇賞を受賞するなど、日本社会で大きな影響力を持っている。その後刊行された『帝国の慰安婦――植民地支配と記憶の闘い』（朝日新聞出版、二〇一四年）も大きな話題となった。朴裕河の議論の問題点については、金富子「「慰安婦」問題と脱植民地主義――歴史修正主義的な「和解」への抵抗」（金富子・中野敏男編『歴史と責任――「慰安婦」問題と一九九〇年代』青弓社、二〇〇八年）、鄭栄桓『忘却のための「和解」――『帝国の慰安婦』と日本の責任』（世織書房、二〇一六年）などを参照。

＊11 同書は韓国文化を議論の導入部分において取り上げているが、韓国文化を楽しむかどうかに関係なく加害の歴史と向き合うべきであると主張していた。ところが、大貫は「韓国文化を楽しむなら歴史に向き合うべきか」とミスリーディングなタイトルをつけて、同書への批判を展開した。

＊12 板垣竜太「植民地支配責任を定立するために」（岩崎稔・大川正彦・中野敏男・李孝徳編『継続する植民地主義――ジェンダー／民族／人種／階級』青弓社、二〇〇五年）。永原陽子『「植民地責任」論――「脱植民地化」の比較史』（青木書店、二〇〇九年）。なお、徴用工問題に関する韓国大法院判決には、「日本政府の韓半島に対する不法な植民地支配」と述べた箇所がある（金昌禄「韓国はなぜ話を蒸し返すのか？」前掲、岡本・加藤編『だれが日

韓「対立」をつくったのか』)。植民地支配の不法性を問おうとする世界の動向と一致する判決ということができる。

*13 前掲、岡本・加藤編『だれが日韓「対立」をつくったのか』参照。

*14 吉田裕『現代歴史学と戦争責任』(青木書店、一九九七年)一二一―一二三頁。

*15 よく知られているように、日韓基本条約では「韓国併合に関する条約」(一九一〇年、以下併合条約)について「もはや無効」とすることで、併合条約の評価は曖昧にされた。日韓基本条約締結時の日本側の立場は、併合条約は「対等の立場で、自由意思でこの条約が締結されたというものであり(当時の佐藤栄作首相の答弁、一九六五年一一月五日の衆議院日本国と大韓民国の条約及び協定等に関する委員会)、締結時は併合条約は有効であったとした。このような立場に基づき、日本側は植民地支配やその中で行われた不法行為については賠償を実施していない。したがって、日韓国交正常化に際して植民地支配の法的責任が問われたとはいえない。しかし、併合条約は日本側による武力と圧迫に基づいて強制されたもので当初から無効と考えるべきである。このような植民地化の過程や、現在の世界の潮流を視野に入れれば、前述のように植民地支配は不法であると考えるべきである。また、植民地支配の中で引き起こされた不法行為についても責任が問われるべきである(糟谷憲一「「韓国併合条約」の無効性と「併合詔書」」和田春樹・内海愛子・金泳鎬・李泰鎮編『日韓歴史問題をどう解くか――次の一〇〇年のために』岩波書店、二〇一三年、権赫泰『平和なき「平和主義」』鄭栄桓訳、法政大学出版局、二〇一六年、一四―一五頁、前掲、有佳・加藤編『だれが日韓「対立」をつくったのか』など)。

*16 前掲、権『平和なき「平和主義」』一四―一六頁。

*17 同右。

*18 能川元一「「歴史戦」の誕生と展開」(山口智美、能川元一、テッサ・モーリス=スズキ、小山エミ『海を渡る「慰安婦」問題――右派の歴史戦を問う』岩波書店、二〇一六年)。

*19 「時代の正体〈25〉存在消される危惧抱き」神奈川新聞「カナロコ」二〇一四年九月一七日(https://www.kanaloco.jp/news/social/entry-51864.html 二〇二三年二月二八日閲覧)。

＊20　加藤圭木「朝鮮民主主義人民共和国で出会った人びと」（前掲、岡本・加藤編『だれが日韓「対立」をつくったのか』）、内海愛子・中野晃一・李泳采・鄭栄桓『いま、朝鮮半島はなにを問いかけるのか』（彩流社、二〇一九年）。
＊21　「朝鮮戦争の終戦宣言に難色」ＲＥＵＴＥＲＳウェブサイト、二〇二一年一一月七日、共同通信配信記事（https://jp.reuters.com/article/idJP2021110601000688　二〇二三年二月二八日閲覧）。
＊22　たとえば、『朝日新聞』では「李明博（イミョンバク）韓国元大統領の竹島上陸などをきっかけとしたヘイトスピーチの影響で訪問客が激減した時期もあった」との報道があった（「韓流ブーム　再来、映える活気」『朝日新聞』二〇一八年一二月二一日夕刊）。
＊23　前掲『「日韓」のモヤモヤと大学生のわたし』はここで取り上げた問題について、大学生の視点で議論している。
＊24　https://www.moj.go.jp/JINKEN/jinken05_00031.html（二〇二三年二月二八日閲覧）。
＊25　金誠明「在日朝鮮人の民族教育と自決権――朝鮮学校「高校無償化」排除と朝鮮民主主義人民共和国」（『歴史評論』八二二、二〇一八年）八四－八五頁。
＊26　日清・日露戦争や植民地化過程、三・一運動の弾圧、「間島出兵」、関東大震災などにおいて日本側は朝鮮人を虐殺してきた（さしあたり、前掲、岡本・加藤編『だれが日韓「対立」をつくったのか』参照）。
＊27　同書の特徴や反響については、加藤圭木「「日韓歴史問題」と大学生――モヤモヤは進化する」（『世界』九六一、二〇二二年）。

あとがき

近年、民衆史を専門とする三〇代の研究者や、専門にしたいという二〇代の院生が出てきました。また、暴力という問題に歴史学の領域からアプローチする研究も生まれています。以上については、「序論」で触れました。

そのような学問状況のもと、二〇一七年春に「社会変容と民衆暴力」（科研費基盤研究B）という共同研究が始まりました。当初、日本近世・近代を対象としていましたが、研究が進展する中で、アジアや欧州と比較すべきとの思いが強くなり、研究領域・時代を拡げました。研究期間中、メンバー各人は、それぞれの研究対象に応じて史料調査・現地踏査を実行しましたが、なるべく、全員がそれらの調査に参加するスタイルをとり、以下のように、海外での調査も実行しました。

二〇一七年：台湾（霧社事件の現地踏査）
二〇一八年：フランス（パリ、ナント、リヨン＝フランス革命関係地踏査）
二〇一九年：北アイルランド（ベルファスト、ロンドンデリー＝北アイルランド紛争関係地踏査）

これらの調査が、本書ではいかされています――残念ながら霧社事件に関する論文は用意できませんでした――。わたしはこれまで、史料重視、現地主義を徹底してきました。この共同研究のメンバーは、その方向性を共有できる方々でした。現地調査の経験が、成果に直結するとは限りませんが、視野は拡がります。たとえば、宗教の相違による対立・分断・差別を、現代の日本に暮らすわたしたちが実感をもって理解することは難しいといえます。わたしたちは、北アイルランドのロンドンデリーに赴き、「血の日曜日事件」（一九七二年）の現場であるボグサイドを歩き、フリーデリー博物館で関連展示を見、ベルファストでは、現在でもカトリックとプロテスタントが高い壁で分離され居住する街を歩き、それぞれが作った虐殺のモニュメントの前に立つ、という経験を持ちました。それは、第Ⅰ部「宗教・思想を背景とした民衆暴力」につながっています。

わたしは、暴力も人びとの主体的選択の一つである、と繰り返し述べてきました。ノルベルト・エリアスは『文明化の過程』（改装版、波田節夫他訳、法政大学出版会、二〇一〇年）で、文明化とは暴力の抑制にある、と語りました。しかし、この社会学の古典が示した道筋は、真っ直ぐではありません。現在も暴力が絶えないのであり、たとえその選択が主体的行為であったとしても、最良であったとはいえないのです。では、「暴力の地平を超える」にはどうすればよいのでしょうか。

二〇二〇年、新型コロナウイルスのパンデミックとなりました。海外はおろか、国内での調査も不可能となり、歴史学徒にとっては苦しい日々が続きました。わたしは、この共同研究の成果を整理しつつ、歴史を研究する意味や、民衆暴力を明らかにする目的を、改めて問い続けました。そして、先の問いかけに対する歴史学徒としての答えは、〝民衆暴力の事実と背景を分析し、それを冷静に叙述する〟というシンプルなものに行き着きました。この論集からそれを読み込むことができます。

第Ⅰ部において大峰真理は、ジャック・カトリノというキリスト教徒の荷車引きが、ヴァンデの反乱という民衆暴力の初代司令官となってゆく背景を分析しています。第Ⅱ部の高江洲昌哉は、コザ暴動を〈怒りの祝祭〉と位置づけ、「日本復帰」が近づく、不安定な社会状況の様相を描き出し、「暴力の源泉」「暴力の表出」をキーワードとして怒りの背景を分析しています。第Ⅲ部で加藤圭木は、在日朝鮮人に対する差別・暴力や、韓国人へのヘイトスピーチに関して、その背景や構造について考察を行い「そうした差別構造を乗り越えていくために何ができるのかを検討」しています。加藤が問題にしているのは、無知に起因する敵対感情から始まる暴力といえます。また、中臺希実は、江戸時代の浄瑠璃・歌舞伎という演劇作品をメディアとして位置づけ、暴力とジェンダーがどう描かれていたのかを明らかにし、石田沙織は、戦後日本社会において現出した家族成員間で発生する多様な暴力が、メディアによって「家庭内暴力」として語られてゆく過程を分析しています。中臺・石田ともに、当事者ではない他者による暴力表象の様相を扱い、それが現実社会にどう影響していったのか、という問題に迫っています。

「序論」で「現在、民衆暴力を議論するアリーナが形成された」と述べました。本書はそこに入場しました。編者の手前味噌ですが、長年の調査・研究と議論の成果としての力作がそろっています。

最後に、この共同研究の成果の出版を快く引き受けていただいた大月書店、二〇年以前の『暴力の地平を超えて』刊行以降、民衆暴力の問題に関心をもっていただいている編集者の角田三佳さんには心から感謝いたします。

二〇二三年、桜満開のもとで

編者　須田努

宮間純一（みやま　じゅんいち）
中央大学文学部教授
主な著作：
『国葬の成立――明治国家と「功臣」の死』勉誠出版，2015年
『戊辰内乱期の社会――佐幕と勤王のあいだ』思文閣出版，2015年
『天皇陵と近代――地域の中の大友皇子伝説』平凡社，2018年
『公文書管理法時代の自治体と文書管理』（編著）勉誠出版，2022年

趙景達（ちょ　きょんだる）
歴史研究者
主な著作：
『朝鮮の近代思想――日本との比較』有志舎，2019年
『近代朝鮮の政治文化と民衆運動――日本との比較』有志舎，2020年
『儒教的政治思想・文化と東アジアの近代』（編著）有志舎，2018年
『原典朝鮮近代思想史』（共編集）全6巻，岩波書店，2021～22年

中嶋久人（なかじま　ひさと）
早稲田大学歴史館非常勤嘱託
主な著作：
『暴力の地平を超えて――歴史学からの挑戦』（共編著）青木書店，2004年
『首都東京の近代化と市民社会』吉川弘文館，2010年
『戦後史のなかの福島原発』大月書店，2014年
『歴史を学ぶ人々のために』（共著）岩波書店，2017年

中臺希実（なかだい　のぞみ）
明治大学情報コミュニケーション学部兼任講師
主な著作：
「メディアに表象される近世中期における「家」に対する都市部民衆の集合心性――近松世話物『曽根崎心中』『心中卯月紅葉』『心中宵庚申』『生玉心中』を中心に」『家族研究年報』39，2014年
「近松世話物から読み解く「家」存続と血縁優遇のジレンマ」『比較家族史研究』29，2015年
「一九世紀，歌舞伎から読み取る「所帯」イメージと生存」『人民の歴史学』218，2018年
『ジェンダー分析で学ぶ女性史入門』（共著）岩波書店，2021年

檜皮瑞樹（ひわ　みずき）
千葉大学文学部准教授
主な著作：
『仁政イデオロギーとアイヌ統治』有志舎，2014年
『歴史を学ぶ人々のために』（共著）岩波書店，2017年
「明治初年の北海道移住と在地社会」『歴史学研究』989，2019年
「歴史資料の非対称性と歴史研究」『アーカイブズ学研究』34，2021年

加藤圭木（かとう　けいき）
一橋大学大学院社会学研究科准教授
主な著作：
『植民地期朝鮮の地域変容――日本の大陸進出と咸鏡北道』吉川弘文館，2017年
『紙に描いた「日の丸」――足下から見る朝鮮支配』岩波書店，2021年
『「日韓」のモヤモヤと大学生のわたし』（監修）大月書店，2021年
『だれが日韓「対立」をつくったのか――徴用工，「慰安婦」，そしてメディア』（共編）大月書店，2019年

崎山直樹（さきやま　なおき）
千葉大学大学院国際学術研究院准教授
主な著作：
『国民国家の比較史』（共著）有志舎，2010年
「両義性の克服――19世紀アイルランドにおけるアングロ・アイリッシュの挑戦」『エール』31，2012年
『つながりと権力の世界史』（共著）彩流社，2014年
『現場の大学論――大学改革を超えて未来を拓くために』ナカニシヤ出版，2022年

高江洲昌哉（たかえす　まさや）
神奈川大学国際日本学部・非常勤講師
主な著作：
『近代日本の地方統治と「島嶼」』ゆまに書房，2009年
『近代学問の起源と編成』（共著）勉誠出版，2014年
『戦後沖縄の政治と社会――「保守」と「革新」の歴史的位相』（編著），吉田書店，2022年
「大衆化・男子普通参政権・「包摂と排除」――沖縄を事例にして」『史潮』新91，2022年

武内房司（たけうち　ふさじ）
習院大学文学部教授
主な著作：
「ヴェトナム国民党と雲南――滇越鉄路と越境するナショナリズム」『東洋史研究』69-1，2010年
『越境する近代東アジアの民衆宗教――中国・台湾・香港・ベトナム，そして日本』（編著）明石書店，2011年
「大南公司と戦時期ベトナムの民族運動――仏領インドシナに生まれたアジア主義企業」『東洋文化研究』19，2017年
『中国近代の民衆宗教と東南アジア』（共著）研文出版，2021年

執筆者

石田沙織（いしだ　さおり）
ファンダム／メディア研究者
主な著作：
「腐女子のアイデンティティについての一考察――家庭内における腐女子のふるまいを通して」『明治大学大学院　情報コミュニケーション研究論集』7，2013年
“Enjoying Manga as Fujoshi: Exploring its Innovation and Potential for Social Change from a Gender Perspective,” (Main-author: Hiromi Tanaka), *International Journal of Behavioral Science*, 10-1, 2014
「家庭内における腐女子の規範意識――「腐女子であること」の受容をめぐる考察から」『家族研究年報』41，2015年
“The Meaning and Purpose of Doing Manga: The Case of Female Manga Fandom called Fujoshi,” (Main-author: Hiromi Tanaka), *Global Leisure and the Struggles for a Better World*, 2018

伊藤俊介（いとう　しゅんすけ）
福島大学経済経営学類教授
主な著作：
「戦争芝居と川上音二郎――『壮絶快絶日清戦争』の分析をもとに」『日本歴史』805，2015年
「芝居に描かれた真土村事件――『噂廼松蚊鎗夜話』をもとに」『アジア民衆史研究』25，2020年
『「下から」歴史像を再考する――全体性構築のための東アジア近現代史』（共編著）有志舎，2022年
『近代朝鮮の甲午改革と王権・警察・民衆』有志舎，2022年

大峰真理（おおみね　まり）
千葉大学文学部教授
主な著作：
『近代ヨーロッパの探求９　国際商業』（共著），ミネルヴァ書房，2002年
“Le commerce international de Nantes au 18e siècle : l’exemple de la famille Walsh” dans *Mémoires de la Société d’Histoire et d’Archéologie de Bretagne*, 81, 2003
「18世紀前半フランス・ナントの海運業――史料「船舶艤装申告書」を手がかりに」『社会経済史学』79-1，2013年
『岩波講座　世界歴史14　南北アメリカ大陸～17世紀』（共著）岩波書店，2022年

編者
須田　努（すだ　つとむ）
明治大学情報コミュニケーション学部教授
主な著作：
『「悪党」の一九世紀——民衆運動の変質と“近代移行期”』
青木書店，2002年
『吉田松陰の時代』岩波書店，2017年
『三遊亭円朝と民衆世界』有志舎，2017年
『幕末社会』岩波新書，2022年

装丁　鈴木　衛（東京図鑑）

社会変容と民衆暴力
——人びとはなぜそれを選び、いかに語られたのか

2023年５月22日　第１刷発行　　定価はカバーに表示してあります

編　者　須　田　　努
発行者　中　川　　進

〒113-0033　東京都文京区本郷2-27-16
発行所　株式会社　大　月　書　店　　印刷　三晃印刷　製本　ブロケード
電話（代表）03-3813-4651　FAX03-3813-4656／振替 00130-7-16387
http://www.otsukishoten.co.jp/

ISBN978-4-272-51014-6　C0020 Printed in Japan